Pujian untuk Laskar Pelangi

Saya larut dalam empati yang dalam sekali. Sekiranya novel ini difilmkan, akan dapat membangkitkan ruh bangsa yang sedang mati suri."
—**Ahmad Syafi'i Maarif**, mantan Ketua PP Muhammadiyah

"Ramuan pengalaman dan imajinasi yang menarik, yang menjawab inti pertanyaan kita tentang hubungan-hubungan antara gagasan sederhana, kendala, dan kualitas pendidikan."
—**Sapardi Djoko Darmono**, sastrawan dan Guru Besar Fakultas Ilmu Budaya UI

"Cerita *Laskar Pelangi* sangat inspiratif. Andrea menulis sebuah novel yang akan mengobarkan semangat mereka yang selalu dirundung kesulitan dalam menempuh pendidikan."
—**Arwin Rasyid**, Dirut Telkom dan Dosen FEUI.

"Inilah cerita yang sangat mengharukan tentang dunia pendidikan dengan tokoh-tokoh manusia sederhana, jujur, tulus, gigih, penuh dedikasi, ulet, sabar, tawakal, takwa, [yang] dituturkan secara indah dan cerdas. Pada dasarnya kemiskinan tidak berkorelasi langsung dengan kebodohan atau kegeniusan. Sebagai penyakit sosial, kemiskinan harus diperangi dengan metode pendidikan yang tepat guna. Dalam hubungan itu hendaknya semua pihak berpartisipasi aktif sehingga terbangun sebuah monumen kebajikan di tengah arogansi uang dan kekuasaan materi."
—**Korrie Layun Rampan**, sastrawan dan ketua komisi I DPRD Kutai Barat

"Di tengah berbagai berita dan hiburan televisi tentang sekolah yang tak cukup memberi inspirasi dan spirit, maka buku ini adalah pilihan yang menarik. Buku ini ditulis dalam semangat realis kehidupan sekolah, sebuah dunia tak tersentuh, sebuah semangat bersama untuk *survive* dalam semangat humanis yang menyentuh."
—**Garin Nugroho**, sineas

"Andrea Hirata memberi kita syair indah tentang keragaman dan kekayaan tanah air, sekaligus memberi sebuah pernyataan keras tentang realita politik,

ekonomi, dan situasi pendidikan kita. Tokoh-tokoh dalam novel ini membawa saya pada kerinduan menjadi orang Indonesia .... *A must read*!!!"
—**Riri Riza**, sutradara

"Sebuah memoar dalam bentuk novel yang sulit dicari tandingannya dalam khazanah kontemporer penulis kita."
—**Akmal Nasery Basral**, jurnalis-penulis

"Saya sangat mengagumi Novel *Laskar Pelangi* karya Mas Andrea Hirata. Ceritanya berkisah tentang perjuangan dua orang guru yang memiliki dedikasi tinggi dalam dunia pendidikan. [Novel ini menunjukkan pada kita] bahwa pendidikan adalah memberikan hati kita kepada anak-anak, bukan sekadar memberikan instruksi atau komando, dan bahwa setiap anak memiliki potensi unggul yang akan tumbuh menjadi prestasi cemerlang pada masa depan, apabila diberi kesempatan dan keteladanan oleh orang-orang yang mengerti akan makna pendidikan yang sesungguhnya."
—**Kak Seto**, Ketua Komnas Perlindungan Anak

"Andrea berhasil menyajikan kenangannya menjadi cerita yang menarik. Apalagi dibalut sejumlah metafora dan deskripsi yang kuat, filmis ketika memotret lanskap dan budaya ...."
— **Majalah** *Tempo*

"Novel tentang dunia anak-anak yang mencuri perhatian. Berhasil memotret fakta pendidikan dan ironi dunia korporasi di tengah komunitas kaum terpinggirkan."
—**Gerard Arijo Guritno**, Majalah *Gatra*

"Secuil potret pendidikan di negara kita yang memprihatinkan."
—**Majalah** *Femina*

"Seru! Novel ini tidak mengajak pembaca menangisi kemiskinan, sebaliknya mengajak kita memandang kemiskinan dengan cara lain."
—*Koran Tempo*

"Sebuah kisah tentang anak-anak yang luar biasa, yang mampu melahirkan semangat serta kreativitas yang mencengangkan."
—**Harian** *Pikiran Rakyat*

"Metafora-metafora yang ditulis Andrea demikian kuat karena unik dan orisinal."
—**Harian *Tribun Jabar***

"Kehadiran novel realis ini membawa angin segar bagi kesusastraan Indonesia."
—**Harian *Media Indonesia***

"Kita akan tertawa, menangis, dan merenung bersama buku ini."
—**Harian *Belitung Pos***

"Rasa humor yang halus dan luasnya cakrawala pengetahuan Andrea adalah daya tarik utama *Laskar pelangi*."
—**Harian *Bangka Pos***

"Gaya bahasa yang mengasyikkan, menantang untuk dibaca."
—**Harian *Galamedia***

"Sebagai penulis pemula, Andrea menakjubkan karena mampu menampil-kan deskripsi dengan detail yang kuat."
—**Tabloid *Indago***

"Ketika membaca *Laskar Pelangi*, kita seolah menemukan Gabriel Garcia Marquez, Nicolai Gogol, atau Alan Lightman ... sebuah bacaan yang sangat inspiratif dan mampu memberi kekuatan."
—**www.indosiar.com**

"Buku *Laskar Pelangi* memberiku semangat baru yang tak ternilai untuk mengajar murid-murid meskipun kami selalu dirundung kesusahan demi kesusahan, meskipun dunia tak peduli. Buku ini membuatku sangat bangga menjadi seorang guru."
—**Herni Kusyari**, guru SD di daerah terpencil.

"Andrea seperti sedang *trance*, menulis *Laskar Pelangi* dengan kadar emosi demikian kental, bertabur metafora penuh pesona, hanya dalam waktu tiga pekan."
—**Rita Achdris**, wartawati Majalah *Gatra*

"Terlepas dari latar belakang sastranya yang banyak dipertanyakan, terlepas dari berbagai spekulasi tentang *trance* ketika ia menulis, setiap kata dalam *Laskar Pelangi* berasal dari dalam hati Andrea. Moralitas hubungan antar ibu, anak, guru, dan murid sangat instingtif dan memikat. Sebagai seorang ibu, aku dapat merasakan buku ini memiliki semacam tenaga telepatik."
—**Ida Tejawiani**, ibu rumah tangga

"Yang *trance* bukan Andrea, tapi pembacanya ...."
—**Fadly Arifin**, dikutip dari milis pasarbuku

"Kekuatan deskripsi Andrea membuatku ingin sekali berjumpa dengan setiap anggota Laskar Pelangi. Kekuatan karakter tokoh-tokohnya membuatku ingin berbuat sesuatu untuk membantu murid-murid cerdas yang miskin. *Laskar Pelangi* adalah sebuah buku yang sangat menggerakkan hati untuk berbuat lebih banyak."
—**Febi Liana**, karyawati di Jakarta, pencinta buku

laskar Pelangi

Andrea hirata

Laskar Pelangi

BENTANG

LASKAR PELANGI
Andrea Hirata

Cetakan Pertama, September 2005
Cetakan Kedua puluh empat, Oktober 2008
Cetakan Kedua puluh lima, November 2008
Cetakan Kedua puluh enam, November 2008

Penyunting: Suhindrati a. Shinta
Perancang dan ilustrasi sampul: Andreas Kusumahadi
Pemeriksa aksara: Yayan R.H.
Penata aksara: Dimas Aryo

Diterbitkan oleh Penerbit Bentang
Anggota IKAPI
(PT Bentang Pustaka)
Jln. Pandega Padma 19, Yogyakarta 55284
Telp. (0274) 517373 – Faks. (0274) 541441
E-mail: bentangpustaka@yahoo.com

Perpustakaan Nasional: Katalog Dalam Terbitan (KDT)

Hirata, Andrea
  Laskar Pelangi/Andrea Hirata; penyunting, Suhindrati a. Shinta.
  —Yogyakarta: Bentang, 2005. [cet. 26, 2008]
  xiv + 534 hlm; 20,5 cm

  ISBN 979-3062-79-7

  I. Judul.   II. Shinta, Suhindrati a.

                                                         813

Didistribusikan oleh:
Mizan Media Utama (MMU)
Jln. Cinambo (Cisaranten Wetan) No. 146
Ujungberung, Bandung 40294
Telp. 022-7815500 — Faks. 022-7802288
E-mail: mizanmu@bdg.centrin.net.id

Buku ini kupersembahkan untuk
guruku Ibu Muslimah Hafsari dan Bapak Harfan Effendy Noor,
sepuluh sahabat masa kecilku anggota Laskar Pelangi,

Ucapan Terima Kasih

UCAPAN terima kasih kusampaikan kepada Ally, Katja Kochling, Saskia de Rooij, Basuni Hamin, Cindy Riza Stella, Heldy Suliswan Hirata, Yan Sancin, Zaharudin, Roxane, Resval, Gatot Indra, Olan, Hazuan Seman Said, K.A. Arizal Artan, Okin di Telkom Jember, dan terutama untuk Mas Gangsar Sukrisno serta Mbak Suhindrati a. Shinta di Bentang Pustaka.

Isi Buku

"... and to every action there is always an equal and opposite or contrary, reaction ..."

Isaac Newton, 1643-1727

Bab 1
Sepuluh Murid Baru

PAGI itu, waktu aku masih kecil, aku duduk di bangku panjang di depan sebuah kelas. Sebatang pohon *filicium* tua yang rindang meneduhiku. Ayahku duduk di sampingku, memeluk pundakku dengan kedua lengannya dan tersenyum mengangguk-angguk pada setiap orangtua dan anak-anaknya yang duduk berderet-deret di bangku panjang lain di depan kami. Hari itu adalah hari yang agak penting: hari pertama masuk SD.

Di ujung bangku-bangku panjang tadi ada sebuah pintu terbuka. Kosen pintu itu miring karena seluruh bangunan sekolah sudah doyong seolah akan roboh. Di mulut pintu berdiri dua orang guru seperti para penyambut tamu dalam perhelatan. Mereka adalah seorang bapak tua berwajah sabar, Bapak K.A. Harfan Efendy Noor, sang kepala sekolah dan seorang wanita muda berjilbab, Ibu N.A. Muslimah Hafsari atau Bu Mus. Seperti ayahku, mereka berdua juga tersenyum.

Namun, senyum Bu Mus adalah senyum getir yang dipaksakan karena tampak jelas beliau sedang cemas. Wajahnya tegang dan gerak-geriknya gelisah. Ia berulang kali menghitung jumlah anak-anak yang duduk di bangku panjang. Ia demikian khawatir sehingga tak peduli pada peluh yang mengalir masuk ke pelupuk matanya. Titik-titik keringat yang bertimbulan di seputar hidungnya menghapus bedak tepung beras yang dikenakannya, membuat wajahnya coreng-moreng seperti pemeran emban bagi permaisuri dalam *Dul Muluk*, sandiwara kuno kampung kami.

"Sembilan orang ... baru sembilan orang Pamanda Guru, masih kurang satu...," katanya gusar pada bapak kepala sekolah. Pak Harfan menatapnya kosong.

Aku juga merasa cemas. Aku cemas karena melihat Bu Mus yang resah dan karena beban perasaan ayahku menjalar ke sekujur tubuhku. Meskipun beliau begitu ramah pagi ini tapi lengan kasarnya yang melingkari leherku mengalirkan degup jantung yang cepat. Aku tahu beliau sedang gugup dan aku maklum bahwa tak mudah bagi seorang pria berusia empat puluh tujuh tahun, seorang buruh tambang yang beranak banyak dan bergaji kecil, untuk menyerahkan anak laki-lakinya ke sekolah. Lebih mudah menyerahkannya pada tauke pasar pagi untuk jadi tukang parut atau pada juragan pantai untuk menjadi kuli kopra agar dapat membantu ekonomi keluarga. Menyekolahkan anak berarti mengikatkan diri pada biaya selama belasan tahun dan hal itu bukan perkara gampang bagi keluarga kami.

"Kasihan ayahku …."

Maka aku tak sampai hati memandang wajahnya.

"Barangkali sebaiknya aku pulang saja, melupakan keinginan sekolah, dan mengikuti jejak beberapa abang dan sepupu-sepupuku, menjadi kuli …."

Tapi agaknya bukan hanya ayahku yang gentar. Setiap wajah orangtua di depanku mengesankan bahwa mereka tidak sedang duduk di bangku panjang itu, karena pikiran mereka, seperti pikiran ayahku, melayang-layang ke pasar pagi atau ke keramba di tepian laut membayangkan anak lelakinya lebih baik menjadi pesuruh di sana. Para orangtua ini sama sekali tak yakin bahwa pendidikan anaknya yang hanya mampu mereka biayai paling tinggi sampai SMP akan dapat mempercerah masa depan keluarga. Pagi ini mereka terpaksa berada di sekolah ini untuk menghindarkan diri dari celaan aparat desa karena tak menyekolahkan anak atau sebagai orang yang terjebak tuntutan zaman baru, tun-tutan memerdekakan anak dari buta huruf.

Aku mengenal para orangtua dan anak-anaknya yang duduk di depanku. Kecuali seorang anak lelaki kecil kotor berambut keriting merah yang meronta-ronta dari pegangan ayahnya. Ayahnya itu tak beralas kaki dan bercelana kain belacu. Aku tak mengenal anak-beranak itu.

Selebihnya adalah teman baikku. Trapani misalnya, yang duduk di pangkuan ibunya, atau Kucai yang duduk di samping ayahnya, atau Syahdan yang tak diantar siapa-siapa. Kami bertetangga dan kami adalah orang-orang Melayu Belitong dari sebuah komunitas yang paling miskin di pulau itu. Adapun sekolah ini, SD Muhammadiyah, juga sekolah kampung yang paling miskin di Belitong. Ada tiga alasan mengapa para orangtua mendaftarkan anaknya di sini. Pertama, karena sekolah Muhammadiyah tidak menetapkan iuran dalam bentuk apa pun, para orangtua hanya menyumbang sukarela semampu mereka. Kedua, karena firasat, anak-anak mereka dianggap memiliki karakter yang mudah disesatkan iblis sehingga sejak usia muda harus mendapat pendadaran Islam yang tangguh. Ketiga, karena anaknya memang tak diterima di sekolah mana pun.

Bu Mus yang semakin khawatir memancang pandangannya ke jalan raya di seberang lapangan sekolah berharap kalau-kalau masih ada pendaftar baru. Kami prihatin melihat harapan hampa itu. Maka tidak seperti suasana di SD lain yang penuh kegembiraan ketika menerima murid angkatan baru, suasana hari pertama di SD Muhammadiyah penuh dengan kerisauan, dan yang paling risau adalah Bu Mus dan Pak Harfan.

Guru-guru yang sederhana ini berada dalam situasi genting karena Pengawas Sekolah dari Depdikbud Sumsel telah memperingatkan bahwa jika SD Muhammadiyah hanya mendapat murid baru kurang dari sepuluh orang, maka sekolah paling tua di Belitong ini harus ditutup. Karena itu, sekarang Bu Mus dan Pak Harfan cemas sebab sekolah mereka akan tamat riwayatnya, sedangkan para orangtua cemas karena biaya, dan kami, sembilan anak-anak kecil ini—yang terperangkap di tengah—cemas kalau-kalau kami tak jadi sekolah.

Tahun lalu SD Muhammadiyah hanya mendapatkan sebelas siswa, dan tahun ini Pak Harfan pesimis dapat memenuhi target sepuluh. Maka diam-diam beliau telah mempersiapkan sebuah pidato pembubaran sekolah di depan para orangtua murid pada kesempatan pagi ini. Kenyataan bahwa beliau hanya memerlukan satu siswa lagi untuk memenuhi target itu menyebabkan pidato ini akan menjadi sesuatu yang menyakitkan hati.

"Kita tunggu sampai pukul sebelas," kata Pak Harfan pada Bu Mus dan seluruh orangtua yang telah pasrah. Suasana hening.

Para orangtua mungkin menganggap kekurangan satu murid sebagai pertanda bagi anak-anaknya bahwa mereka memang sebaiknya didaftarkan pada para juragan saja. Sedangkan aku dan agaknya juga anak-anak yang lain merasa amat pedih: pedih pada orangtua kami yang tak mampu, pedih menyaksikan detik-detik terakhir sebuah sekolah tua yang tutup justru pada hari pertama kami ingin sekolah, dan pedih pada niat kuat kami untuk belajar tapi tinggal selangkah lagi harus terhenti hanya karena kekurangan satu murid. Kami menunduk dalam-dalam.

Saat itu sudah pukul sebelas kurang lima dan Bu Mus semakin gundah. Lima tahun pengabdiannya di sekolah melarat yang amat ia cintai dan tiga puluh dua tahun pengabdian tanpa pamrih pada Pak Harfan, pamannya, akan berakhir di pagi yang sendu ini.

"Baru sembilan orang, Pamanda Guru ...," ucap Bu Mus bergetar sekali lagi. Ia sudah tak bisa berpikir jernih. Ia berulang kali mengucapkan hal yang sama yang telah diketahui semua orang. Suaranya berat selayaknya orang yang tertekan batinnya.

Akhirnya, waktu habis karena telah pukul sebelas lewat lima dan jumlah murid tak juga genap sepuluh. Semangat besarku untuk sekolah perlahan-lahan runtuh. Aku melepaskan lengan ayahku dari pundakku. Sahara menangis terisak-isak mendekap ibunya karena ia benar-benar ingin sekolah di SD Muhammadiyah. Ia memakai sepatu, kaus kaki, jilbab, dan baju, serta telah punya buku-buku, botol air minum, dan tas punggung yang semuanya baru.

Pak Harfan menghampiri orangtua murid dan menyalami mereka satu per satu. Sebuah pemandangan yang pilu. Para orangtua menepuk-nepuk bahunya untuk membesarkan hatinya. Mata Bu Mus berkilauan karena air mata yang menggenang. Pak Harfan berdiri di depan para orangtua, wajahnya muram. Beliau bersiap-siap memberikan pidato terakhir. Wajahnya tampak putus asa. Namun ketika beliau akan mengucapkan kata pertama *Assalamu'alaikum*, seluruh hadirin terperanjat karena Trapani berteriak sambil menunjuk ke pinggir lapangan rumput luas halaman sekolah itu.

"Harun!"

Kami serentak menoleh dan di kejauhan tampak seorang pria kurus tinggi berjalan terseok-seok. Pakaian dan sisiran rambutnya sangat rapi. Ia berkemeja lengan panjang putih yang dimasukkan ke dalam. Kaki dan langkahnya membentuk huruf x sehingga jika berjalan seluruh tubuhnya bergoyang-goyang hebat. Seorang wanita gemuk setengah baya yang berseri-seri susah payah memeganginya. Pria itu adalah Harun, pria jenaka sahabat kami semua, yang sudah berusia lima belas tahun dan agak terbelakang mentalnya. Ia sangat gembira dan berjalan cepat setengah berlari tak sabar menghampiri kami. Ia tak menghiraukan ibunya yang *tercepuk-cepuk* kewalahan menggandengnya.

Mereka berdua hampir kehabisan napas ketika tiba di depan Pak Harfan.

"Bapak Guru ...," kata ibunya terengah-engah.

"Terimalah Harun, Pak, karena SLB hanya ada di Pulau Bangka, dan kami tak punya biaya untuk menyekolahkannya ke sana. Lagi pula lebih baik kutitipkan dia di sekolah ini daripada di rumah ia hanya mengejar-ngejar anak-anak ayamku ...."

Harun tersenyum lebar memamerkan gigi-giginya yang kuning panjang-panjang.

Pak Harfan juga tersenyum, beliau melirik Bu Mus sambil mengangkat bahunya.

"Genap sepuluh orang ...," katanya.

Harun telah menyelamatkan kami dan kami pun bersorak. Sahara berdiri tegak merapikan lipatan jilbabnya dan menyandang tasnya dengan gagah, ia tak mau duduk lagi. Bu Mus tersipu. Air mata guru muda ini surut dan ia me-

nyeka keringat di wajahnya yang belepotan karena ber-
campur dengan bedak tepung beras.

Bab 2
Antediluvium

IBU Muslimah yang beberapa menit lalu sembap, gelisah, dan coreng-moreng kini menjelma menjadi sekuntum *Crinum giganteum*. Sebab tiba-tiba ia mekar sumringah dan posturnya yang jangkung persis tangkai bunga itu. Kerudungnya juga berwarna bunga *crinum* demikian pula bau bajunya, persis *crinum* yang mirip bau vanili. Sekarang dengan ceria beliau mengatur tempat duduk kami.

Bu Mus mendekati setiap orangtua murid di bangku panjang tadi, berdialog sebentar dengan ramah, dan mengabsen kami. Semua telah masuk ke dalam kelas, telah mendapatkan teman sebangkunya masing-masing, kecuali aku dan anak laki-laki kecil kotor berambut keriting merah yang tak kukenal tadi. Ia tak bisa tenang. Anak ini berbau hangus seperti karet terbakar.

"Anak Pak Cik akan sebangku dengan Lintang," kata Bu Mus pada ayahku.

Oh, itulah rupanya namanya, *Lintang*, sebuah nama yang aneh.

Mendengar keputusan itu, Lintang meronta-ronta ingin segera masuk kelas. Ayahnya berusaha keras menenangkannya, tapi ia memberontak, menepis pegangan ayahnya, melonjak, dan menghambur ke dalam kelas mencari bangku kosongnya sendiri. Di bangku itu ia seumpama balita yang dinaikkan ke atas tank, girang tak alang kepalang, tak mau turun lagi. Ayahnya telah melepaskan belut yang licin itu, dan anaknya baru saja meloncati nasib, merebut pendidikan.

Bu Mus menghampiri ayah Lintang. Pria itu berpotongan seperti pohon cemara angin yang mati karena disambar petir: hitam, meranggas, kurus, dan kaku. Beliau adalah seorang nelayan, namun pembukaan wajahnya yang mirip orang *Bushman* adalah raut wajah yang lembut, baik hati, dan menyimpan harap. Beliau pasti termasuk dalam sebagian besar warga negara Indonesia yang menganggap bahwa pendidikan bukan hak asasi.

Tidak seperti kebanyakan nelayan, nada bicaranya pelan. Lalu beliau bercerita pada Bu Mus bahwa kemarin sore kawanan burung pelintang pulau mengunjungi pesisir. Burung-burung keramat itu hinggap sebentar di puncak pohon ketapang demi menebar pertanda bahwa laut akan diaduk badai. Cuaca cenderung semakin memburuk akhir-akhir ini maka hasil melaut tak pernah memadai. Apalagi ia hanya semacam petani penggarap, bukan karena ia tak punya laut, tapi karena ia tak punya perahu.

Agaknya selama turun-temurun keluarga laki-laki cemara angin itu tak mampu terangkat dari endemik kemiskinan komunitas Melayu yang menjadi nelayan. Tahun ini beliau menginginkan perubahan dan ia memutuskan anak laki-laki tertuanya, Lintang, tak akan menjadi seperti dirinya. Lintang akan duduk di samping pria kecil berambut ikal yaitu aku, dan ia akan sekolah di sini lalu pulang pergi setiap hari naik sepeda. Jika panggilan nasibnya memang harus menjadi nelayan maka biarkan jalan kerikil batu merah empat puluh kilometer mematahkan semangatnya. Bau hangus yang kucium tadi ternyata adalah bau sandal *cunghai*, yakni sandal yang dibuat dari ban mobil, yang aus karena Lintang terlalu jauh mengayuh sepeda.

Keluarga Lintang berasal dari Tanjong Kelumpang, desa nun jauh di pinggir laut. Menuju ke sana harus melewati empat kawasan pohon nipah, tempat berawa-rawa yang dianggap seram di kampung kami. Selain itu di sana juga tak jarang buaya sebesar pangkal pohon sagu melintasi jalan. Kampung pesisir itu secara geografis dapat dikatakan sebagai wilayah paling timur di Sumatra, daerah minus nun jauh masuk ke pedalaman Pulau Belitong. Bagi Lintang, kota kecamatan, tempat sekolah kami ini, adalah metropolitan yang harus ditempuh dengan sepeda sejak subuh. Ah! Anak sekecil itu ....

Ketika aku menyusul Lintang ke dalam kelas, ia menyalamiku dengan kuat seperti pegangan tangan calon mertua yang menerima pinangan. Energi yang berlebihan di tubuhnya serta-merta menjalar padaku laksana tersengat listrik. Ia berbicara tak henti-henti penuh minat dengan dialek Belitong yang lucu, tipikal orang Belitong pelosok. Bola matanya bergerak-gerak cepat dan menyala-nyala. Ia seperti *pilea*, bunga meriam itu, yang jika butiran air jatuh di atas daunnya, ia melontarkan tepung sari, semarak, spontan, mekar, dan penuh daya hidup. Di dekatnya, aku merasa seperti ditantang mengambil ancang-ancang untuk *sprint* seratus meter. Sekencang apa engkau berlari? Begitulah makna tatapannya.

Aku sendiri masih bingung. Terlalu banyak perasaan untuk ditanggung seorang anak kecil dalam waktu demikian singkat. Cemas, senang, gugup, malu, teman baru, guru baru ... semuanya bercampur aduk. Ditambah lagi satu perasaan ngilu karena sepasang sepatu baru yang dibelikan ibuku. Sepatu ini selalu kusembunyikan ke belakang. Aku selalu menekuk lututku karena warna sepatu itu hitam bergaris-garis putih maka ia tampak seperti sepatu sepak bola, jelek sekali. Bahannya pun dari plastik yang keras. Abang-abangku sakit perut menahan tawa melihat sepatu itu waktu kami sarapan pagi tadi. Tapi pandangan ayahku menyuruh mereka bungkam, membuat perut mereka kaku. Kakiku sakit dan hatiku malu dibuat sepatu ini.

Sementara itu, kepala Lintang terus berputar-putar seperti burung hantu. Baginya, penggaris kayu satu meter, vas bunga tanah liat hasil prakarya anak kelas enam di atas meja Bu Mus, papan tulis lusuh, dan kapur tumpul yang berserakan di atas lantai kelas yang sebagian telah menjadi tanah, adalah benda-benda yang menakjubkan.

Kemudian kulihat lagi pria cemara angin itu. Melihat anaknya demikian bergairah ia tersenyum getir. Aku mengerti bahwa pria yang tak tahu tanggal dan bulan kelahirannya itu gamang membayangkan kehancuran hati anaknya jika sampai *drop out* saat kelas dua atau tiga SMP nanti karena alasan klasik: biaya atau tuntutan nafkah. Bagi beliau pendidikan adalah enigma, sebuah misteri. Dari empat garis generasi yang diingatnya, baru Lintang yang sekolah. Generasi kelima sebelumnya adalah masa antediluvium, suatu masa yang amat lampau ketika orang-orang Melayu masih berkelana sebagai nomad. Mereka berpakaian kulit kayu dan menyembah bulan.

UMUMNYA Bu Mus mengelompokkan tempat duduk kami berdasarkan kemiripan. Aku dan Lintang sebangku karena kami sama-sama berambut ikal. Trapani duduk dengan Mahar karena mereka berdua paling tampan. Penampilan mereka seperti para pelantun irama semenanjung idola orang Melayu pedalaman. Trapani tak tertarik dengan kelas, ia mencuri-curi pandang ke jendela, melirik kepala ibunya yang muncul sekali-sekali di antara kepala orangtua lainnya.

Tapi Borek (bacanya Bore', "e"-nya itu seperti mem-
baca elang, bukan seperti menyebut "e" pada kata edan,
dan "k"-nya itu bukan "k" penuh, Anda tentu paham mak-
sud saya) dan Kucai didudukkan berdua bukan karena me-
reka mirip tapi karena sama-sama susah diatur. Baru bebe-
rapa saat di kelas Borek sudah mencoreng muka Kucai
dengan penghapus papan tulis. Tingkah ini diikuti Sahara
yang sengaja menumpahkan air minum A Kiong sehingga
anak Hokian itu menangis sejadi-jadinya seperti orang ke-
takutan dipeluk setan. N.A. Sahara Aulia Fadillah binti K.A.
Muslim Ramdhani Fadillah, gadis kecil berkerudung itu,
memang keras kepala luar biasa. Kejadian itu menandai
perseteruan mereka yang akan berlangsung akut bertahun-
tahun. Tangisan A Kiong nyaris merusak acara perkenalan
yang menyenangkan pagi itu.

Sebaliknya, bagiku pagi itu adalah pagi yang tak ter-
lupakan sampai puluhan tahun mendatang karena pagi itu
aku melihat Lintang dengan canggung menggenggam se-
buah pensil besar yang belum diserut seperti memegang
sebilah belati. Ayahnya pasti telah keliru membeli pensil
karena pensil itu memiliki warna yang berbeda di kedua
ujungnya. Salah satu ujungnya berwarna merah dan ujung
lainnya biru. Bukankah pensil semacam itu dipakai para
tukang jahit untuk menggaris kain? Atau para tukang sol
sepatu untuk membuat garis pola pada permukaan kulit?
Sama sekali bukan untuk menulis.

Buku yang dibeli juga keliru. Buku bersampul biru
tua itu bergaris tiga. Bukankah buku semacam itu baru akan

kami pakai nanti saat kelas dua untuk pelajaran menulis rangkai indah? Hal yang tak akan pernah kulupakan adalah bahwa pagi itu aku menyaksikan seorang anak pesisir melarat—temanku sebangku—untuk pertama kalinya memegang pensil dan buku, dan kemudian pada tahun-tahun berikutnya, setiap apa pun yang ditulisnya merupakan buah pikiran yang gilang-gemilang, karena nanti ia—seorang anak miskin pesisir—akan menerangi nebula yang melingkupi sekolah miskin ini sebab ia akan berkembang menjadi manusia paling genius yang pernah kujumpai seumur hidupku.

Bab 3
Inisiasi

TAK susah melukiskan sekolah kami, karena sekolah kami adalah salah satu dari ratusan atau mungkin ribuan sekolah miskin di seantero negeri ini yang jika disenggol sedikit saja oleh kambing yang senewen ingin kawin, bisa rubuh berantakan.

Kami memiliki enam kelas kecil-kecil, pagi untuk SD Muhammadiyah dan sore untuk SMP Muhammadiyah. Maka kami, sepuluh siswa baru ini bercokol selama sembilan tahun di sekolah yang sama dan kelas-kelas yang sama, bahkan susunan kawan sebangku pun tak berubah selama sembilan tahun SD dan SMP itu.

Kami kekurangan guru dan sebagian besar siswa SD Muhammadiyah ke sekolah memakai sandal. Kami bahkan

Andrea Hirata

tak punya seragam. Kami juga tak punya kotak P3K. Jika kami sakit, sakit apa pun—diare, bengkak, batuk, flu, atau gatal-gatal—maka guru kami akan memberikan sebuah pil berwarna putih, berukuran besar bulat seperti kancing jas hujan, yang rasanya sangat pahit. Jika diminum, kita bisa merasa kenyang. Pada pil itu ada tulisan besar APC. Itulah pil APC yang legendaris di kalangan rakyat pinggiran Belitong. Obat ajaib yang bisa menyembuhkan segala rupa penyakit.

Sekolah Muhammadiyah tak pernah dikunjungi pejabat, penjual kaligrafi, pengawas sekolah, apalagi anggota dewan. Yang rutin berkunjung hanyalah seorang pria yang berpakaian seperti ninja. Di punggungnya tergantung sebuah tabung alumunium besar dengan slang yang menjalar ke sana kemari. Ia seperti akan berangkat ke bulan. Pria ini adalah utusan dari dinas kesehatan yang menyemprot sarang nyamuk dengan DDT. Ketika asap putih tebal mengepul seperti kebakaran hebat, kami pun bersorak-sorak kegirangan.

Sekolah kami tidak dijaga karena tidak ada benda berharga yang layak dicuri. Satu-satunya benda yang menandakan bangunan itu sekolah adalah sebatang tiang bendera dari bambu kuning dan sebuah papan tulis hijau yang tergantung miring di dekat lonceng. Lonceng kami adalah besi bulat berlubang-lubang bekas tungku. Di papan tulis itu terpampang gambar matahari dengan garis-garis sinar berwarna putih. Di tengahnya tertulis:

SD MD
Sekolah Dasar Muhammadiyah

Lalu persis di bawah matahari tadi tertera huruf-huruf arab gundul yang nanti setelah kelas dua, setelah aku pandai membaca huruf arab, aku tahu bahwa tulisan itu berbunyi *amar makruf nahi mungkar* artinya "menyuruh kepada yang makruf dan mencegah dari yang mungkar". Itulah pedoman utama warga Muhammadiyah. Kata-kata itu melekat dalam kalbu kami sampai dewasa nanti. Kata-kata yang begitu kami kenal seperti kami mengenal bau alami ibu-ibu kami.

Jika dilihat dari jauh sekolah kami seolah akan tumpah karena tiang-tiang kayu yang tua sudah tak tegak menahan atap sirap yang berat. Maka sekolah kami sangat mirip gudang kopra. Konstruksi bangunan yang menyalahi prinsip arsitektur ini menyebabkan tak ada daun pintu dan jendela yang bisa dikunci karena sudah tidak simetris dengan rangka kusennya. Tapi buat apa pula dikunci?

Di dalam kelas kami tidak terdapat tempelan poster operasi kali-kalian seperti umumnya terdapat di kelas-kelas sekolah dasar. Kami juga tidak memiliki kalender dan tak ada gambar presiden dan wakilnya, atau gambar seekor burung aneh berekor delapan helai yang selalu menoleh ke kanan itu. Satu-satunya tempelan di sana adalah sebuah poster, persis di belakang meja Bu Mus untuk menutupi lubang besar di dinding papan. Poster itu memperlihatkan gambar seorang pria berjenggot lebat, memakai jubah, dan ia memegang sebuah gitar penuh gaya. Matanya sayu tapi meradang, seperti telah mengalami cobaan hidup yang mahadahsyat. Dan agaknya ia memang telah bertekad bulat melawan segala bentuk kemaksiatan di muka bumi. Di dalam gambar tersebut sang pria tadi melongok ke langit dan banyak sekali uang-uang kertas serta logam berjatuhan menimpa wajahnya. Di bagian bawah poster itu terdapat dua baris kalimat yang tak kupahami. Tapi nanti setelah naik ke kelas dua dan sudah pintar membaca, aku mengerti bunyi kedua kalimat itu adalah: RHOMA IRAMA, HUJAN DUIT!

Maka pada intinya tak ada yang baru dalam pembicaraan tentang sekolah yang atapnya bocor, berdinding papan, berlantai tanah, atau yang kalau malam dipakai untuk menyimpan ternak, semua itu telah dialami oleh sekolah kami. Lebih menarik membicarakan tentang orang-orang seperti apa yang rela menghabiskan hidupnya bertahan di sekolah semacam ini. Orang-orang itu tentu saja kepala sekolah kami Pak K.A. Harfan Efendy Noor bin K.A. Fadillah Zein Noor dan Ibu N.A. Muslimah Hafsari Hamid binti K.A. Abdul Hamid.

Pak Harfan, seperti halnya sekolah ini, tak susah digambarkan. Kumisnya tebal, cabangnya tersambung pada jenggot lebat berwarna kecokelatan yang kusam dan beruban. Hemat kata, wajahnya mirip Tom Hanks, tapi hanya Tom Hanks di dalam film di mana ia terdampar di sebuah pulau sepi, tujuh belas bulan tidak pernah bertemu manusia dan mulai berbicara dengan sebuah bola voli. Jika kita bertanya tentang jenggotnya yang awut-awutan, beliau tidak akan repot-repot berdalih tapi segera menyodorkan sebuah buku karya Maulana Muhammad Zakariyya Al Kandhallawi Rah, R.A. yang berjudul *Keutamaan Memelihara Jenggot*. Cukup membaca pengantarnya saja Anda akan merasa malu sudah bertanya.

K.A. pada nama depan Pak Harfan berarti Ki Agus. Gelar K.A. mengalir dalam garis laki-laki silsilah Kerajaan Belitong. Selama puluhan tahun keluarga besar yang amat bersahaja ini berdiri pada garda depan pendidikan di sana. Pak Harfan telah puluhan tahun mengabdi di sekolah Muhammadiyah nyaris tanpa imbalan apa pun demi motif syiar Islam. Beliau menghidupi keluarga dari sebidang kebun palawija di pekarangan rumahnya.

Hari ini Pak Harfan mengenakan baju takwa yang dulu pasti berwarna hijau tapi kini warnanya pudar menjadi putih. Bekas-bekas warna hijau masih kelihatan di baju itu. Kaus dalamnya berlubang di beberapa bagian dan beliau mengenakan celana panjang yang lusuh karena terlalu sering dicuci. Seutas ikat pinggang plastik murahan bermotif ketupat melilit tubuhnya. Lubang ikat pinggang itu banyak berderet-deret, mungkin telah dipakai sejak beliau berusia belasan.

Karena penampilan Pak Harfan agak seperti beruang madu maka ketika pertama kali melihatnya kami merasa takut. Anak kecil yang tak kuat mental bisa-bisa langsung terkena sawan. Namun, ketika beliau angkat bicara, tak dinyana, meluncurlah mutiara-mutiara nan puitis sebagai prolog penerimaan selamat datang penuh atmosfer sukacita di sekolahnya yang sederhana. Kemudian dalam waktu yang amat singkat beliau telah merebut hati kami. Bapak yang jahitan kerah kemejanya telah lepas itu bercerita tentang perahu Nabi Nuh serta pasangan-pasangan binatang yang selamat dari banjir bandang.

"Mereka yang ingkar telah diingatkan bahwa air bah akan datang ...," demikian ceritanya dengan wajah penuh penghayatan.

"Namun, kesombongan membutakan mata dan me-nulikan telinga mereka, hingga mereka musnah dilamun ombak ...."

Sebuah kisah yang sangat mengesankan. Pelajaran moral pertama bagiku: jika tak rajin shalat maka pandai-pandailah berenang.

Cerita selanjutnya sangat memukau. Sebuah cerita peperangan besar zaman Rasulullah di mana kekuatan di-bentuk oleh iman bukan oleh jumlah tentara: Perang Badar! Tiga ratus tiga belas tentara Islam mengalahkan ribuan ten-tara Quraisy yang kalap dan bersenjata lengkap.

"Ketahuilah wahai keluarga Ghudar, berangkatlah ka-lian ke tempat-tempat kematian kalian dalam masa tiga hari!" Demikian Pak Harfan berteriak lantang sambil me-natap langit melalui jendela kelas kami. Beliau memekikkan firasat mimpi seorang penduduk Mekkah, firasat kehan-curan Quraisy dalam kehebatan Perang Badar.

Mendengar teriakan itu rasanya aku ingin melonjak dari tempat duduk. Kami ternganga karena suara Pak Harfan yang berat menggetarkan benang-benang halus dalam kalbu kami. Kami menanti liku demi liku cerita dalam detik-detik menegangkan dengan dada berkobar-kobar ingin membela perjuangan para penegak Islam. Lalu Pak Harfan mendinginkan suasana dengan berkisah tentang penderitaan dan tekanan yang dialami seorang pria bernama Zubair bin Awam. Dulu nun di tahun 1929 tokoh ini bersusah payah, seperti kesulitan Rasulullah ketika pertama tiba di Madinah, mendirikan sekolah dari jerjak kayu bulat seperti kandang. Itulah sekolah pertama di Belitong. Kemudian muncul para tokoh seperti K.A. Abdul Hamid dan Ibrahim bin Zaidin yang berkorban habis-habisan melanjutkan sekolah kandang itu menjadi sekolah Muhammadiyah. Sekolah ini adalah sekolah Islam pertama di Belitong, bahkan mungkin di Sumatra Selatan.

Pak Harfan menceritakan semua itu dengan semangat Perang Badar sekaligus setenang embusan angin pagi. Kami terpesona pada setiap pilihan kata dan gerak lakunya yang memikat. Ada semacam pengaruh yang lembut dan baik terpancar darinya. Ia mengesankan sebagai pria yang kenyang akan pahit getir perjuangan dan kesusahan hidup, berpengetahuan seluas samudra, bijak, berani mengambil risiko, dan menikmati daya tarik dalam mencari-cari bagaimana cara menjelaskan sesuatu agar setiap orang mengerti.

Pak Harfan tampak amat bahagia menghadapi murid, tipikal "guru" yang sesungguhnya, seperti dalam lingua asalnya, India, yaitu orang yang tak hanya mentransfer sebuah pelajaran, tapi juga yang secara pribadi menjadi sahabat dan pembimbing spiritual bagi muridnya. Beliau sering menaikturunkan intonasi, menekan kedua ujung meja sambil mempertegas kata-kata tertentu, dan meng-angkat kedua tangannya laksana orang berdoa minta hujan.

Ketika mengajukan pertanyaan, beliau berlari-lari ke-cil mendekati kami, menatap kami penuh arti dengan pan-dangan matanya yang teduh seolah kami adalah anak-anak Melayu yang paling berharga. Lalu membisikkan sesuatu di telinga kami, menyitir dengan lancar ayat-ayat suci, me-nantang pengetahuan kami, berpantun, membelai hati kami dengan wawasan ilmu, lalu diam, diam berpikir seperti ke-kasih merindu, indah sekali.

Beliau menorehkan benang merah kebenaran hidup yang sederhana melalui kata-katanya yang ringan namun bertenaga seumpama titik-titik air hujan. Beliau mengo-barkan semangat kami untuk belajar dan membuat kami tercengang dengan petuahnya tentang keberanian pantang menyerah melawan kesulitan apa pun. Pak Harfan memberi kami pelajaran pertama tentang keteguhan pendirian, tentang ketekunan, tentang keinginan kuat untuk mencapai cita-cita. Beliau meyakinkan kami bahwa hidup bisa demi-kian bahagia dalam keterbatasan jika dimaknai dengan ke-ikhlasan berkorban untuk sesama. Lalu beliau menyampai-kan sebuah prinsip yang diam-diam menyelinap jauh ke dalam dadaku serta memberi arah bagiku hingga dewasa, yaitu bahwa hiduplah untuk memberi sebanyak-banyak-nya, bukan untuk menerima sebanyak-banyaknya.

Kami tak berkedip menatap sang juru kisah yang ulung ini. Pria ini buruk rupa dan buruk pula setiap apa yang disandangnya, tapi pemikirannya jernih dan kata-katanya bercahaya. Jika ia mengucapkan sesuatu, kami pun terpaku menyimaknya dan tak sabar menunggu untaian kata berikutnya. Tiba-tiba aku merasa sangat beruntung didaftarkan orangtuaku di sekolah miskin Muhammadiyah. Aku merasa telah terselamatkan karena orangtuaku memilih sebuah sekolah Islam sebagai pendidikan paling dasar bagiku. Aku merasa amat beruntung berada di sini, di tengah orang-orang yang luar biasa ini. Ada keindahan di sekolah Islam melarat ini. Keindahan yang tak 'kan kutukar dengan seribu kemewahan sekolah lain.

Setiap kali Pak Harfan ingin menguji apa yang telah diceritakannya kami berebutan mengangkat tangan, bahkan kami mengacung meskipun beliau tak bertanya, dan kami mengacung walaupun kami tak pasti akan jawaban. Sayangnya bapak yang penuh daya tarik ini harus mohon diri. Satu jam dengannya terasa hanya satu menit. Kami mengikuti setiap inci langkahnya ketika meninggalkan kelas. Pandangan kami melekat tak lepas-lepas darinya karena kami telah jatuh cinta padanya. Beliau telah membuat kami menyayangi sekolah tua ini. Kuliah umum dari Pak Harfan di hari pertama kami masuk SD Muhammadiyah langsung menancapkan tekad dalam hati kami untuk membela sekolah yang hampir rubuh ini, apa pun yang terjadi.

Kelas diambil alih oleh Bu Mus. Acaranya adalah perkenalan dan akhirnya tibalah giliran A Kiong. Tangisnya sudah reda tapi ia masih terisak. Ketika diminta ke depan kelas ia senang bukan main. Sekarang di sela-sela isaknya ia tersenyum. Ia menggoyang-goyangkan tubuhnya. Tangan kirinya memegang botol air yang kosong—karena isinya tadi ditumpahkan Sahara–dan tangan kanannya menggenggam kuat tutup botol itu.

"Silakan Ananda perkenalkan nama dan alamat rumah ...," pinta Bu Mus lembut pada anak Hokian itu.

A Kiong menatap Bu Mus dengan ragu kemudian ia kembali tersenyum. Bapaknya menyeruak di antara kerumunan orangtua lainnya, ingin menyaksikan anaknya beraksi. Namun, meskipun berulang kali ditanya A Kiong tidak menjawab sepatah kata pun. Ia terus tersenyum dan hanya tersenyum.

"Silakan, Ananda ...," Bu Mus meminta sekali lagi dengan sabar.

Namun sayang A Kiong hanya menjawabnya dengan kembali tersenyum. Ia berkali-kali melirik bapaknya yang kelihatan tak sabar. Aku dapat membaca pikiran ayahnya, "Ayolah anakku, kuatkan hatimu, sebutkan namamu! Paling tidak sebutkan nama bapakmu ini, sekali saja! Jangan bikin malu orang Hokian!" Bapak Tionghoa berwajah ramah ini dikenal sebagai seorang Tionghoa kebun, strata ekonomi terendah dalam kelas sosial orang-orang Tionghoa di Belitong.

Namun, sampai waktu akan berakhir A Kiong masih tetap saja tersenyum. Bu Mus membujuknya lagi.

"Baiklah ini kesempatan terakhir untukmu mengenal-
kan diri, jika belum bersedia maka harus kembali ke tempat
duduk."

A Kiong malah semakin senang. Ia masih sama sekali
tak menjawab. Ia tersenyum lebar, matanya yang sipit
menghilang. Pelajaran moral nomor dua: jangan tanyakan
nama dan alamat pada orang yang tinggal di kebun. Maka
berakhirlah perkenalan di bulan Februari yang menge-
sankan itu.

Bab 4
Perempuan-Perempuan Perkasa

AKU pernah membaca kisah tentang wanita yang membelah batu karang untuk mengalirkan air, wanita yang menenggelamkan diri belasan tahun sendirian di tengah rimba untuk menyelamatkan beberapa keluarga orang utan, atau wanita yang berani mengambil risiko tertular virus ganas demi menyembuhkan penyakit seorang anak yang sama sekali tak dikenalnya nun jauh di Somalia. Di sekolah Muhammadiyah setiap hari aku membaca keberanian berkorban semacam itu di wajah wanita muda ini.

N.A. Muslimah Hafsari Hamid binti K.A. Abdul Hamid, atau kami memanggilnya Bu Mus, hanya memiliki selembar ijazah SKP (Sekolah Kepandaian Putri), namun beliau bertekad melanjutkan cita-cita ayahnya—K.A.

Abdul Hamid, pelopor sekolah Muhammadiyah di Be-litong—untuk terus mengobarkan pendidikan Islam. Tekad itu memberinya kesulitan hidup yang tak terkira, karena kami kekurangan guru—lagi pula siapa yang rela diupah beras 15 kilo setiap bulan? Maka selama enam tahun di SD Muhammadiyah, beliau sendiri yang mengajar semua mata pelajaran—mulai dari Menulis Indah, Bahasa Indonesia, Kewarganegaraan, Ilmu Bumi, sampai Matematika, Geo-grafi, Prakarya, dan Praktik Olahraga. Setelah seharian mengajar, beliau melanjutkan bekerja menerima jahitan sampai jauh malam untuk mencari nafkah, menopang hidup dirinya dan adik-adiknya.

BU MUS adalah seorang guru yang pandai, karis-matik, dan memiliki pandangan jauh ke depan. Beliau menyusun sendiri silabus pelajaran Budi Pekerti dan mengajarkan kepada kami sejak dini pandangan-pandangan dasar moral, demokrasi, hukum, keadilan, dan hak-hak asasi—jauh hari sebelum orang-orang sekarang meributkan soal materialisme versus pembangunan spiritual dalam pendidikan. Dasar-dasar moral itu menuntun kami mem-buat konstruksi imajiner nilai-nilai integritas pribadi dalam konteks Islam. Kami diajarkan menggali nilai luhur di dalam diri sendiri agar berperilaku baik karena kesadaran pribadi. Materi pelajaran Budi Pekerti yang hanya diajarkan di sekolah Muhammadiyah sama sekali tidak seperti kode perilaku formal yang ada dalam konteks legalitas institusi-onal seperti Sapta Prasetya atau pedoman-pedoman peng-amalan lainnya.

"Shalatlah tepat waktu, biar dapat pahala lebih ba-nyak," demikian Bu Mus selalu menasihati kami.

Bukankah ini kata-kata yang diilhami surah An-Nisa dan telah diucapkan ratusan kali oleh puluhan khatib? Sering kali dianggap sambil lalu saja oleh umat. Tapi jika yang mengucapkannya Bu Mus, kata-kata itu demikian ber-beda, begitu sakti, berdengung-dengung di dalam kalbu. Yang terasa kemudian adalah penyesalan mengapa telah terlambat shalat.

Pada kesempatan lain, karena masih kecil tentu saja, kami sering mengeluh mengapa sekolah kami tak seperti sekolah-sekolah lain. Terutama atap sekolah yang bocor dan sangat menyusahkan saat musim hujan. Beliau tak menanggapi keluhan itu tapi mengeluarkan sebuah buku berbahasa Belanda dan memperlihatkan sebuah gambar.

Gambar itu adalah sebuah ruangan yang sempit, di-kelilingi tembok tebal yang suram, tinggi, gelap, dan ber-jeruji. Kesan di dalamnya begitu pengap, angker, penuh kekerasan dan kesedihan.

"Inilah sel Pak Karno di sebuah penjara di Bandung, di sini beliau menjalani hukuman dan setiap hari belajar, setiap waktu membaca buku. Beliau adalah salah satu orang tercerdas yang pernah dimiliki bangsa ini."

Beliau tak melanjutkan ceritanya.

Kami tersihir dalam senyap. Mulai saat itu kami tak pernah lagi memprotes keadaan sekolah kami. Pernah suatu ketika hujan turun amat lebat, petir sambar-menyambar. Trapani dan Mahar memakai *terindak*, topi kerucut dari daun lais khas tentara Vietkong, untuk melindungi jambul mereka. Kucai, Borek, dan Sahara memakai jas hujan kuning bergambar gerigi metal besar di punggungnya dengan tulisan "UPT Bel" (Unit Penambangan Timah Belitong)— jas hujan jatah PN Timah milik bapaknya. Kami sisanya hampir basah kuyup. Tapi sehari pun kami tak pernah bolos, dan kami tak pernah mengeluh, tidak, sedikit pun kami tak pernah mengeluh.

Bagi kami Pak Harfan dan Bu Mus adalah pahlawan tanpa tanda jasa yang sesungguhnya. Merekalah mentor, penjaga, sahabat, pengajar, dan guru spiritual. Mereka yang pertama menjelaskan secara gamblang implikasi *amar makruf nahi mungkar* sebagai pegangan moral kami sepanjang hayat. Mereka mengajari kami membuat rumah-rumahan dari perdu apit-apit, mengusap luka-luka di kaki kami, membimbing kami cara mengambil wudhu, melongok ke dalam sarung kami ketika kami disunat, mengajari kami doa sebelum tidur, memompa ban sepeda kami, dan kadang-kadang membuatkan kami air jeruk sambal.

Mereka adalah ksatria tanpa pamrih, pangeran keikhlasan, dan sumur jernih ilmu pengetahuan di ladang yang ditinggalkan. Sumbangan mereka laksana manfaat yang diberikan pohon *filicium* yang menaungi atap kelas kami. Pohon ini meneduhi kami dan dialah saksi seluruh drama ini. Seperti guru-guru kami, *filicium* memberi napas kehidupan bagi ribuan organisme dan menjadi tonggak penting mata rantai ekosistem.

Bab 5
The Tower of Babel

JUMLAH orang Tionghoa di kampung kami sekitar sepertiga dari total populasi. Ada orang Kek, ada orang Hokian, ada orang Tongsan, dan ada yang tak tahu asal usulnya. Bisa saja mereka yang lebih dulu mendiami pulau ini daripada siapa pun. *Aichang, phok, kiaw*, dan *khaknai*, seluruhnya adalah perangkat penambangan timah primitif yang sekarang dianggap temuan arkeologi, bukti bahwa nenek moyang mereka telah lama sekali berada di Pulau Belitong. Komunitas ini selalu tipikal: rendah hati dan pekerja keras. Meskipun jauh terpisah dari akar budayanya, mereka senantiasa memelihara adat istiadatnya, dan di Belitong mereka beruntung karena mereka tak perlu jauh-

jauh datang ke Jinchanying kalau hanya ingin melihat Tembok Besar Cina.

Persis bersebelahan dengan toko-toko kelontong milik warga Tionghoa ini berdiri tembok tinggi yang panjang dan di sana sini tergantung papan peringatan "DILARANG MASUK BAGI YANG TIDAK MEMILIKI HAK". Di atas tembok ini tidak hanya ditancapi pecahan-pecahan kaca yang mengancam tapi juga dililitkan empat jalur kawat berduri seperti di kamp Auschwitz. Namun, tidak seperti Tembok Besar Cina yang melindungi berbagai dinasti dari serbuan suku-suku Mongol dari utara, di Belitong tembok yang angkuh dan berkelak-kelok sepanjang kiloan meter ini adalah pengukuhan sebuah dominasi dan perbedaan status sosial.

Di balik tembok itu terlindung sebuah kawasan yang disebut Gedong, yaitu negeri asing yang jika berada di dalamnya orang akan merasa tak sedang berada di Belitong. Dan di dalam sana berdiri sekolah-sekolah PN. Sekolah PN adalah sebutan untuk sekolah milik PN (Perusahaan Negara) Timah, sebuah perusahaan yang paling berpengaruh di Belitong, bahkan sebuah hegemoni lebih tepatnya, karena timah adalah denyut nadi pulau kecil itu.

Suatu sore seorang *gentleman* keluar dari balik tembok itu untuk berkeliling kampung dengan sebuah *Chevrolet Corvette*, lalu esoknya di depan sebuah majelis ia mencibir.

"Tak satu pun kulihat ada anak muda memegang pacul! Tak pernah kulihat orang-orang muda demikian malas seperti di sini."

Ha? Apa dia kira kami bangsa petani? Kami adalah buruh-buruh tambang yang bangga, padi tak tumbuh di atas tanah-tanah kami yang kaya material tambang!

LAKSANA *The Tower of Babel*—yakni Menara Babel, metafora tangga menuju surga yang ditegakkan bangsa Babylonia sebagai perlambang kemakmuran 5.600 tahun lalu, yang berdiri arogan di antara Sungai Tigris dan Eufrat di tanah yang sekarang disebut Irak—timah di Belitong adalah menara gading kemakmuran berkah Tuhan yang menjalar sepanjang Semenanjung Malaka, tak putus-putus seperti jalinan urat di punggung tangan.

Orang Melayu yang merogohkan tangannya ke dalam lapisan dangkal aluvium, hampir di sembarang tempat, akan mendapati lengannya berkilauan karena dilumuri ilmenit atau timah kosong. Bermil-mil dari pesisir, Belitong tampak sebagai garis pantai kuning berkilauan karena bijih-bijih timah dan kuarsa yang disirami cahaya matahari. Pantulan cahaya itu adalah citra yang lebih kemilau dari riak-riak gelombang laut dan membentuk semacam fatamorgana pelangi sebagai mercusuar yang menuntun para nakhoda.

Tuhan memberkahi Belitong dengan timah bukan agar kapal yang berlayar ke pulau itu tidak menyimpang ke Laut Cina Selatan, tetapi timah dialirkan-Nya ke sana untuk menjadi mercusuar bagi penduduk pulau itu sendiri. Adakah mereka telah semena-mena pada rezeki Tuhan sehingga nanti terlunta-lunta seperti di kala Tuhan menguji bangsa Lemuria?

Kilau itu terus menyala sampai jauh malam. Eksploitasi timah besar-besaran secara nonstop diterangi ribuan lampu dengan energi jutaan kilowatt. Jika disaksikan dari udara di malam hari Pulau Belitong tampak seperti familia besar *Ctenopore,* yakni ubur-ubur yang memancarkan cahaya terang berwarna biru dalam kegelapan laut: sendiri, kecil, bersinar, indah, dan kaya raya. Belitong melayang-layang di antara Selat Gaspar dan Karimata bak mutiara dalam tangkupan kerang.

Dan terberkatilah tanah yang dialiri timah karena ia seperti *knautia* yang dirubung beragam jenis lebah madu. Timah selalu mengikat material ikutan, yakni harta karun tak ternilai yang melimpah ruah: granit, zirkonium, silika, senotim, monazite, ilmenit, siderit, hematit, *clay,* emas, galena, tembaga, kaolin, kuarsa, dan topas .... Semuanya berlapis-lapis, meluap-luap, beribu-ribu ton di bawah rumah-rumah panggung kami. Kekayaan ini adalah ... bahan dasar kaca berkualitas paling tinggi, bijih besi dan titanium yang bernas, ... material terbaik untuk superkonduktor, timah kosong ilmenit yang digunakan laboratorium roket NASA sebagai materi antipanas ekstrem, zirkonium sebagai bahan dasar produk-produk tahan api, emas murni dan timah hitam yang amat mahal, bahkan kami memiliki sumber tenaga nuklir: uranium yang kaya raya. Semua ini sangat kontradiktif dengan kemiskinan turun-temurun penduduk asli Melayu Belitong yang hidup berserakan di atasnya.

Kami seperti sekawanan tikus yang paceklik di lumbung padi.

Belitong dalam batas kuasa eksklusif PN Timah adalah kota praja Konstantinopel yang makmur. PN adalah penguasa tunggal *Pulau Belitung* yang termasyhur di seluruh negeri sebagai *Pulau Timah*. Nama itu tercetak di setiap buku geografi atau buku Himpunan Pengetahuan Umum pustaka wajib sekolah dasar. PN amat kaya. Ia punya jalan raya, jembatan, pelabuhan, *real estate*, bendungan, dok kapal, sarana telekomunikasi, air, listrik, rumah-rumah sakit, sarana olahraga—termasuk beberapa padang golf, kelengkapan sarana hiburan, dan sekolah-sekolah. PN menjadikan Belitong—sebuah pulau kecil—seumpama desa perusahaan dengan aset triliunan rupiah.

PN merupakan penghasil timah nasional terbesar yang mempekerjakan tak kurang dari 14.000 orang. Ia menyerap hampir seluruh angkatan kerja di Belitong dan menghasilkan devisa jutaan dolar. Lahan eksploitasinya tak terbatas. Lahan itu disebut *kuasa penambangan* dan secara ketat dimonopoli. Legitimasi ini diperoleh melalui pembayaran royalti—lebih pas disebut upeti—miliaran rupiah kepada pemerintah. PN mengoperasikan 16 unit *emmer bager* atau kapal keruk yang bergerak lamban, mengorek isi bumi dengan 150 buah mangkuk-mangkuk baja raksasa, siang malam merambah laut, sungai, dan rawa-rawa, bersuara mengerikan laksana kawanan dinosaurus.

Di titik tertinggi siklus komidi putar, di masa keemasan itu, penumpangnya mabuk ketinggian dan tertidur

nyenyak, melanjutkan mimpi gelap yang ditiup-tiupkan ko-
lonialis. Sejak zaman penjajahan, sebagai platform infra-
struktur ekonomi, PN tidak hanya memonopoli faktor pro-
duksi terpenting tapi juga mewarisi mental bobrok feo-
dalistis ala Belanda. Sementara seperti sering dialami oleh
warga pribumi di mana pun yang sumber daya alamnya
dieksploitasi habis-habisan, sebagian komunitas di Belitong
juga termarginalkan dalam ketidakadilan kompensasi tanah
ulayah, persamaan kesempatan, dan *trickle down effects*.

Bab 6
Gedong

PULAU Belitong yang makmur seperti mengasingkan diri dari tanah Sumatra yang membujur dan di sana mengalir kebudayaan Melayu yang tua. Pada abad ke-19, ketika korporasi secara sistematis mengeksploitasi timah, kebudayaan bersahaja itu mulai hidup dalam karakteristik sosiologi tertentu yang atribut-atributnya mencerminkan perbedaan sangat mencolok seolah berdasarkan status berkasta-kasta. Kasta majemuk itu tersusun rapi mulai dari para petinggi PN Timah yang disebut "orang staf" atau *urang setap* dalam dialek lokal sampai pada para tukang pikul pipa di instalasi penambangan serta warga suku Sawang yang menjadi buruh-buruh *yuka* penjahit karung timah. Salah satu atribut diskriminasi itu adalah sekolah-sekolah PN.

Maka lahirlah kaum menak, implikasi dari institusi yang ingin memelihara citra aristokrat. PN melimpahi orang staf dengan penghasilan dan fasilitas kesehatan, pendidikan, promosi, transportasi, hiburan, dan logistik yang sangat diskriminatif dibanding kompensasi yang diberikan kepada mereka yang bukan orang staf. Mereka, kaum borjuis ini, bersemayam di kawasan eksklusif yang disebut Gedong. Mereka seperti orang-orang kulit putih di wilayah selatan Amerika pada tahun 70-an. Feodalisme di Belitong adalah sesuatu yang unik, karena ia merupakan konsekuensi dari adanya budaya korporasi, bukan karena tradisi paternalistik dari silsilah, subkultur, atau privilese yang dianugerahkan oleh penguasa seperti biasa terjadi di berbagai tempat lain.

Sepadan dengan kebun gantung yang memesona di pelataran menara Babylonia, sebuah taman kesayangan Tiran Nebuchadnezzar III untuk memuja Dewa Marduk, Gedong adalah *land mark* Belitong. Ia terisolasi tembok tinggi berkeliling dengan satu akses keluar masuk seperti konsep *cul de sac* dalam konsep permukiman modern. Arsitektur dan desain lanskapnya bergaya sangat kolonial. Orang-orang yang tinggal di dalamnya memiliki nama-nama yang aneh, misalnya Susilo, Cokro, Ivonne, Setiawan, atau Kuntoro, tak ada Muas, Jamali, Sa'indun, Ramli, atau Mahader seperti nama orang-orang Melayu, dan mereka tidak pernah menggunakan bin atau binti.

Gedong lebih seperti sebuah kota satelit yang dijaga ketat oleh para Polsus (Polisi Khusus) Timah. Jika ada yang lancang masuk maka koboi-koboi tengik itu akan menyergap, menginterogasi, lalu interogasi akan ditutup dengan mengingatkan sang tangkapan pada tulisan "DILARANG MASUK BAGI YANG TIDAK MEMILIKI HAK" yang bertaburan secara mencolok pada berbagai akses dan fasilitas di sana, sebuah *power statement* tipikal kompeni.

Kawasan warisan Belanda ini menjunjung tinggi kesan *menjaga jarak,* dan kesan itu diperkuat oleh jajaran pohon-pohon saga tua yang menjatuhkan butir-butir buah semerah darah di atas kap mobil-mobil mahal yang berjejal-jejal sampai keluar garasi. Di sana, rumah-rumah mewah besar bergaya Victoria memiliki jendela-jendela kaca lebar dan tinggi dengan tirai yang berlapis-lapis laksana layar bioskop. Rumah-rumah itu ditempatkan pada kontur yang agak tinggi sehingga kelihatan seperti kastil-kastil kaum bangsawan dengan halaman terpelihara rapi dan danau-danau buatan. Di dalamnya hidup tenteram sebuah keluarga kecil dengan dua atau tiga anak yang selalu tampak damai, temaram, dan sejuk.

Setiap rumah memiliki empat bangunan terpisah yang disambungkan oleh selasar-selasar panjang. Itulah rumah utama sang majikan, rumah bagi para pembantu, garasi, dan gudang-gudang. Selasar-selasar itu mengelilingi kolam kecil yang ditumbuhi *Nymphaea caereulea* atau *the blue water lily* yang sangat menawan dan di tengahnya terdapat patung anak-anak gendut semacam Manequin Piss legenda negeri Belgia yang menyemprotkan air mancur sepanjang waktu dari kemaluan kecilnya yang lucu.

Pot-pot kayu anggrek mahal *Tainia shimadai* dan *Chysis* digantungkan berderet-deret di bibir atap selasar dan di bawahnya tersusun rapi bejana keramik antik bertangga-tangga berisi kaktus *Chaemasereas* dan *Parodia scopa*. Untuk urusan bunga ini ada petugas khusus yang merawatnya. Di luar lingkar kolam didirikan sebuah kandang berlubang kotak-kotak kecil persegi berbentuk piramida yang berseni dan ditopang oleh sebuah pilar bergaya Romawi, itulah rumah burung merpati Inggris.

Di dalam rumah utama sang majikan terdapat ruang tamu dengan lampu-lampu yang teduh dan perabot utama di sana adalah sebuah sofa *Victorian rosewood* berwarna merah. Jika duduk di atasnya seseorang dapat merasa dirinya seperti seorang paduka raja. Di samping ruang tamu adalah ruang makan tempat para penghuni rumah makan malam mengenakan busana senja yang terbaik dan bersepatu. Di meja makan mewah dengan kayu *cinnamon glaze*, mereka duduk mengelilingi makanan yang namanya bahkan belum ada terjemahannya. Pertama-tama perangsang lapar *pumpkin and Gorgonzola soup*, lalu hadir *caesar salad* menu utama, *chicken cordon bleu*, *vitello alla Provenzale*, atau .... Pada bagian akhir sebagai makanan penutup adalah *creamy cheesecake topped with strawberry puree*, buah-buah persik dan prem.

Mereka makan dengan tenang sembari mendengarkan musik klasik yang elegan: *Mozart: Haffner No. 35 in D Major*. Mereka mematuhi *table manner*. Setelah melampirkan serbet di atas pangkuannya, makan malam dimulai nyaris tanpa suara dan tak ada seorang pun yang menekan bibir meja dengan sikunya.

Sarapan pagi disajikan di ruangan yang berbeda. Ruangan ini terbuka, menghadap ke kebun anggrek dan kolam renang dangkal yang biru. Mejanya juga berbeda yakni *terracotta tile top oval* yang lucu namun berkelas. Di pagi hari mereka senang mencicipi omelet dan menyeruput teh *Earl Grey* atau *cappuccino*, lalu mereka melemparkan remah-remah roti pada burung-burung merpati Inggris yang berebutan, rakus tapi jinak.

Halaman setiap rumah sangat luas dan tak dipagar. Kebanyakan didekorasi dengan karya seni instalasi dari konstruksi logam yang maknanya tak mudah dicerna orang awam. Hamparan rumput manila di halaman menyentuh lembut bibir jalan raya dengan tinggi permukaan yang sama. Ada daya tarik tersendiri di situ. Tak ada parit, karena semua sistem pembuangan diatur di bawah tanah. Pekarangan ditumbuhi pinang raja, bambu Jepang, pisang kipas, dan berjenis-jenis palem yang berselang-seling di antara taman-taman bunga umum, ornamen, galeri, angsa-angsa besar yang berkeliaran, kafe *members only*, patung-patung, *snooker bar*, sudut-sudut tempat bermain anak-anak berisi ayam-ayam kalkun yang dibiarkan bebas, trotoar untuk membawa anjing jalan-jalan, kolam-kolam renang, dan lapangan-lapangan golf. Tenang dan tidak berisik, kecuali sedikit bunyi, rupanya anjing pudel sedang mengejar beberapa ekor kucing anggora.

45

Namun, selain suara hewan-hewan lucu itu sore ini terdengar lamat-lamat denting piano dari salah satu kastil Victoria yang tertutup rapat berpilar-pilar itu. Floriana atau Flo yang tomboi, salah seorang siswa sekolah PN, sedang les piano. Guru privatnya sangat bersemangat tapi Flo sendiri terkantuk-kantuk tanpa minat. Kedua tangannya menopang wajah murungnya sambil menguap berulang-ulang di samping sebuah instrumen megah: *grand piano* merk *Steinway and sons* yang hitam, dingin, dan berkilauan. Wajah Flo seperti kucing kebanyakan tidur dan bangun magrib-magrib.

Bapaknya—seorang *Mollen Bas,* kepala semua kapal keruk—duduk di sebuah kursi besar semacam singgasana sehingga tubuh kecilnya tenggelam. Kakinya dibungkus sepatu mahal *De Carlo* cokelat yang sangat elegan, tergantung berayun-ayun lucu. Ia geram pada tingkah si tomboi dan malu pada sang guru, seorang wanita berkacamata, setengah baya, berwajah cerdas dan hanya bisa tersenyum-senyum. Beliau tak henti-henti memohon maaf pada wanita Jawa yang sangat santun itu atas kelakuan anaknya.

Bapak Flo adalah orang hebat, seseorang yang amat terpelajar. Ia adalah insinyur lulusan terbaik dari *Technische Universiteit Delf* di Holland dari Fakultas *Werktuiqbouwkunde, Maritieme techniek & technische materiaalwetenschappen*, yang artinya kurang lebih: jago teknik.

Ia adalah salah satu dari segelintir orang Melayu asli Belitong yang berhak tinggal di Gedong dan orang kampung yang mampu mencapai karier tinggi di jajaran elite orang staf karena kepintarannya. Sebagai *Mollen Bas* beliau sanggup mengendalikan *shift* ribuan karyawan, memperbaiki kerusakan kapal keruk yang tenaga-tenaga ahli asing sendiri sudah menyerah, dan mengendalikan aset produksi miliaran dolar. Tapi menghadapi anak perempuan kecilnya, si tomboi gasing yang tak bisa diatur ini, beliau hampir menyerah. Semakin keras suara bapaknya menghardik semakin lebar Flo menguap.

Pokok perkaranya sederhana, yakni beliau telah memiliki beberapa anak laki-laki dan Flo si bungsu, adalah anak perempuan satu-satunya. Namun anak perempuannya ini bersikeras ingin menjadi laki-laki. Setiap hari beliau berusaha *memerempuankan* Flo antara lain dengan memaksanya kursus piano. *Grand piano* itu didatangkan dengan kapal khusus dari Jakarta. Guru privat yang merupakan seorang instruktur musik profesional, juga khusus dijemput dari Tanjong Pandan. Lebih dari itu, di sela kesibukannya, bapaknya rela menunggui Flo kursus, namun yang beliau dapat tak lebih dari uapan-uapan itu. Flo bahkan tak berminat menyentuh tuts-tuts hitam putih yang berkilat-kilat karena pikirannya melayang ke sasana tempat ia latihan *kick boxing* dan angkat barbel.

Flo tak suka menerima dirinya sebagai seorang perempuan. Mungkin karena pengaruh dari saudara-saudara kandungnya yang seluruhnya laki-laki atau karena suatu ketidakseimbangan dalam kimia tubuhnya. Maka ia memotong rambut dengan model lurus pendek dan ia belajar mengubah ekspresi wajah cantiknya agar merefleksikan se-

ringai laki-laki. Ia bercelana *jeans*, kaos oblong, dan mem-
buang anting-anting yang dibelikan ibunya. Guru privat
itu memperkenalkan dengan lembut notasi do, mi, sol, si,
dalam lintasan empat oktaf dan memperlihatkan posisi jari-
jemari pada setiap notasi itu sebagai dasar bagi Flo untuk
berlatih *fingering*. Flo menguap lagi.

Bab 7
Zoom Out

TAK disangsikan, jika di-*zoom out*, kampung kami adalah kampung terkaya di Indonesia. Inilah kampung tambang yang menghasilkan timah dengan harga segenggam lebih mahal puluhan kali lipat dibanding segantang padi. Triliunan rupiah aset tertanam di sana, miliaran rupiah uang berputar sangat cepat seperti putaran mesin parut, dan miliaran dolar devisa mengalir deras seperti kawanan tikus terpanggil pemain seruling ajaib *Der Rattenfanger von Hameln*. Namun jika di-*zoom in*, kekayaan itu terperangkap di satu tempat, ia tertimbun di dalam batas tembok-tembok tinggi Gedong.

Hanya beberapa jengkal di luar lingkaran tembok tersaji pemandangan kontras seperti langit dan bumi. Berlebihan jika disebut daerah kumuh tapi tak keliru jika diumpamakan kota yang dilanda gerhana berkepanjangan sejak era pencerahan revolusi industri. Di sana, di luar lingkar tembok Gedong hidup komunitas Melayu Belitong yang jika belum punya enam anak belum berhenti beranak pinak. Mereka menyalahkan pemerintah karena tidak menyediakan hiburan yang memadai sehingga jika malam tiba mereka tak punya kegiatan lain selain membuat anak-anak itu.

Di luar tembok feodal tadi berdirilah rumah-rumah kami, beberapa sekolah negeri, dan satu sekolah kampung Muhammadiyah. Tak ada orang kaya di sana, yang ada hanya kerumunan toko miskin di pasar tradisional dan rumah-rumah panggung yang renta dalam berbagai ukuran. Rumah-rumah asli Melayu ini sudah ditinggalkan zaman keemasannya. Pemiliknya tak ingin merubuhkannya karena tak ingin berpisah dengan kenangan masa jaya, atau karena tak punya uang.

Di antara rumah panggung itu berdesak-desakan kantor polisi, gudang-gudang logistik PN, kantor telepon, toapekong, kantor camat, gardu listrik, KUA, masjid, kantor pos, bangunan pemerintah—yang dibuat tanpa perencanaan yang masuk akal sehingga menjadi bangunan kosong telantar—tandon air, warung kopi, rumah gadai yang selalu dipenuhi pengunjung, dan rumah panjang suku Sawang.

Komunitas Tionghoa tinggal di bangunan permanen yang juga digunakan sebagai toko. Mereka tidak memiliki pekarangan. Adapun pekarangan rumah orang Melayu ditumbuhi jarak pagar, beluntas, beledu, kembang sepatu, dan semak belukar yang membosankan. Pagar kayu saling-

silang di parit bersemak di mana tergenang air mati ber-
warna cokelat—juga sangat membosankan. Entok dan ayam
kampung berkeliaran seenaknya. Kambing yang tak dijaga
melalap tanaman bunga kesayangan sehingga sering me-
nimbulkan keributan kecil.

Jalan raya di kampung ini panas menggelegak dan
ingar-bingar oleh suara logam yang saling beradu ketika
truk-truk reyot lalu-lalang membawa berbagai peralatan
teknik eksplorasi timah. Kawasan kampung ini dapat di-
sebut sebagai urban atau perkotaan. Umumnya tujuh ma-
cam profesi tumpang tindih di sini: kuli PN sebagai ma-
yoritas, penjaga toko, pegawai negeri, pengangguran, pega-
wai kantor desa, pedagang, dan pensiunan. Sepanjang wak-
tu mereka hilir mudik dengan sepeda. Semuanya, para pen-
duduk, kambing, entok, ayam, dan seluruh bangunan itu
tampak berdebu, tak teratur, tak berseni, dan kusam.

Keseharian orang pinggiran ini amat monoton. Pagi
yang sunyi senyap mendadak sontak berantakan ketika
kantor pusat PN Timah membunyikan sirine, pukul 7 ku-
rang 10. Sirine itu memekakkan telinga dalam radius puluh-
an kilometer seperti peringatan serangan Jepang dalam
pengeboman *Pearl Harbour*.

Demi mendengar sirine itu, dari rumah-rumah pang-
gung, jalan-jalan kecil, sudut-sudut kampung, rumah-
rumah dinas permanen berdinding papan, dan gang-gang
sempit bermunculanlah para kuli PN bertopi kuning mem-
banjiri jalan raya. Mereka berdesakan, terburu-buru menga-
yuh sepeda dalam rombongan besar atau berjalan kaki,

karena sepuluh menit lagi jam kerja dimulai. Jumlah mereka ribuan.

Mereka menyerbu tempat kerja masing-masing: bengkel bubut, kilang minyak, gudang beras, dok kapal, dan unit-unit pencucian timah. Para kuli yang bekerja *shift* di kapal keruk melompat berjejal-jejal ke dalam bak truk terbuka seperti sapi yang akan digiring ke penjagalan. Tepat pukul 7 kembali dibunyikan sirene kedua tanda jam resmi masuk kerja. Lalu tiba-tiba jalan-jalan raya, kampung-kampung, dan pasar kembali lengang, sunyi senyap. Setelah pukul 7 pagi, rumah orang Melayu Belitong hanya dihuni kaum wanita, para pensiunan, dan anak-anak kecil yang belum sekolah. Kampung kembali hidup pada pukul 10, yaitu ketika wanita-wanita itu memainkan orkestra menumbuk bumbu. Suara alu yang dilantakkan ke dalam lumpang kayu bertalu-talu, sahut-menyahut dari rumah ke rumah.

Pukul 12 sirine kembali berbunyi, kali ini adalah sebagai tanda istirahat. Dalam sekejap jalan raya dipenuhi para kuli yang pulang sebentar. Lapar membuat mereka tampak seperti semut-semut hitam yang sarangnya terbakar, lebih tergesa dibanding waktu mereka berangkat pagi tadi. Pukul 2 siang sirine berdengung lagi memanggil mereka bekerja. Para kuli ini akan kembali pulang ke peraduan setelah terdengar sirine yang sangat panjang tepat pukul 5 sore. Demikianlah yang berlangsung selama puluhan tahun lamanya.

TIDAK seperti di Gedong, jika makan orang urban ini tidak mengenal *appetizer* sebagai perangsang selera, tak mengenal *main course*, ataupun *dessert*. Bagi mereka semuanya adalah menu utama. Pada musim barat ketika nelayan enggan melaut, menu utama itu adalah ikan gabus. Para kuli yang bernafsu makan besar sesuai dengan pembakaran kalorinya itu jika makan seluruh tubuhnya seakan tumpah ke atas meja. Agar lebih praktis tak jarang baskom kecil nasi langsung digunakan sebagai piring. Di situlah diguyur semangkuk *gangan*, yaitu masakan tradisional dengan bumbu kunir. Ketika makan mereka tak diiringi karya Mozart *Haffner No. 35 in D Major* tapi diiringi rengekan anak-anaknya yang minta dibelikan baju pramuka.

Setiap subuh para istri meniup *siong* (potongan bambu) untuk menghidupkan tumpukan kayu bakar. Asap mengepul masuk ke dalam rumah, menyembul keluar melalui celah dinding papan, dan membangunkan entok yang dipelihara di bawah rumah panggung. Asap itu membuat penghuni rumah terbatuk-batuk, namun ia amat diperlukan guna menyalakan gemuk sapi yang dibeli bulan sebelumnya dan digantungkan berjuntai-juntai seperti cucian di atas perapian. Gemuk sapi itulah sarapan mereka setiap pagi. Sebelum berangkat para kuli itu tidak minum teh *Earlgrey* atau *cappuccino*, melainkan minum air gula aren dicampur *jadam* untuk menimbulkan efek tenaga kerbau yang akan digunakan sepanjang hari.

Apabila persediaan gemuk sapi menipis dan angin barat semakin kencang, maka menu yang disajikan sangatlah istimewa, yaitu lauk yang diasap untuk sarapan, lauk yang diasin untuk makan siang, dan lauk yang dipepes untuk makan malam, seluruhnya terbuat dari ikan gabus.

DI luar lingkungan urban, berpencar menuju dua arah besar adalah wilayah *rural* atau pedesaan. Daerah ini memanjang dalam jarak puluhan kilometer menuju ke barat ibu kota Kabupaten: Tanjong Pandan. Sebaliknya, ke arah selatan akan menelusuri jalur ke pedalaman. Jalur ini berangsur-angsur berubah dari aspal menjadi jalan batu merah dan lama-kelamaan menjadi jalan tanah setapak yang berakhir di laut.

Di sepanjang jalur pedesaan rumah penduduk berserakan, berhadap-hadapan dipisahkan oleh jalan raya. Dulu nenek moyang mereka berladang di hutan. Belanda menggiring mereka ke pinggir jalan raya, agar mudah dikendalikan tentu saja. Orang-orang pedesaan ini hidup bersahaja, umumnya berkebun, mengambil hasil hutan, dan mendapat bonus musiman dari siklus buah-buahan, lebah madu, dan ikan air tawar. Mereka mendiami tanah ulayat dan di belakang rumah mereka terhampar ribuan hektar tanah tak bertuan, padang sabana, rawa-rawa layaknya laboratorium alam yang lengkap, dan aliran air bening yang belum tercemar.

Kekuatan ekonomi Belitong dipimpin oleh orang staf PN dan para cukong swasta yang mengerjakan setiap konsesi eksploitasi timah. Mereka menempati strata tertinggi dalam lapisan yang sangat tipis. Kelas menengah tak ada, oh atau mungkin juga ada, yaitu para camat, para kepala dinas dan pejabat-pejabat publik yang korupsi kecil-kecilan, dan aparat penegak hukum yang mendapat uang dari menggertaki cukong-cukong itu.

Sisanya berada di lapisan terendah, jumlahnya banyak dan perbedaannya amat mencolok dibanding kelas di atasnya. Mereka adalah para pegawai kantor desa, karyawan rendahan PN, pencari madu dan nira, para pemain organ tunggal, semua orang Sawang, semua orang Tionghoa kebun, semua orang Melayu yang hidup di pesisir, para tenaga honorer Pemda, dan semua guru dan kepala sekolah—baik sekolah negeri maupun sekolah kampung—kecuali guru dan kepala sekolah PN.

Bab 8
Center of Excellence

SEKOLAH-SEKOLAH PN Timah, yaitu TK, SD, dan SMP PN berada dalam kawasan Gedong. Sekolah-sekolah ini berdiri megah di bawah naungan Aghatis berusia ratusan tahun dan dikelilingi pagar besi tinggi berulir melambangkan kedisiplinan dan mutu tinggi pendidikan. Sekolah PN merupakan *center of excellence* atau tempat bagi semua hal yang terbaik. Sekolah ini demikian kaya raya karena didukung sepenuhnya oleh PN Timah, sebuah korporasi yang kelebihan duit. Institusi pendidikan yang sangat modern ini lebih tepat disebut percontohan bagaimana seharusnya generasi muda dibina.

Gedung-gedung sekolah PN didesain dengan arsitektur yang tak kalah indahnya dengan rumah bergaya Victoria di sekitarnya. Ruangan kelasnya dicat warna-warni dengan tempelan gambar kartun yang edukatif, poster operasi dasar matematika, tabel pemetaan unsur kimia, peta dunia, jam dinding, termometer, foto para ilmuwan dan penjelajah yang memberi inspirasi, dan ada kapstok topi. Di setiap kelas ada patung anatomi tubuh yang lengkap, globe yang besar, *white board*, dan alat peraga konstelasi planet-planet.

Di dalam kelas-kelas itu puluhan siswa brilian bersaing ketat dalam standar mutu yang sangat tinggi. Sekolah-sekolah ini memiliki perpustakaan, kantin, guru BP, laboratorium, perlengkapan kesenian, kegiatan ekstrakurikuler yang bermutu, fasilitas hiburan, dan sarana olahraga—termasuk sebuah kolam renang yang masih disebut dalam bahasa Belanda: *zwembad*. Di depan pintu masuk kolam renang ini tentu saja terpampang peringatan tegas "DILARANG MASUK BAGI YANG TIDAK MEMILIKI HAK". Di setiap kelas ada kotak P3K berisi obat-obat pertolongan pertama. Kalau ada siswanya yang sakit maka ia akan langsung mendapatkan pertolongan cepat secara profesional atau segera dijemput oleh mobil ambulans yang meraung-raung.

Mereka memiliki petugas-petugas kebersihan khusus, guru-guru yang bergaji mahal, dan para penjaga sekolah yang berseragam seperti polisi lalu lintas dan selalu meniup-niup peluit. Tali merah bergulung-gulung keren sekali di bahu seragamnya itu.

"Jumlah gurunya banyak."

Demikian ujar Bang Amran Isnaini bin Muntazis Ilham—yang pernah sekolah di sana—persis pada malam sebelum esoknya aku masuk pertama kali di SD Muhammadiyah itu.

Aku termenung.

"Setiap pelajaran ada gurunya masing-masing, walaupun kau baru kelas satu."

Maka pada malam itu aku tak bisa tidur akibat pusing menghitung berapa banyak jumlah guru di sekolah PN, tentu saja juga selain karena rasa senang akan masuk sekolah besok.

Murid PN umumnya anak-anak orang luar Belitong yang bapaknya menjadi petinggi di PN. Sekolah ini juga menerima anak kampung seperti Bang Amran, tapi tentu saja yang orangtuanya sudah menjadi orang staf. Mereka semua bersih-bersih, rapi, kaya, necis, dan pintar-pintar luar biasa. Mereka selalu mengharumkan nama Belitong dalam lomba-lomba kecerdasan, bahkan sampai tingkat nasional. Sekolah PN sering dikunjungi para pejabat, pengawas sekolah, atau sekolah lain untuk melakukan semacam *benchmarking*, melihat bagaimana seharusnya ilmu pengetahuan ditransfer dan bagaimana anak-anak kecil dididik secara ilmiah.

Pendaftaran hari pertama di sekolah PN adalah sebuah perayaan penuh sukacita. Puluhan mobil mewah berderet di depan sekolah dan ratusan anak orang kaya mendaftar. Ada bazar dan pertunjukan seni para siswa. Setiap kelas bisa menampung hampir sebanyak 40 siswa dan paling tidak ada 4 kelas untuk tiap-tiap tingkat. SD PN tidak akan membagi satu pun siswanya kepada sekolah-sekolah lain yang kekurangan murid karena sekolah itu memiliki sumber daya yang melimpah ruah untuk mengakomodasi berapa pun jumlah siswa baru. Lebih dari itu, bersekolah di PN adalah sebuah kehormatan, hingga tak seorang pun yang berhak sekolah di situ sudi dilungsurkan ke sekolah lain.

Ketika mendaftar badan mereka langsung diukur untuk tiga macam seragam harian dan dua macam pakaian olah raga. Mereka juga langsung mendapat kartu perpustakaan dan bertumpuk-tumpuk buku acuan wajib. Seragamnya untuk hari Senin adalah baju biru bermotif bunga rambat yang indah. Sepatu yang dikenakan berhak dan berwarna hitam mengilat. Sangat gagah ketika ber-*marching band* melintasi kampung. Melihat mereka aku segera teringat pada sekawanan anak kecil yang lucu, putih, dan bersayap, yang turun dari awan—seperti yang biasa kita lihat pada gambar-gambar buku komik. Setiap pagi para murid PN dijemput oleh bus-bus sekolah berwarna biru.

Kepala sekolahnya adalah seorang pejabat penting, Ibu Frischa namanya. Caranya ber-*make up* jelas memperlihatkan dirinya sedang bertempur mati-matian melawan usia dan tampak jelas pula, dalam pertempuran itu, beliau telah kalah. Ia seorang wanita keras yang terpelajar, progresif, ambisius, dan sering habis-habisan menghina sekolah kampung. Gerak geriknya diatur sedemikian rupa sebagai penegasan kelas sosialnya. Di dekatnya siapa pun akan merasa terintimidasi.

Kalau sempat berbicara dengan beliau, maka ia sama seperti orang Melayu yang baru belajar memasak, bumbunya cukup tiga macam: pembicaraan tentang fasilitas-fasilitas sekolah PN, anggaran ekstrakurikuler jutaan rupiah, dan tentang murid-muridnya yang telah menjadi dokter, insinyur, ahli ekonomi, pengusaha, dan orang-orang sukses di kota atau bahkan di luar negeri. Bagi kami yang waktu itu masih kecil, masih berpandangan hitam putih, beliau adalah seorang tokoh antagonis.

Yang dimaksud dengan sekolah kampung tentu saja adalah perguruan Muhammadiyah dan beberapa sekolah swasta miskin lainnya di Belitong. Selain sekolah miskin itu memang terdapat pula beberapa sekolah negeri di kampung kami. Namun kondisi sekolah negeri tentu lebih baik karena mereka disokong oleh negara. Sementara sekolah kampung adalah sekolah swadaya yang kelelahan menyokong dirinya sendiri.

Bab 9
Penyakit Gila No. 5

FILICIUM *decipiens* biasa ditanam botanikus untuk mengundang burung. Daunnya lebat tak kenal musim. Bentuk daunnya cekung sehingga dapat menampung embun untuk burung-burung kecil minum. Dahannya pun mungil, menarik hati burung segala ukuran. Lebih dari itu, dalam jarak 50 meter dari pohon ini, di belakang sekolah kami, berdiri kekar menjulang awan sebatang pohon tua ganitri (*Elaeocarpus sphaericus schum*). Tingginya hampir 20 meter, dua kali lebih tinggi dari *filicium*. Konfigurasi ini menguntungkan bagi burung-burung kecil cantik nan aduhai yang diciptakan untuk selalu menjaga jarak dengan manusia (sepertinya setiap makhluk yang merasa dirinya cantik memang cenderung menjaga jarak), yaitu *red breasted hanging parrots* atau tak lain serindit Melayu.

Sebelum menyerbu *filicium*, serindit Melayu terlebih dulu melakukan pengawasan dari dahan-dahan tinggi ganitri sambil jungkir balik seperti pemain *trapeze*. Melangak-longok ke sana kemari apakah ada saingan atau musuh. Buah ganitri yang biru mampu menyamarkan kehadiran mereka. Kemampuan burung ini berakrobat menyebabkan ahli ornitologi Inggris menambahkan nama *hanging* pada nama gaulnya itu. Jika keadaan sudah aman kawanan ini akan menukik tajam menuju dahan-dahan *filicium* dan tanpa ampun, dengan paruhnya yang mampu memutuskan kawat, secepat kilat, unggas mungil rakus ini menjarah buah-buah kecil *filicium* dengan kepala waspada menoleh ke kiri dan kanan. Pelajaran moral nomor tiga: jika Anda cantik, hidup Anda tak tenang.

Seumpama suku-suku Badui di Jazirah Arab yang menggantungkan hidup pada oasis maka *filicium* tua yang menaungi atap kelas kami ini adalah mata air bagi kami. Hari-hari kami terorientasi pada pohon itu. Ia saksi bagi drama masa kecil kami. Di dahannya kami membuat rumah-rumahan. Di balik daunnya kami bersembunyi jika bolos pelajaran kewarganegaraan. Di batang pohonnya kami menuliskan janji setia persahabatan dan mengukir nama-nama kecil kami dengan pisau lipat. Di akarnya yang menonjol kami duduk berkeliling mendengar kisah Bu Mus tentang petualangan Hang Jebat, dan di bawah keteduhan daunnya yang rindang kami bermain lompat kodok, berlatih sandiwara Romeo dan Juliet, tertawa, menangis, bernyanyi, belajar, dan bertengkar.

Setelah serindit Melayu terbang melesat pergi seperti anak panah Winnetou menembus langit maka hadirlah beberapa keluarga jalak kerbau. Penampilan burung ini sangat tak istimewa. Karena tak istimewa maka tak ada yang memerhatikannya. Mereka santai saja bertamu ke haribaan dedaunan *filicium*, menikmati setiap gigitan buah kecilnya, buang hajat sesuka hatinya .... Bahkan ketika mulutnya penuh, mereka pun akan membersihkan paruhnya dengan menggosok-gosokkannya pada kulit *filicium* yang seperti handuk kering. Mereka kemudian akan turun ke tanah, buncit, penuh daging, bulat beringsut-ingsut laksana seorang MC. Tak peduli pada dunia. Sebaliknya, kami pun tak tertarik menggodanya. Interaksi kami dengan jalak kerbau adalah dingin dan individualistis.

Demikian pula hubungan kami dengan burung ungkut-ungkut yang mematuki ulat di kulit *filicium*. Menurutku ungkut-ungkut mendapat nama lokal yang tidak adil. Bayangkan, nama bukunya adalah *coppersmith barbet*. Nyatanya ia tak lebih dari burung biru pucat membosankan dengan bunyi yang lebih membosankan kut...kut...kut... Namun kehadirannya sangat kami tunggu karena ia selalu mengunjungi pohon *filicium* sekitar pukul 10 pagi. Pada jam ini kami mendapat pelajaran kewarganegaraan yang jauh lebih membosankan. Suara kut-kut-kut persis di luar jendela kelas kami jelas lebih menghibur dibanding materi pelajaran bergaya indoktrinasi itu.

Setelah ungkut-ungkut berlalu, hinggaplah kawanan cinenen kelabu yang mencari serangga sisa garapan ungkut-ungkut. Tak pernah kulihat mereka hadir bersamaan karena perangai *coppersmith* yang tak pernah mau kalah. Lalu silih berganti sampai menjelang sore berkunjung burung-burung madu sepah, pipit, jalak biasa, gelatik batu, dan burung matahari yang berjingkat-jingkat riang dari dahan ke dahan.

Demikian harmonisnya ekosistem yang terpusat pada sebatang pohon *filicium* anggota familia *Acacia* ini. Seperti para guru yang mengabdi di bawahnya, pohon ini tak henti-hentinya menyokong kehidupan sekian banyak spesies. Pada musim hujan ia semakin semarak. Puluhan jenis kupu-kupu, belalang sembah, bunglon, lintah, jamur telur beracun, kumbang, capung, ulat bulu, dan ular daun saling berebutan tempat.

Drama, opera, dan orkestra yang manggung di dahan-dahan *filicium* sepanjang hari tak kalah seru dengan panggung sandiwara yang dilakoni sepuluh homo sapiens di sebuah kelas di bawahnya. Seperti episode pagi ini misalnya.

"Aku mau ikut ke pasar, Cai," Syahdan memohon kepada Kucai, ketika kami dibagi kelompok dalam pelajaran pekerjaan tangan dan harus membeli kertas kajang di pasar.

"Tapi sandal dan bajuku buruk begini," katanya lagi dengan polos dan tahu diri sambil melipat karung kecampang yang dipakainya sebagai tas sekolah.

"Jangan kau bikin malu aku. Dan, apa kata anak-anak SD PN nanti?" jawab Kucai sok gengsi padahal satu pun ia tak kenal anak-anak kaya itu. Mengesankan dirinya kenal dengan anak-anak sekolah PN dikiranya mampu menaikkan martabatnya di mata kami.

Maka sepatuku yang seperti sepatu bola itu kupinjamkan padanya. Borek rela menukar dulu bajunya dengan baju Syahdan. Lalu Syahdan pun, yang memang berpembawaan ceria, kali ini terlihat sangat gembira. Ia tak peduli kalau baju Borek kebesaran dan sebenarnya tak lebih bagus dari bajunya. Ada pula kemungkinan Borek kurapan, aku pernah melihat kurap itu ketika kami ramai-ramai mandi di dam tempo hari.

Seperti Lintang, Syahdan yang miskin juga anak seorang nelayan. Tapi bukan maksudku mencela dia, karena kenyataannya secara ekonomi kami, sepuluh kawan sekelas ini, memang semuanya orang susah. Ayahku, contohnya, hanya pegawai rendahan di PN Timah. Beliau bekerja selama 25 tahun mencedok *tailing*, yaitu material buangan dalam instalasi pencucian timah yang disebut *wasserij*. Selain bergaji rendah, beliau juga rentan pada risiko kontaminasi radio aktif dari monazite dan senotim. Penghasilan ayahku lebih rendah dibandingkan penghasilan ayah Syahdan yang bekerja di bagan dan gudang kopra, penghasilan sampingan Syahdan sendiri sebagai tukang dempul perahu, serta ibunya yang menggerus pohon karet jika digabungkan sekaligus. Masalahnya di mata Syahdan, gedung sekolah, bagan ikan, dan gudang kopra tempat kelapa-kelapa busuk itu bersemedi adalah sama saja. Ia tidak punya *sense of fashion* sama sekali dan di lingkungan-

nya tidak ada yang mengingatkannya bahwa sekolah ber-
beda dengan keramba.

Sebangku dengan Syahdan adalah A Kiong, sebuah
anomali. Tak tahu apa yang merasuki kepala bapaknya,
yaitu A Liong, seorang Kong Hu Cu sejati, waktu mendaf-
tarkan anak laki-laki satu-satunya itu ke sekolah Islam
puritan dan miskin ini. Mungkin karena keluarga Hokian
itu, yang menghidupi keluarga dari sebidang kebun sawi,
juga amat miskin.

Tapi jika melihat A Kiong, siapa pun akan maklum
kenapa nasibnya berakhir di SD kampung ini. Ia memang
memiliki penampilan akan ditolak di mana-mana. Wajah-
nya seperti baru keluar dari bengkel *ketok magic*, alias me-
nyerupai Frankenstein. Mukanya lebar dan berbentuk
kotak, rambutnya serupa landak, matanya tertarik ke atas
seperti sebilah pedang dan ia hampir tidak punya alis.
Seluruh giginya tonggos dan hanya tinggal setengah akibat
digerogoti *phyrite* dan *markacite* dari air minum. Guru mana
pun yang melihat wajahnya akan tertekan jiwanya, mem-
bayangkan betapa susahnya menjejalkan ilmu ke dalam
kepala aluminiumnya itu.

Dia sangat naif dan tak peduli seperti jalak kerbau.
Jika kita mengatakan bahwa dunia akan kiamat besok maka
ia pasti akan bergegas pulang untuk menjual satu-satunya
ayam yang ia miliki, bahkan meskipun sang ayam sedang
mengeram. Dunia baginya hitam putih dan hidup adalah
sekeping jembatan papan lurus yang harus dititi. Namun,

meskipun wajahnya horor, hatinya baik luar biasa. Ia penolong dan ramah, kecuali pada Sahara.

Tapi tak dinyana, sekian lama waktu berlalu, rupanya kepala kalengnya cepat juga menangkap ilmu. Justru pria beraut manis manja yang duduk di depannya dan berpenampilan layaknya orang pintar serta selalu mengangguk-angguk kalau menerima pelajaran, ternyata *lemot* bukan main, namanya Kucai.

Kucai sedikit tak beruntung. Kekurangan gizi yang parah ketika kecil mungkin menyebabkan ia menderita miopia alias rabun jauh. Selain itu pandangan matanya tidak fokus, melenceng sekitar 20 derajat. Maka jika ia memandang lurus ke depan artinya yang ia lihat adalah benda di samping benda yang ada persis di depannya dan demikian sebaliknya, sehingga saat berbicara dengan seseorang ia tidak memandang lawan bicaranya tapi ia menoleh ke samping. Namun, Kucai adalah orang paling optimis yang pernah aku jumpai. Kekurangannya secara fisik tak sedikit pun membuatnya minder. Sebaliknya, ia memiliki kepribadian populis, oportunis, bermulut besar, banyak teori, dan sok tahu.

Kucai memiliki *network* yang luas. Ia pintar bermain kata-kata. Kalau hanya perkara perselisihan peneng sepeda dengan aparat desa, informasi di mana bisa menjual beras jatah PN, atau bagaimana cara mendapatkan karcis pasar malam separuh harga, serahkan saja padanya, ia bisa memberi solusi total. Kelemahannya adalah nilai-nilai ulangannya tidak pernah melampaui angka enam karena ia ter-

masuk murid yang agak kurang pintar, bodoh yang di-
perhalus.

Maka jika digabungkan sifat populis, sok tahu, dan
oportunis dengan otaknya yang *lemot*, Kucai memiliki se-
mua kualitas untuk menjadi seorang politisi. Kenyataannya
memang begitu. Seperti kebanyakan politisi jika ia bicara
tatapan matanya dan gayanya sangat meyakinkan walau-
pun dungunya minta ampun. Kualitas kepolitisiannya itu
mungkin menurun dari bapaknya. Beliau adalah seorang
pensiunan tukang bagi beras di PN Timah dan telah ber-
tahun-tahun menjabat sebagai ketua Badan Amil masjid
kampung.

Kucai juga bertahun-tahun menjadi ketua kelas kami
namun bagi kami ketua kelas adalah jabatan yang paling
tidak menyenangkan. Jabatan itu menyebalkan antara lain
karena harus mengingatkan anggota kelas agar jangan
berisik padahal diri sendiri tak bisa diam. Ini menyebabkan
tak ada dari kami yang ingin menjadi ketua kelas, apalagi
kelas kami ini sudah terkenal susah dikendalikan. Berulang
kali Kucai menolak diangkat kembali menduduki jabatan
itu, namun setiap kali Bu Mus mengingatkan betapa mulia-
nya menjadi seorang pemimpin, Kucai pun luluh dan dengan
terpaksa bersedia menjabat lagi.

Suatu hari dalam pelajaran budi pekerti kemuham-
madiyahan, Bu Mus menjelaskan tentang karakter yang
dituntut Islam dari seorang amir. Amir dapat berarti seorang
pemimpin. Beliau menyitir perkataan Khalifah Umar bin
Khatab.

"Barangsiapa yang kami tunjuk sebagai amir dan telah kami tetapkan gajinya untuk itu, maka apa pun yang ia terima selain gajinya itu adalah penipuan!"

Rupanya Bu Mus geram dengan korupsi yang merajalela di negeri ini dan beliau menyambung dengan lantang, "Kata-kata itu mengajarkan arti penting memegang amanah sebagai pemimpin dan Al-Qur'an mengingatkan bahwa kepemimpinan seseorang akan dipertanggungjawabkan nanti di akhirat ...."

Kami terpesona mendengarnya, namun Kucai gemetar. Mendapati dirinya sebagai seorang pemimpin kelas ia gamang pada pertanggungjawaban setelah mati nanti, apalagi sebagai seorang politisi ia menganggap bahwa menjadi ketua kelas itu tidak ada keuntungannya sama sekali. Tidak adil! Lagi pula ia sudah muak mengurusi kami. Kami terkejut karena serta-merta ia berdiri dan berdalih secara diplomatis.

"Ibunda Guru, Ibunda mesti tahu bahwa anak-anak kuli ini kelakuannya seperti setan. Sama sekali tak bisa disuruh diam, terutama Borek, kalau tak ada guru ulahnya ibarat pasien rumah sakit jiwa yang buas. Aku sudah tak tahan, Ibunda, aku menuntut pemungutan suara yang demokratis untuk memilih ketua kelas baru. Aku juga tak sanggup mempertanggungjawabkan kepemimpinanku di padang Masyar nanti, anak-anak kumal ini yang tak bisa diatur ini hanya akan memberatkan hisabku!"

Kucai tampak sangat emosional. Tangannya menunjuk-nunjuk ke atas dan napasnya tesengal setelah menghamburkan unek-unek yang mungkin telah dipendamnya bertahun-tahun. Ia menatap Bu Mus dengan mata nanar tapi pandangannya ke arah gambar R.H. Oma Irama Hujan Duit.

Kami semua menahan tawa melihat pemandangan itu tapi Kucai sedang sangat serius, kami tak ingin melukai hatinya.

Bu Mus juga terkejut. Tak pernah sebelumnya beliau menerima tanggapan selugas itu dari muridnya, tapi beliau maklum pada beban yang dipikul Kucai. Beliau ingin bersikap seimbang maka beliau segera menyuruh kami menuliskan nama ketua kelas baru yang kami inginkan di selembar kertas, melipatnya, dan menyerahkannya kepada beliau. Kami menulis pilihan kami dengan bersungguh-sungguh dan saling merahasiakan pilihan itu dengan ketat.

Kucai senang sekali. Wajahnya berseri-seri. Ia merasa telah mendapatkan keadilan dan mengganggap bahwa bebannya sebagai ketua kelas akan segera berakhir.

Suasana menjadi tegang menunggu detik-detik penghitungan suara. Kami gugup mengantisipasi siapa yang akan menjadi ketua kelas baru.

Sembilan gulungan kertas telah berada dalam genggaman Bu Mus. Beliau sendiri kelihatan gugup. Beliau membuka gulungan pertama

"Borek!" teriak Bu Mus.

Borek pucat dan Kucai melonjak girang. Terang-terangan ia menunjukkan bahwa ia sendiri yang telah memilih Borek, kawan sebangkunya yang ia anggap pasien rumah sakit jiwa yang buas. Bu Mus melanjutkan.

"Kucai!"

Kali ini Borek yang melonjak dan Kucai terdiam. Kertas ketiga.

"Kucai!"

Kucai tersenyum pahit. Kertas keempat.

"Kucai!"

Kertas kelima.

"Kucai!"

Kucai pucat pasi. Demikian seterusnya sampai kertas kesembilan. Kucai terpuruk. Ia jengkel sekali kepada Borek yang tubuhnya menggigil menahan tawa. Ia memandang Borek dengan tajam tapi matanya mengawasi Trapani.

Karena Harun tak bisa menulis maka jumlah kertas hanya sembilan tapi Bu Mus tetap menghargai hak asasi politiknya. Ketika Bu Mus mengalihkan pandangan kepada Harun, Harun mengeluarkan senyum khas dengan gigi-gigi panjangnya dan berteriak pasti.

"Kucai ...!"

Kucai terkulai lemas. Hari ini kami mendapat pelajaran penting tentang demokrasi, yaitu bahwa ternyata prinsip-prinsipnya tidak efektif untuk suksesi jabatan ke-ring. Bu Mus menghampirinya dengan lembut sambil tersenyum jenaka.

"Memegang amanah sebagai pemimpin memang berat tapi jangan khawatir, banyak orang yang akan mendoakan. Tidakkah Ananda sering mendengar di berbagai upacara petugas sering mengucap doa: Ya, Allah lindungilah para pemimpin kami? Jarang sekali kita mendengar doa: Ya Allah lindungilah anak-anak buah kami ...."

DUDUK di pojok sana adalah Trapani. Namanya di-ambil dari nama sebuah kota pantai di Sisilia. Nyatanya ia memang seelok kota pantai itu. Ia memesona seumpama bondol peking. Si rapi jali ini adalah maskot kelas kami. Seorang perfeksionis berwajah seindah rembulan. Ia tipe pria yang langsung disukai wanita melalui sekali pandang. Jambul, baju, celana, ikat pinggang, kaus kaki, dan sepatu-nya selalu bersih, serasi warnanya, dan licin. Ia tak bicara jika tak perlu dan jika angkat bicara ia akan menggunakan kata-kata yang dipilih dengan baik. Baunya pun harum. Ia seorang pemuda santun harapan bangsa yang memenuhi semua syarat Dasa Dharma Pramuka. Cita-citanya ingin jadi guru yang mengajar di daerah terpencil untuk memajukan pendidikan orang Melayu pedalaman, sungguh mulia. Seluruh kehidupannya seolah terinspirasi lagu "Wajib Belajar" karya R.N. Sutarmas.

Ia sangat berbakti kepada orangtua, khususnya ibu-nya. Sebaliknya, ia juga diperhatikan ibunya layaknya anak emas. Mungkin karena ia satu-satunya laki-laki di antara lima saudara perempuan lainnya. Ayahnya adalah seorang operator *vessel board* di kantor telepon PN sekaligus tukang sirine. Meskipun rumahnya dekat dengan sekolah tapi sampai kelas tiga ia masih diantar jemput ibunya. Ibu adalah pusat gravitasi hidupnya.

Trapani agak pendiam, otaknya lumayan, dan selalu menduduki peringkat ketiga. Aku sering cemburu karena aku kebanjiran salam dari sepupu-sepupuku untuk disampaikan pada laki-laki muda flamboyan ini. Dia tak pernah menanggapi salam-salam itu. Di sisi lain kami juga sering jengkel pada Trapani karena setiap kali kami punya "acara", misalnya menyangkutkan sepeda Pak Fahimi—guru kelas empat yang tak bermutu dan selalu menggertak murid—di dahan pohon gayam, Trapani harus minta izin dulu pada ibunya.

Lalu ada Sahara, satu-satunya hawa di kelas kami. Dia secantik *grey cheeked green*, atau burung punai lenguak. Ia ramping, berjilbab, dan sedikit lebih beruntung. Bapaknya seorang Taikong, yaitu atasan para Kepala Parit, orang-orang lapangan di PN. Sifatnya yang utama: penuh perhatian dan kepala batu. Maka tak ada yang berani bikin gara-gara dengannya karena ia tak pernah segan mencakar. Jika marah, ia akan mengaum dan kedua alisnya bertemu. Sahara sangat temperamental, tapi ia pintar. Peringkatnya bersaing ketat dengan Trapani. Kebalikan dari A Kiong, Sahara sangat skeptis, susah diyakinkan, dan tak mudah dibuat terkesan. Sifat lain Sahara yang amat menonjol adalah kejujurannya yang luar biasa dan benar-benar menghargai kebenaran. Ia pantang berbohong. Walaupun diancam akan dicampakkan ke dalam lautan api yang berkobar-kobar, tak satu pun dusta akan keluar dari mulutnya.

Musuh abadi Sahara adalah A Kiong. Mereka berteng-kar hebat, berbaikan, lalu bertengkar lagi. Sepertinya mereka sengaja dipertemukan nasib untuk selalu berselisih. Mereka saling memprotes dan berbeda pendapat untuk hal-hal sepele. Sahara menganggap apa pun yang dilakukan A Kiong selalu salah, dan demikian pula sebaliknya. Kadang-kadang perseteruan mereka itu lucu dan membuka wa-wasan.

Misalnya ketika kami berkumpul dan Trapani ber-cerita tentang bagusnya buku *Tenggelamnya Kapal Van Der Wijk*, karya legendaris Buya Hamka.

"Aku juga sudah pernah membaca buku itu, maaf aku tak suka, terlalu banyak nama dan tempat, susah aku meng-ingatnya." Demikian komentar A Kiong mencari penyakit.

Sahara yang sangat menghargai buku tertusuk hatinya dan menyalak tanpa ampun, "Masya Allah! Dengar, Anak Muda, mana bisa kauhargai karya sastra bermutu. Nanti jika Buya menulis lagi buku berjudul *Si Kancil Anak Nakal Suka Mencuri Timun* barulah buku seperti itu cocok buat-mu …."

Kami semua tertawa sampai berguling-guling.

A Kiong tersinggung, tapi ia kehabisan kata, maka ditelannya saja ejekan itu mentah-mentah, pahit memang. Apa boleh buat, ia tak bisa mengonter cemoohan secerdas itu.

Sebaliknya, Sahara sangat lembut jika berhadapan dengan Harun. Harun adalah seorang pria santun, pendiam, dan murah senyum. Ia juga merupakan teman yang menyenangkan. Model rambutnya seperti Chairil Anwar dan pakaiannya selalu rapi. Masalah pakaian ini benar-benar diperhatikan oleh ibunya. Ia lebih kelihatan seperti pejabat kantoran di PN daripada anak sekolahan. Bagian belakang bajunya, yang disetrika dengan lipatan berpola kotak-kotak—lagi mode ketika itu—tampak serasi di punggung Harun.

Harun memiliki hobi mengunyah permen asam jawa dan sama sekali tidak bisa menangkap pelajaran membaca atau menulis. Jika Bu Mus menjelaskan pelajaran, ia duduk tenang dan terus-menerus tersenyum. Pada setiap mata pelajaran, pelajaran apa pun, ia akan mengacung sekali dan menanyakan pertanyaan yang sama, setiap hari, sepanjang tahun, "Ibunda Guru, kapan kita akan libur lebaran?"

"Sebentar lagi, Anakku, sebentar lagi ...," jawab Bu Mus sabar, berulang-ulang, puluhan kali, sepanjang tahun, lalu Harun pun bertepuk tangan.

Jika istirahat siang Sahara dan Harun duduk berdua di bawah pohon *filicium*. Mereka memiliki kaitan emosi yang unik, seperti persahabatan Tupai dan Kura-Kura. Harun dengan bersemangat menceritakan kucingnya yang berbelang tiga baru saja melahirkan tiga ekor anak yang semuanya berbelang tiga pada tanggal tiga kemarin. Sahara selalu sabar mendengarkan cerita itu walaupun Harun menceritakannya setiap hari, berulang-ulang, puluhan kali, sepanjang tahun, dari kelas satu SD sampai kelas tiga SMP. Sahara tetap setia mendengarkan.

Jika kami naik kelas Harun juga ikut naik kelas meskipun ia tak punya rapor. *Pengecualian dari sistem*, demikian orang-orang pintar di Jakarta menyebut kasus seperti ini. Aku sering memandangi wajahnya lama-lama untuk menebak apa yang ada di dalam pikirannya. Dia hanya tersenyum menanggapi tingkahku. Harun adalah anak kecil yang terperangkap dalam tubuh orang dewasa.

Pria kedelapan adalah Borek. Pada awalnya dia adalah murid biasa, kelakuan dan prestasi sekolahnya sangat biasa, rata-rata air. Tapi pertemuan tak sengajanya dengan sebuah kaleng bekas minyak penumbuh bulu yang kiranya berasal dari sebuah negeri nun jauh di Jazirah Arab sana telah mengubah total arah hidupnya. Gambar di kaleng itu memperlihatkan seorang pria bercelana dalam merah, berbadan tinggi besar, berotot kawat tulang besi, dan berbulu laksana seekor gorila jantan. Ia menemukan kaleng itu di dapur seorang pedagang kaki lima spesialis penumbuh segala jenis rambut.

Sejak itu Borek tidak tertarik lagi dengan hal lain dalam hidup ini selain sesuatu yang berhubungan dengan upaya membesarkan ototnya. Karena latihan keras, ia berhasil, dan mendapat julukan Samson. Sebuah gelar ningrat yang disandangnya dengan penuh rasa bangga. Agak aneh memang, tapi paling tidak sejak usia muda Borek sudah menjadi dirinya sendiri dan sudah tahu pasti ingin menjadi apa dia nanti, lalu secara konsisten ia berusaha mencapainya. Ia melompati suatu tahap pencarian identitas yang tak jarang mengombang-ambingkan orang sampai tua. Bahkan

sering sekali mereka yang tak kunjung menemukan iden-
titas menjalani hidup sebagai orang lain. Borek lebih baik
dari mereka.

Samson demikian terobsesi dengan *body building* dan
tergila-gila dengan citra *cowok* macho, dan pada suatu hari
aku termakan hasutannya.

AKU tak mengerti dari mana ia mendapat sebuah
pengetahuan rahasia untuk membesarkan otot dada.

"Jangan bilang siapa-siapa ...!" katanya berbisik. Ia
menoleh ke kiri dan kanan, seakan takut ada yang memer-
hatikan dan mencuri idenya. Lalu ia menarik tanganku,
kami pun berlari menuju belakang sekolah, sembunyi di
ruangan bekas gardu listrik. Dari dalam tasnya ia menge-
luarkan sebuah bola tenis yang dibelah dua.

"Kalau ingin dadamu menonjol seperti dadaku, inilah
rahasianya!" Kembali ia berbisik walaupun ia tahu di sana
tak mungkin ada siapa-siapa. Agaknya bola tenis itu me-
ngandung sebuah keajaiban.

"Pasti sebuah penemuan yang hebat, rupanya bola
tenis inilah rahasia keindahan tubuhnya," pikirku. Tapi akan
diapakan aku ini?

"Buka bajumu!" perintahnya. "Biar kujadikan kau pria
sejati pujaan kaum Hawa ...."

Wajahnya menunjukkan bahwa ia tak habis pikir
mengapa semua laki-laki di luar sana tidak melakukan me-

tode praktisnya ini, jalan pintas menuju kesempurnaan penampilan seorang lelaki. Sesungguhnya aku ragu tapi tak punya pilihan lain. Pintu gardu sudah ditutup.

"Cepatlah!"

Aku semakin ragu.

Namun, belum sempat aku berpikir jauh tiba-tiba ia merangsek maju ke arahku dan dengan keras menekankan bola tenis itu ke dadaku. Aku terjajar ke belakang sampai hampir jatuh. Aku tak berdaya. Dengan leluasa dan sekuat tenaga ia membenamkan benda sialan itu ke kulit dadaku karena sekarang punggungku terhalang oleh tumpukan balok. Badannya jauh lebih besar, tenaganya seperti kuli, alisnya sampai bertemu karena ia mengerahkan segenap kekuatannya, membuatku meronta-ronta.

Aku paham, belahan bola tenis ini dimaksudkan bekerja seperti sebuah benda aneh bertangkai kayu dan berujung karet yang dipakai orang untuk menguras lubang WC. Bola tenis itu adalah alat bekam yang akan menarik otot sehingga menonjol dan bidang. Itu idenya. Sekarang tekanan tenaga Samson dan daya isap bola tenis itu mulai bereaksi menyiksaku.

Yang aku rasakan adalah seluruh isi dadaku: jantung, hati, paru-paru, limpa, berikut isi perut dan darahku seperti terisap oleh bola tenis itu. Bahkan mataku rasanya akan meloncat. Aku tercekat, tak sanggup mengeluarkan kata-kata. Aku memberi isyarat agar ia melepaskan pembekam itu.

"Belum waktunya, harus selesai hitung nama dan orangtua, baru ada khasiatnya!"

Hitung nama dan orangtua? Aduh! Celaka!

Hitung nama dan orangtua adalah inovasi konyol kami sendiri, yaitu mengerjakan sesuatu dalam durasi menyebut nama sekaligus nama orang tua, misalnya Trapani Ihsan Jamari bin Zainuddin Ilham Jamari atau Harun Ardhli Ramadhan bin Syamsul Hazana Ramadhan. Aku sudah tak sanggup menanggungkan benda yang menyedot dadaku ini selama menyebut nama sepuluh teman sekelas apalagi dengan nama orangtuanya. Nama orang Melayu tak pernah singkat.

Samson tak peduli, ia tetap menekan belahan bola tenis itu tanpa perasaan. Ini adalah adu kekuatan antara David yang kecil dan Goliath sang raksasa. Aku terperangkap seperti ikan kepuyu di dalam bubu. Aku mulai sesak napas. Tubuhku rasanya akan meledak. Isapan bola tenis itu laksana sengatan lebah tanah kuning yang paling berbisa dan tubuhku mulai terasa menciut. Kakiku mengais-ngais putus asa seperti banteng bernafsu menanduk matador. Namun, pada detik paling gawat itu rupanya Tuhan menyelamatkanku karena tanpa diduga salah satu balok di belakangku jatuh sehingga sekarang aku memiliki ruang untuk mengambil ancang-ancang. Tanpa menyia-nyiakan kesempatan, kuambil seluruh tenaga terakhir yang tersisa lalu dengan sekali jurus kutendang selangkangan Samson, tepat di belahan pelirnya, sekuat-kuatnya, persis pegulat Jepang Antonio Inoki menghantam Muhammad Ali di lokasi tak sopan itu pada pertarungan absurd tahun '76.

Samson melolong-lolong seperti kumbang terperangkap dalam stoples. Aku melompat kabur pontang-panting. Belahan bola tenis inovasi genius dunia *body building* itu pun terpental ke udara dan jatuh berguling-guling lesu di atas tumpukan jerami. Sempat aku menoleh ke belakang dan melihat Samson masih berputar-putar memegangi selangkangannya, lalu manusia Hercules itu pun tumbang berdebam di atas tanah.

Di dadaku melingkar tanda bulat merah kehitam-hitaman, sebuah jejak kemahatololan.

Ketika ibuku bertanya tentang tanda itu aku tak berkutik, karena pelajaran Budi Pekerti Kemuhammadiyahan setiap Jumat pagi tak membolehkan aku membohongi orangtua, apalagi ibu. Maka dengan amat sangat terpaksa kutelanjangi kebodohanku sendiri. Abang-abang dan ayahku tertawa sampai menggigil dan saat itulah untuk pertama kalinya aku mendengar teori canggih ibuku tentang penyakit gila.

"Gila itu ada 44 macam," kata ibuku seperti seorang psikiater ahli sambil mengunyah gambir dan sirih.

"Semakin kecil nomornya semakin parah gilanya," beliau menggeleng-gelengkan kepalanya dan menatapku seperti sedang menghadapi seorang pasien rumah sakit jiwa.

"Maka orang-orang yang sudah tidak berpakaian dan lupa diri di jalan-jalan, itulah gila no.1, dan gila yang kau buat dengan bola tenis itu sudah bisa masuk no. 5. Cukup serius! Hati-hati, kalau tak pakai akal sehat dalam setiap kelakuanmu maka angka itu bisa segera mengecil."

Bukan bermaksud berpolemik dengan temuan para ahli jiwa. Kami mengerti bahwa teori ini tentu saja hanya untuk mengingatkan anak-anaknya agar jangan bertindak keterlaluan. Tapi begitulah teori penyakit gila versi ibuku dan bagiku teori itu efektif. Aku malu sudah bertindak konyol.

Aku tak yakin apakah Samson benar-benar menerapkan teknik sinting itu untuk memperbesar otot-ototnya, ataukah ia hanya ingin membodohi aku. Yang kutahu pasti adalah selama tiga hari berikutnya ia ke sekolah dengan berjalan terkangkang-kangkang seperti orang pengkor, badannya yang besar membuat ia tampak seperti kingkong.

PADA sebuah pagi yang lain, pukul sepuluh, seharusnya burung kut-kut sudah datang. Tapi pagi ini senyap. Aku tersenyum sendiri melamunkan sifat-sifat kawan sekelasku. Lalu aku memandangi guruku Bu Mus, seseorang yang bersedia menerima kami apa adanya dengan sepenuh hatinya, segenap jiwanya. Ia paham betul kemiskinan dan posisi kami yang rentan sehingga tak pernah membuat kebijakan apa pun yang mengandung implikasi biaya. Ia selalu membesarkan hati kami. Kupandangi juga sembilan teman sekelasku, orang-orang muda yang luar biasa. Sebagian mereka ke sekolah hanya memakai sandal, sementara yang bersepatu selalu tampak kebesaran sepatunya. Orangtua kami yang tak mampu memang sengaja membeli sepatu dua nomor lebih besar agar dapat dipakai dalam dua tahun ajaran.

Ada keindahan yang unik dalam interaksi masing-masing sifat para sahabatku. Tersembunyi daya tarik pada cara mereka mengartikan sekstan untuk mengukur diri sendiri, menilai kemampuan orangtua, melihat arah masa depan, dan memersepsi pandangan lingkungan terhadap mereka. Kadang kala pemikiran mereka kontradiktif terhadap pendapat umum laksana gurun bertemu pantai atau ibarat hujan ketika matahari sedang terik. Tak jarang mereka seperti kelelawar yang tersasar masuk ke kamar, menabrak-nabrak kaca ingin keluar dan frustrasi. Mereka juga seperti seekor parkit yang terkurung di dalam gua, kebingungan dengan gema suaranya sendiri.

Sejak kecil aku tertarik untuk menjadi pengamat kehidupan dan sekarang aku menemukan kenyataan yang memesona dalam sosiologi lingkungan kami yang ironis. Di sini ada sekolahku yang sederhana, para sahabatku yang melarat, orang Melayu yang terabaikan, juga ada orang staf dan sekolah PN mereka yang glamor, serta PN Timah yang gemah ripah dengan Gedong, tembok feodalistisnya. Semua elemen itu adalah perpustakaan berjalan yang memberiku pengetahuan baru setiap hari.

Pengetahuan terbesar terutama kudapat dari sekolahku, karena perguruan Muhammadiyah bukanlah *center of excellence,* tapi ia merupakan pusat marginalitas sehingga ia adalah sebuah universitas kehidupan. Di sekolah ini aku memahami arti keikhlasan, perjuangan, dan integritas. Lebih dari itu, perintis perguruan ini mewariskan pelajaran yang amat berharga tentang ide-ide besar Islam yang mulia, keberanian untuk merealisasi ide itu meskipun tak putus-putus dirundung kesulitan, dan konsep menjalani hidup dengan gagasan memberi manfaat sebesar-besarnya untuk orang lain melalui pengorbanan tanpa pamrih.

Maka sejak waktu virtual tercipta dalam definisi hipotesis manusia tatkala nebula mengeras dalam teori lubang hitam, di antara titik-titik kurunnya yang merentang panjang tak tahu akan berhenti sampai kapan, aku pada titik ini, di tempat ini, merasa bersyukur menjadi orang Melayu Belitong yang sempat menjadi murid Muhammadiyah. Dan sembilan teman sekelasku memberiku hari-hari yang lebih dari cukup untuk suatu ketika di masa depan nanti kuceritakan pada setiap orang bahwa masa kecilku amat bahagia. Kebahagiaan yang spesifik karena kami hidup dengan persepsi tentang kesenangan sekolah dan persahabatan yang kami terjemahkan sendiri.

Kami adalah sepuluh umpan nasib dan kami seumpama kerang-kerang halus yang melekat erat satu sama lain dihantam deburan ombak ilmu. Kami seperti anak-anak bebek. Tak terpisahkan dalam susah dan senang. Induknya adalah Bu Mus. Sekali lagi kulihat wajah mereka, Harun yang murah senyum, Trapani yang rupawan, Syahdan yang liliput, Kucai yang sok gengsi, Sahara yang ketus, A Kiong yang polos, dan pria kedelapan—yaitu Samson— yang duduk seperti patung Ganesha.

Lalu siapa pria kesembilan dan kesepuluh? Lintang dan Mahar. Pelajaran apa yang mereka tawarkan? Mereka adalah pria-pria muda yang sangat istimewa. Memerlukan bab tersendiri untuk menceritakannya. Sampai di sini, aku sudah merasa menjadi seorang anak kecil yang sangat beruntung.

Bab 10
Bodenga

PAGI ini Lintang terlambat masuk kelas. Kami tercengang mendengar ceritanya.

"Aku tak bisa melintas. Seekor buaya sebesar pohon kelapa tak mau beranjak, menghalang di tengah jalan. Tak ada siapa-siapa yang bisa kumintai bantuan. Aku hanya berdiri mematung, berbicara dengan diriku sendiri."

Lima belas meter.

"Buaya sebesar itu tak 'kan mampu menyerangku dalam jarak ini, ia lamban, pasti kalah langkah. Kalau cukup waktu aku dapat menghitung hubungan massa, jarak, dan tenaga, baik aku maupun buaya itu, sehingga aku dapat memperkirakan kecepatannya menyambarku dan peluangku untuk lolos. Ilmu menyebabkan aku berani maju beberapa langkah lagi. Apalagi fisika tidak mempertimbangkan *psy war*, kalau aku maju ia pasti akan terintimidasi dan masuk lagi ke dalam air.

"Aku maju sedikit, membunyikan lonceng sepeda, bertepuk tangan, berdeham-deham, membuat bunyi-bunyian agar dia merayap pergi. Tapi ia bergeming. Ukurannya dan teritip yang tumbuh di punggungnya memperlihatkan dia penguasa rawa ini. Dan sekarang saatnya mandi matahari. Secara fisik dan psikologis binatang atau secara apa pun, buaya ini akan menang. Ilmu tak berlaku di sini.

"Tapi lebih dari setengah perjalanan sudah, aku tak 'kan kembali pulang gara-gara buaya bodoh ini. Tak ada kata bolos dalam kamusku, dan hari ini ada tarikh Islam, mata pelajaran yang menarik. Ingin kudebatkan kisah ayat-ayat suci yang memastikan kemenangan Byzantium tujuh tahun sebelum kejadian. Sudah siang, aku maju sedikit, aku pasti terlambat tiba di sekolah."

Dua belas meter

"Aku hanya sendirian. Jika ada orang lain aku berani lebih frontal. Tahukah hewan ini pentingnya pendidikan? Aku tak berani lebih dekat. Ia menganga dan bersuara rendah, suara dari perut yang menggetarkan seperti sendawa seekor singa atau seperti suara orang menggeser sebuah lemari yang sangat besar. Aku diam menunggu. Tak ada jalur alternatif dan kekuatan jelas tak berimbang. Aku mulai frustrasi. Suasana sunyi senyap. Yang ada hanya aku, seekor buaya ganas yang egois, dan intaian maut."

Kami prihatin dan tegang mendengar kisah perjuangan Lintang menuju sekolah.

"Tiba-tiba dari arah samping kudengar riak air. Aku terkejut dan takut. Menyeruak di antara lumut kumpai, membelah genangan setinggi dada, seorang laki-laki seram naik dari rawa. Ia berjalan menghampiriku, kakinya bengkok seperti huruf O," lanjutnya.

"Siapa laki-laki itu Lintang?" tanya Sahara tercekat.

"Bodenga ...."

"Ooh ...," kami serentak menutup mulut dengan tangan. Menakutkan sekali. Tak ada yang berani berkomentar. Tegang menunggu kelanjutan cerita Lintang.

"Aku lebih takut padanya daripada buaya mana pun. Pria ini tak mau dikenal orang tapi sepanjang pesisir Belitong Timur, siapa tak kenal dia?

"Dia melewatiku seperti aku tak ada dan dia melangkah tanpa ragu mendekati binatang buas itu. Dia menyentuhnya! Menepuk-nepuk lembut kulitnya sambil menggumamkan sesuatu. Ganjil sekali, buaya itu seperti takluk, mengibas-ngibaskan ekornya laksana seekor anjing yang ingin mengambil hati tuannya, lalu mendadak sontak, dengan sebuah lompatan dahsyat seperti terbang, reptil zaman Cretaceous itu terjun ke rawa menimbulkan suara laksana tujuh pohon kelapa tumbang sekaligus.

Lintang menarik napas.

"Aku terkesima dan tadi telah salah hitung. Jika bina-tang purba itu mengejarku maka orang-orang hanya akan menemukan sepeda reyot ini. Fisika sialan. Memprediksi perilaku hewan yang telah bertahan hidup jutaan tahun adalah tindakan bodoh nan sombong.

"Dari permukaan air yang bening jelas kulihat bina-tang itu menggoyangkan ekor panjangnya untuk mengambil tenaga dorong sehingga badannya yang hidrodinamis meng-hunjam mengerikan ke dasar air.

"Bodenga berbalik ke arahku. Seperti selalu, ekspresi-nya dingin dan jelas tak menginginkan ucapan terima kasih. Kenyataannya aku tak berani menatapnya, nyaliku runtuh. Dengan sekali sentak ia bisa menenggelamkanku sekaligus sepeda ini ke dalam rawa. Aku mengenal reputasi laki-laki liar ini. Tapi aku merasa beruntung karena aku telah menjadi segelintir orang yang pernah secara langsung menyaksikan kehebatan ilmu buaya Bodenga."

AKU termenung mendengar cerita Lintang. Aku memang tidak pernah menyaksikan langsung Bodenga ber-aksi tapi aku mengenal Bodenga lebih dari Lintang menge-nalnya. Bagiku Bodenga adalah guru firasat dan semua hal yang berhubungan dengan perasaan gamang, pilu, dan sedih.

Tak seorang pun ingin menjadi sahabat Bodenga. Wajahnya carut-marut, berusia empat puluhan. Ia menyelimuti dirinya dengan dahan-dahan kelapa dan tidur melingkar seperti tupai di bawah pohon nifah selama dua hari dua malam. Jika lapar ia terjun ke sumur tua di kantor polisi lama, menyelam, menangkap belut yang terperangkap di bawah sana dan langsung memakannya ketika masih di dalam air.

Ia makhluk yang merdeka. Ia seperti angin. Ia bukan Melayu, bukan Tionghoa, dan bukan pula Sawang, bukan siapa-siapa. Tak ada yang tahu asal usulnya. Ia tak memiliki agama dan tak bisa bicara. Ia bukan pengemis bukan pula penjahat. Namanya tak terdaftar di kantor desa. Dan telinganya sudah tak bisa mendengar karena ia pernah menyelami dasar Sungai Lenggang untuk mengambil bijih-bijih timah, demikian dalam hingga telinganya mengeluarkan darah, setelah itu menjadi tuli.

Bodenga kini sebatang kara. Satu-satunya keluarga yang pernah diketahui orang adalah ayahnya yang buntung kaki kanannya. Orang bilang karena tumbal ilmu buaya. Ayahnya itu seorang dukun buaya terkenal. Serbuan Islam yang tak terbendung ke seantero kampung membuat orang menjauhi mereka, karena mereka menolak meninggalkan penyembahan buaya sebagai Tuhan.

Ayahnya telah mati karena melilit tubuhnya sendiri kuat-kuat dari mata kaki sampai ke leher dengan akar jawi lalu menerjunkan diri ke Sungai Mirang. Ia sengaja mengumpankan tubuhnya pada buaya-buaya ganas di sana. Masyarakat hanya menemukan potongan kaki buntungnya. Kini Bodenga lebih banyak menghabiskan waktu memandangi aliran Sungai Mirang, sendirian sampai jauh malam.

Pada suatu sore warga kampung berduyun-duyun menuju lapangan basket Sekolah Nasional. Karena baru saja ditangkap seekor buaya yang diyakini telah menyambar seorang wanita yang sedang mencuci pakaian di Manggar. Karena aku masih kecil maka aku tak dapat menembus kerumunan orang yang mengelilingi buaya itu, aku hanya dapat melihatnya dari sela-sela kaki pengunjung yang rapat berselang seling. Mulut buaya besar itu dibuka dan disangga dengan sepotong kayu bakar.

Ketika perutnya dibelah, ditemukan rambut, baju, jam tangan, dan kalung. Saat itulah aku melihat Bodenga mendesak maju di antara pengunjung. Lalu ia bersimpuh di samping sang buaya. Wajahnya pucat pasi. Ia memberi isyarat kepada orang-orang, memohon agar berhenti mencincang binatang itu. Orang-orang mundur dan melepaskan kayu bakar yang menyangga mulut buaya tersebut. Mereka paham bahwa penganut ilmu buaya percaya jika mati mereka akan menjadi buaya. Dan mereka maklum bahwa bagi Bodenga buaya ini adalah ayahnya karena salah satu kaki buaya ini buntung.

Bodenga menangis. Suaranya pedih memilukan.

"Baya … Baya … Baya …," panggilnya lirih. Beberapa orang menangis sesenggukan. Aku menyaksikan dari sela-sela kaki pengunjung air matanya mengalir membasahi pipinya yang rusak berbintik-bintik hitam. Air mataku juga mengalir tak mampu kutahan. Buaya ini satu-satunya cinta dalam hidupnya yang terbuang, dalam dunianya yang sunyi senyap.

Ia mengucapkan ratapan yang tak jelas dari mulutnya yang gagu. Ia mengikat sang buaya, membawanya ke sungai, menyeret bangkai ayahnya itu sepanjang pinggiran sungai menuju ke muara. Bodenga tak pernah kembali lagi.

Bodenga dan fragmen sore itu menciptakan cetak biru rasa belas kasihan dan kesedihan di alam bawah sadarku. Mungkin aku masih terlalu kecil untuk menyaksikan tragedi sepedih itu. Ia mewakili sesuatu yang gelap di kepalaku. Pada tahun-tahun mendatang bayangannya sering mengunjungiku. Jika aku dihadapkan pada situasi yang menyedihkan maka perlahan-lahan ia akan hadir, mewakili semua citra kepedihan di dalam otakku. Maka sore itu sesungguhnya Bodenga telah mengajariku ilmu firasat. Ia juga yang pertama kali memperlihatkan padaku bahwa nasib bisa memperlakukan manusia dengan sangat buruk, dan cinta bisa menjadi demikian buta.

Lintang memang tak memiliki pengalaman emosional dengan Bodenga seperti yang aku alami, tapi bukan baru sekali itu ia dihadang buaya dalam perjalanan ke sekolah. Dapat dikatakan tak jarang Lintang mempertaruhkan nyawa demi menempuh pendidikan, namun tak sehari pun ia pernah bolos. Delapan puluh kilometer pulang pergi ditempuhnya dengan sepeda setiap hari. Tak pernah mengeluh. Jika kegiatan sekolah berlangsung sampai sore, ia akan tiba malam hari di rumahnya. Sering aku merasa ngeri membayangkan perjalanannya.

Kesulitan itu belum termasuk jalan yang tergenang air, ban sepeda yang bocor, dan musim hujan berkepanjangan dengan petir yang menyambar-nyambar. Suatu hari rantai sepedanya putus dan tak bisa disambung lagi karena sudah terlalu pendek sebab terlalu sering putus, tapi ia tak menyerah. Dituntunnya sepeda itu puluhan kilometer, dan sampai di sekolah kami sudah bersiap-siap akan pulang. Saat itu adalah pelajaran seni suara dan dia begitu bahagia karena masih sempat menyanyikan lagu "Padamu Negeri" di depan kelas. Kami termenung mendengarkan ia bernyanyi dengan sepenuh jiwa, tak tampak kelelahan di matanya yang berbinar jenaka. Setelah itu ia pulang dengan menuntun sepedanya lagi sejauh empat puluh kilometer.

Pada musim hujan lebat yang bisa mengubah jalan menjadi sungai, menggenangi daratan dengan air setinggi dada, membuat guruh dan halilintar membabat pohon kelapa hingga tumbang bergelimpangan terbelah dua, pada musim panas yang begitu terik hingga alam memuai ingin meledak, pada musim badai yang membuat hasil laut nihil hingga berbulan-bulan semua orang tak punya uang sepeser pun, pada musim buaya berkembang biak sehingga mereka menjadi semakin ganas, pada musim angin barat puting beliung, pada musim demam, pada musim sampar—sehari pun Lintang tak pernah bolos.

Dulu ayahnya pernah mengira putranya itu akan takluk pada minggu-minggu pertama sekolah dan prasangka itu terbukti keliru. Hari demi hari semangat Lintang bukan semakin pudar tapi malah meroket karena ia sangat mencintai sekolah, mencintai teman-temannya, menyukai persahabatan kami yang mengasyikkan, dan mulai kecanduan pada daya tarik rahasia-rahasia ilmu. Jika tiba di rumah ia tak langsung beristirahat melainkan segera bergabung dengan anak-anak seusia di kampungnya untuk bekerja sebagai kuli kopra. Itulah penghasilan sampingan keluarganya dan juga sebagai kompensasi terbebasnya dia dari pekerjaan di laut serta ganjaran yang ia dapat dari "kemewahan" bersekolah.

Ayahnya, yang seperti orang *Bushman* itu, sekarang menganggap keputusan menyekolahkan Lintang adalah keputusan yang tepat, paling tidak ia senang melihat semangat anaknya menggelegak. Ia berharap suatu waktu di masa depan nanti Lintang mampu menyekolahkan lima orang adik-adiknya yang lahir setahun sekali sehingga berderet-deret rapat seperti pagar, dan lebih dari itu ia berharap Lintang dapat mengeluarkan mereka dari lingkaran kemiskinan yang telah lama mengikat mereka hingga sulit bernapas.

Maka ia sekuat tenaga mendukung pendidikan Lintang dengan cara-caranya sendiri, sejauh kemampuannya. Ketika kelas satu dulu pernah Lintang menanyakan kepada ayahnya sebuah persoalan pekerjaan rumah kali-kalian sederhana dalam mata pelajaran berhitung.

"Kemarilah Ayahanda ... berapa empat kali empat?"

Ayahnya yang buta huruf hilir mudik. Memandang jauh ke laut luas melalui jendela, lalu ketika Lintang lengah ia diam-diam menyelinap keluar melalui pintu belakang.

Ia meloncat dari rumah panggungnya dan tanpa diketahui Lintang ia berlari sekencang-kencangnya menerabas ilalang. Laki-laki cemara angin itu berlari pontang-panting sederas pelanduk untuk minta bantuan orang-orang di kantor desa. Lalu secepat kilat pula ia menyelinap ke dalam rumah dan tiba-tiba sudah berada di depan Lintang.

"Em ... emm... empat belasss ... bujangku ... tak diragukan lagi empat belasss ... tak lebih tak kurang ...," jawab beliau sembari tersengal-sengal kehabisan napas tapi juga tersenyum lebar riang gembira. Lintang menatap mata ayahnya dalam-dalam, rasa ngilu menyelinap dalam hatinya yang masih belia, rasa ngilu yang mengikrarkan nazar *aku harus jadi manusia pintar*, karena Lintang tahu jawaban itu bukan datang dari ayahnya.

Ayahnya bahkan telah salah mengutip jawaban pegawai kantor desa. Enam belas, itulah seharusnya jawabannya, tapi yang diingat ayahnya selalu hanya angka empat belas, yaitu jumlah nyawa yang ditanggungnya setiap hari.

Setelah itu Lintang tak pernah lagi minta bantuan ayahnya. Mereka tak pernah membahas kejadian itu. Ayahnya diam-diam maklum dan mendukung Lintang dengan cara lain, yakni memberikan padanya sebuah sepeda laki bermerk Rally Robinson, *made in England*. Sepeda laki adalah sebutan orang Melayu untuk sepeda yang biasa dipakai kaum lelaki. Berbeda dengan sepeda bini, sepeda laki lebih tinggi, ukurannya panjang, sadelnya lebar, keriningannya lebih maskulin, dan di bagian tengahnya terdapat batang besi besar yang tersambung antara sadel dan setang. Sepeda ini adalah harta warisan keluarga turun-temurun dan benda satu-satunya yang paling berharga di rumah mereka. Lintang menaiki sepeda itu dengan terseok-seok. Kakinya yang pendek menyebabkan ia tidak bisa duduk di sadel, melainkan di atas batang sepeda, dengan ujung-ujung jari kaki menjangkau-jangkau pedal. Ia akan beringsut-ingsut dan terlonjak-lonjak hebat di atas batangan besi itu sambil menggigit bibirnya, mengumpulkan tenaga. Demikian perjuangannya mengayuh sepeda pulang dan pergi ke sekolah, delapan puluh kilometer setiap hari.

Ibu Lintang, seperti halnya Bu Mus dan Sahara, adalah seorang N.A. Itu adalah singkatan dari Nyi Ayu, yakni sebuah gelar bangsawan kerajaan lama Belitong khusus bagi wanita dari ayah seorang K.A. atau Ki Agus. Adat istiadat menyarankan agar gelar itu diputus pada seorang wanita sehingga Lintang dan adik-adik perempuannya tak menyandang K.A. atau N.A. di depan nama-nama mereka. Meskipun begitu, tak jarang pria-pria keturunan N.A. menggunakan gelar K.A., dan hal itu bukanlah persoalan karena gelar-gelar itu adalah identitas kebanggaan sebagai orang Melayu Belitong asli.

Jika benar kecerdasan bersifat genetik maka kecerdasan Lintang pasti mengalir dari keturunan nenek moyang ibunya. Meskipun buta huruf dan kurang beruntung karena waktu kecil terkena polio sehingga salah satu kakinya tak bertenaga, ibu Lintang berada dalam garis langsung silsilah K.A. Cakraningrat Depati Muhammad Rahat, seseorang bangsawan cerdas anggota keluarga Sultan Nangkup. Sultan ini adalah utusan Kerajaan Mataram yang membangun keningratan di tanah Belitong. Beliau membentuk pemerintahan dan menciptakan klan K.A. dan N.A. itu. Anak cucunya tidak diwarisi kekuasaan dan kekayaan tapi kebijakan, syariat Islam, dan kecendekiawanan. Maka Lintang sesungguhnya adalah pewaris darah orang-orang pintar masa lampau.

Meskipun tak bisa membaca, ibu Lintang senang sekali melihat barisan huruf dan angka di dalam buku Lintang. Beliau tak peduli, atau tak tahu, jika melihat sebuah buku secara terbalik. Di beranda rumahnya beliau merasa takjub mengamati rangkaian kata dan terkagum-kagum bagaimana baca-tulis dapat mengubah masa depan seseorang.

Beranda itu sendiri merupakan bagian dari gubuk panggung dengan tiang-tiang tinggi untuk berjaga-jaga jika laut pasang hingga meluap jauh ke pesisir. Adapun gubuk ini merupakan bagian dari permukiman komunitas orang Melayu Belitong yang hidup di sepanjang pesisir, mengikuti kebiasaan leluhur mereka para penggawa dan kerabat kerajaan. Oleh karena itu, dalam lingkungan Lintang banyak bersemayam keluarga-keluarga K.A. dan N.A.

Gubuk itu beratap daun sagu dan berdinding *lelak* dari kulit pohon meranti. Apa pun yang dilakukan orang di dalam gubuk itu dapat dilihat dari luar karena dinding kulit kayu yang telah berusia puluhan tahun merekah pecah seperti lumpur musim kemarau. Ruangan di dalamnya sempit dan berbentuk memanjang dengan dua pintu di depan dan belakang. Seluruh pintu dan jendela tidak memiliki kunci, jika malam mereka ditutup dengan cara diikatkan pada kosennya. Benda di dalam rumah itu ada enam macam: beberapa helai tikar lais dan bantal, sajadah dan Al-Qur'an, sebuah lemari kaca kecil yang sudah tidak ada lagi kacanya, tungku dan alat-alat dapur, tumpukan cucian, dan enam ekor kucing yang dipasangi kelintingan sehingga rumah itu bersuara gemerincing sepanjang hari.

Di luar bangunan sempit memanjang tadi ada se-macam pelataran yang digunakan oleh empat orang tua untuk menjalin pukat. Bagian ini hanya ditutupi beberapa keping papan yang disandarkan saja pada dahan-dahan kapuk yang menjulur-julur, bahkan untuk memaku papan-papan itu pun keluarga ini tak punya uang. Empat orang tua itu adalah bapak dan ibu dari bapak dan ibu Lintang. Semuanya sudah sepuh dan kulit mereka keriput sehingga dapat dikumpulkan dan digenggam. Jika tidak sedang men-jalin pukat, keempat orang itu duduk menekuri sebuah tampah memunguti kutu-kutu dan ulat-ulat lentik di antara bulir-bulir beras kelas tiga yang mampu mereka beli, berjam-jam lamanya karena demikian banyak kutu dan ulat pada beras buruk itu.

Selain empat orang itu ikut pula dalam keluarga ini dua orang adik laki-laki ayah Lintang, yaitu seorang pria muda yang kerjanya hanya melamun sepanjang hari ka-rena agak terganggu jiwanya dan seorang bujang lapuk yang tak dapat bekerja keras karena menderita burut akibat persoalan kandung kemih. Maka ditambah lima adik per-empuan Lintang, Lintang sendiri, dan kedua orangtuanya, seluruhnya berjumlah empat belas orang. Mereka hidup bersama, berdesak-desakan di dalam rumah sempit memanjang itu.

Empat orangtua yang sudah sepuh, dua adik laki-laki yang tak dapat diharapkan, semua ini membuat keempat belas orang itu kelangsungan hidupnya dipanggul sendiri oleh ayah Lintang. Setiap hari beliau menunggu tetangganya yang memiliki perahu atau juragan pukat harimau memintanya untuk membantu mereka di laut. Beliau tidak mendapatkan persentase dari berapa pun hasil tangkapan, tapi memeroleh upah atas kekuatan fisiknya. Beliau adalah orang yang mencari nafkah dengan menjual tenaga. Tambahan penghasilan sesekali beliau dapat dari Lintang yang sudah bisa menjadi kuli kopra dan anak-anak perempuannya yang mengumpulkan kerang saat angin teduh musim selatan.

Lintang hanya dapat belajar setelah agak larut karena rumahnya gaduh, sulit menemukan tempat kosong, dan karena harus berebut lampu minyak. Namun sekali ia memegang buku, terbanglah ia meninggalkan gubuk doyong berdinding kulit itu. Belajar adalah hiburan yang membuatnya lupa pada seluruh penat dan kesulitan hidup. Buku baginya adalah obat dan sumur kehidupan yang airnya selalu memberi kekuatan baru agar ia mampu mengayuh sepeda menantang angin setiap hari. Jika berhadapan dengan buku, ia akan terisap oleh setiap kalimat ilmu yang dibacanya, ia tergoda oleh sayap-sayap kata yang diucapkan oleh para cerdik cendekia, ia melirik maksud tersembunyi dari sebuah rumus, sesuatu yang mungkin tak kasat mata bagi orang lain.

Lalu pada suatu ketika, saat hari sudah jauh malam, di bawah temaram sinar lampu minyak, ditemani deburan ombak pasang, dengan wajah mungil dan matanya yang berbinar-binar, jari-jari kurus Lintang membentang lembar demi lembar buku lusuh stensilan berjudul Astronomi dan Ilmu Ukur. Dalam sekejap ia tenggelam dilamun kata-kata ajaib pembangkangan Galileo Galilei terhadap kosmologi Aristoteles, ia dimabuk rasa takjub pada gagasan gila para astronom zaman kuno yang terobsesi ingin mengukur berapa jarak bumi ke Andromeda dan nebula-nebula Triangulum. Lintang menahan napas ketika membaca bahwa gravitasi dapat membelokkan cahaya saat mempelajari tentang analisis spektral yang dikembangkan untuk studi bintang gemintang, dan juga saat tahu mengenai teori Edwin Hubble yang menyatakan bahwa alam hidup mengembang semakin membesar. Lintang terkesima pada bintang yang mati jutaan tahun silam dan ia terkagum-kagum pada pengembaraan benda-benda langit di sudut-sudut gelap kosmos yang mungkin hanya pernah dikunjungi oleh pemikiran-pemikiran Nicolaus Copernicus dan Isaac Newton.

Ketika sampai pada Bab Ilmu Ukur ia tersenyum riang karena nalarnya demikian ringan mengikuti logika matematis pada simulasi ruang berbagai dimensi. Ia dengan cepat segera menguasai dekomposisi tetrahedral yang rumit luar biasa, aksioma arah, dan teorema Phytagorean. Semua ma-

teri ini sangat jauh melampaui tingkat usia dan pendidikan-
nya. Ia merenungkan ilmu yang amat menarik ini. Ia me-
lamun dalam lingkar temaram lampu minyak. Dan tepat
ketika itu, dalam kesepian malam yang mencekam, lamun-
annya sirna karena ia terkejut menyaksikan keanehan di
atas lembar-lembar buram yang dibacanya. Ia terheran-he-
ran menyaksikan angka-angka tua yang samar di lembaran
itu seakan bergerak-gerak hidup, menggeliat, berkelap-ke-
lip, lalu menjelma menjadi kunang-kunang yang ramai
beterbangan memasuki pori-pori kepalanya. Ia tak sadar
bahwa saat itu arwah para pendiri geometri sedang ter-
senyum padanya dan Copernicus serta Lucretius sedang
duduk di sisi kiri dan kanannya. Di sebuah rumah panggung
sempit, di sebuah keluarga Melayu pedalaman yang sangat
miskin, nun jauh di pinggir laut, seorang genius alami telah
lahir.

Esoknya di sekolah Lintang heran melihat kami yang
kebingungan dengan persoalan jurusan tiga angka.

"Apa, sih yang dipusingkan orang-orang kampung ini
dengan arah angin itu?" Demikian suara dari dalam hatinya.

Seperti juga kebodohan yang sering tak disadari, be-
berapa orang juga tak menyadari bahwa dirinya telah ter-
pilih, telah ditakdirkan Tuhan untuk ditunangkan dengan
ilmu.

Bab II
Langit Ketujuh

KEBODOHAN berbentuk seperti asap, uap air, kabut. Dan ia beracun. Ia berasal dari sebuah tempat yang namanya tak pernah dikenal manusia. Jika ingin menemui kebodohan maka berangkatlah dari tempat di mana saja di planet biru ini dengan menggunakan tabung roket atau semacamnya, meluncur ke atas secara vertikal, jangan pernah sekali pun berhenti.

Gapailah gumpalan awan dalam lapisan troposfer, lalu naiklah terus menuju stratosfer, menembus lapisan ozon, ionosfer, dan bulan-bulan di planet yang asing. Meluncurlah terus sampai ketinggian di mana gravitasi bumi sudah tak peduli. Arungi samudra bintang gemintang dalam suhu dingin yang mampu meledakkan benda padat. Lintasi hujan

Andrea Hirata

meteor sampai tiba di eksosfer—lapisan paling luar atmosfer dengan bentangan selebar 1.200 kilometer, dan teruslah melaju menaklukkan langit ketujuh.

Kita hanya dapat menyebutnya langit ketujuh sebagai gambaran imajiner tempat tertinggi dari yang paling tinggi. Di tempat asing itu, tempat yang tak 'kan pernah memiliki nama, di atas langit ke tujuh, di situlah kebodohan ber-semayam. Rupanya seperti kabut tipis, seperti asap cang-klong, melayang-layang pelan, memabukkan. Maka apabila kita tanyakan sesuatu kepada orang-orang bodoh, mereka akan menjawab dengan meracau, menyembunyikan ke-tidaktahuannya dalam omongan cepat, mencari beragam alasan, atau membelokkan arah pertanyaan. Sebagian yang lain diam terpaku, mulutnya ternganga, ia diselubungi kabut dengan tatapan mata yang kosong dan jauh. Kedua jenis reaksi ini adalah akibat keracunan asap tebal kebodohan yang mengepul di kepala mereka.

Kita tak perlu menempuh ekspedisi gila-gilaan itu. Karena seluruh lapisan langit dan gugusan planet itu se-sungguhnya terkonstelasi di dalam kepala kita sendiri. Apa yang ada pada pikiran kita, dalam gumpalan otak seukuran genggam, dapat menjangkau ruang seluas jagat raya. Para pemimpi seperti Nicolaus Copernicus, Battista Della Porta, dan Lippershey malah menciptakan jagat rayanya sendiri, di dalam imajinasinya, dengan sistem tata suryanya sendiri, dan Lucretius, juga seorang pemimpi, menuliskan ilmu dalam puisi-puisi.

Tempat di atas langit ketujuh, tempat kebodohan bersemayam, adalah metafor dari suatu tempat di mana manusia tak bisa mempertanyakan zat-zat Allah. Setiap usaha mempertanyakannya hanya akan berujung dengan kesimpulan yang mempertontonkan kemahatololan sang penanya sendiri. Maka semua jangkauan akal telah berakhir di langit ketujuh tadi. Di tempat asing tersebut, barangkali Arasy, di sana kembali metafor keagungan Tuhan bertakhta. Di bawah takhta-Nya tergelar Lauhul Mahfuzh, muara dari segala cabang anak-anak sungai ilmu dan kebijakan, kitab yang telah mencatat setiap lembar daun yang akan jatuh. Ia juga menyimpan rahasia ke mana nasib akan membawa sepuluh siswa baru perguruan Muhammadiyah tahun ini. Karena takdir dan nasib termasuk dalam zat-Nya.

Tuhan menakdirkan orang-orang tertentu untuk memiliki hati yang terang agar dapat memberi pencerahan pada sekelilingnya. Dan di malam yang tua dulu ketika Copernicus dan Lucretius duduk di samping Lintang, ketika angka-angka dan huruf menjelma menjadi kunang-kunang yang berkelap-kelip, saat itu Tuhan menyemaikan biji zarah kecerdasan, zarah yang jatuh dari langit dan menghantam kening Lintang.

Sejak hari perkenalan dulu aku sudah terkagum-kagum pada Lintang. Anak pengumpul kerang ini pintar sekali. Matanya menyala-nyala memancarkan inteligensi, keingintahuan menguasai dirinya seperti orang kesurupan. Jarinya tak pernah berhenti mengacung tanda ia bisa menjawab. Kalau melipat dia paling cepat, kalau membaca dia paling hebat. Ketika kami masih gagap menjumlahkan angka-angka genap ia sudah terampil mengalikan angka-angka ganjil. Kami baru saja bisa mencongak, dia sudah pintar membagi angka desimal, menghitung akar dan menemukan pangkat, lalu, tidak hanya menggunakan, tapi juga mampu mejelaskan hubungan keduanya dalam tabel logaritma. Kelemahannya, aku tak yakin apakah hal ini bisa disebut kelemahan, adalah tulisannya yang cakar ayam tak keruan, tentu karena mekanisme motorik jemarinya tak mampu mengejar pikirannya yang berlari sederas kijang.

"13 kali 6 kali 7 tambah 83 kurang 39!" tantang Bu Mus di depan kelas.

Lalu kami tergopoh-gopoh membuka karet yang mengikat segenggam lidi, untuk mengambil tiga belas lidi, mengelompokkannya menjadi enam tumpukan, susah payah menjumlahkan semua tumpukan itu, hasilnya kembali disusun menjadi tujuh kelompok, dihitung satu per satu sebagai total dua tahap perkalian, ditambah lagi 83 lidi lalu diambil 39. Otak terlalu penuh untuk mengorganisasi sinyal-sinyal agar mengambil tindakan praktis mengurangkan dulu 39 dari 83. Menyimpang sedikit dari urutan cara berpikir orang kebanyakan adalah kesalahan fatal yang akan mengacaukan ilmu hitung aljabar. Rata-rata dari kami menghabiskan waktu hampir selama 7 menit. Efektif memang, tapi tidak efisien, repot sekali.

Sementara Lintang, tidak memegang sebatang lidi pun, tidak berpikir dengan cara orang kebanyakan, hanya memejamkan matanya sebentar, tak lebih dari 5 detik ia bersorak.

"590!"

Tak sebiji pun meleset, meruntuhkan semangat kami yang sedang belepotan memegangi potongan lidi, bahkan belum selesai dengan operasi perkalian tahap pertama. Aku jengkel tapi kagum. Waktu itu kami baru masuk hari pertama di kelas dua SD!

"*Superb*! Anak pesisir, *superb*!" puji Bu Mus. Beliau pun tergoda untuk menjangkau batas daya pikir Lintang.

"18 kali 14 kali 23 tambah 11 tambah 14 kali 16 kali 7!"

Kami berkecil hati, termangu-mangu menggenggami lidi, lalu kurang dari tujuh detik, tanpa membuat catatan apa pun, tanpa keraguan, tanpa ketergesa-gesaan, bahkan tanpa berkedip, Lintang berkumandang.

"651.952!"

"Purnama! Lintang, bulan purnama di atas Dermaga Olivir, indah sekali! Itulah jawabanmu, ke mana kau bersembunyi selama ini ...?"

Ibu Mus bersusah payah menahan tawanya. Ia menatap Lintang seolah telah seumur hidup mencari murid seperti ini. Ia tak mungkin tertawa lepas, agama melarang itu. Ia menggeleng-gelengkan kepalanya. Kami terpesona dan bertanya-tanya bagaimana cara Lintang melakukan semua itu. Dan inilah resepnya ....

"Hafalkan luar kepala semua perkalian sesama angka ganjil, itulah yang sering menyusahkan. Hilangkan angka satuan dari perkalian dua angka puluhan karena lebih mudah mengalikan dengan angka berujung nol, kerjakan sisanya kemudian, dan jangan kekenyangan kalau makan malam, itu akan membuat telingamu tuli dan otakmu tumpul!"

Polos, tapi ia telah menunjukkan kualifikasi *highly cognitive complex* dengan mengembangkan sendiri teknik-teknik melokalisasi kesulitan, menganalisis, dan memecah-kannya. Ingat dia baru kelas dua SD dan ini adalah hari pertamanya. Selain itu ia juga telah mendemonstrasikan kualitas nalar kuantitatif level tinggi. Sekarang aku me-ngerti, aku sering melihatnya berkonsentrasi memandangi angka-angka. Saat itu dari keningnya seolah terpancar se-berkas sinar, mungkin itulah cahaya ilmu. Anak semuda itu telah mampu mengontemplasikan bagaimana angka-angka saling bereaksi dalam suatu operasi matematika. Kontemplasi-kontemplasi ini rupanya melahirkan resep ajaib tadi.

Lintang adalah pribadi yang unik. Banyak orang merasa dirinya pintar lalu bersikap seenaknya, congkak, tidak disiplin, dan tak punya integritas. Tapi Lintang sebalik-nya. Ia tak pernah tinggi hati, karena ia merasa ilmu demi-kian luas untuk disombongkan dan menggali ilmu tak akan ada habis-habisnya.

Meskipun rumahnya paling jauh tapi kalau datang ia paling pagi. Wajah manisnya senantiasa bersinar walaupun baju, celana, dan sandal *cunghai*-nya buruknya minta am-pun. Namun sungguh kuasa Allah, di dalam tempurung kepalanya yang ditumbuhi rambut gimbal awut-awutan itu tersimpan cairan otak yang encer sekali. Pada setiap rang-kaian kata yang ditulisnya secara acak-acakan tersirat kece-merlangan pemikiran yang gilang gemilang. Di balik tubuh-nya yang tak terawat, kotor, miskin, serta berbau hangus, dia memiliki *an absolutely beautiful mind*. Ia adalah buah akal yang jernih, bibit genius asli, yang lahir di sebuah tempat nun jauh di pinggir laut, dari sebuah keluarga yang tak satu pun bisa membaca.

Lebih dari itu, seperti dulu kesan pertama yang ku-tangkap darinya, ia laksana bunga meriam yang melontar-kan tepung sari. Ia lucu, semarak, dan penuh vitalitas. Ia memperlihatkan bagaimana ilmu bisa menjadi begitu menarik dan ia menebarkan hawa positif sehingga kami ingin belajar keras dan berusaha menunjukkan yang terbaik.

Jika kami kesulitan, ia mengajari kami dengan sabar dan selalu membesarkan hati kami. Keunggulannya tidak menimbulkan perasaan terancam bagi sekitarnya, ke-cemerlangannya tidak menerbitkan iri dengki, dan kehe-batannya tidak sedikit pun mengisyaratkan sifat-sifat angkuh. Kami bangga dan jatuh hati padanya sebagai se-orang sahabat dan sebagai seorang murid yang cerdas luar biasa. Lintang yang miskin duafa adalah mutiara, galena, kuarsa, dan topas yang paling berharga bagi kelas kami.

Lintang selalu terobsesi dengan hal-hal baru, setiap informasi adalah sumbu ilmu yang dapat meledakkan rasa ingin tahunya kapan saja. Kejadian ini terjadi ketika kami kelas lima, pada hari ketika ia diselamatkan oleh Bodenga.

"Al-Qur'an kadangkala menyebut nama tempat yang harus diterjemahkan dengan teliti ...." Demikian penjelasan Bu Mus dalam tarikh Islam, pelajaran wajib perguruan Muhammadiyah. Jangan harap naik kelas kalau mendapat angka merah untuk ajaran ini.

"Misalnya negeri yang terdekat yang ditaklukkan tentara Persia pada tahun ...."

"620 Masehi! Persia merebut kekaisaran Heraklius yang juga berada dalam ancaman pemberontakan Mesopotamia, Sisilia, dan Palestina. Ia juga diserbu bangsa Avar, Slavia, dan Armenia ...."

Lintang memotong penuh minat, kami ternganga-nganga, Bu Mus tersenyum senang. Beliau menyampingkan ego. Tak keberatan kuliahnya dipotong. Beliau memang menciptakan atmosfer kelas seperti ini sejak awal. Memfasilitasi kecerdasan muridnya adalah yang paling penting bagi beliau. Tidak semua guru memiliki kualitas seperti ini. Bu Mus menyambung, "Negeri yang terdekat itu ...."

"Byzantium! Nama kuno untuk Konstantinopel, mendapat nama belakangan itu dari The Great Constantine. Tujuh tahun kemudian negeri itu merebut lagi kemerdekaannya, kemerdekaan yang diingatkan dalam kitab suci dan diingkari kaum musyrik Arab, mengapa ia disebut negeri yang terdekat, Ibunda Guru? Dan mengapa kitab suci ditentang?"

"Sabarlah anakku, pertanyaanmu menyangkut penjelasan tafsir surah Ar-Ruum dan itu adalah ilmu yang telah berusia paling tidak seribu empat ratus tahun. Tafsir baru akan kita diskusikan nanti kalau kelas dua SMP...."

"Tak mau Ibunda, pagi ini ketika berangkat sekolah aku hampir diterkam buaya, maka aku tak punya waktu menunggu, jelaskan di sini, sekarang juga!"

Kami bersorak dan untuk pertama kalinya kami mengerti makna *adnal ardli*, yaitu tempat yang dekat atau negeri yang terdekat dalam arti harfiah dan tempat paling rendah di bumi dalam konteks tafsir, tak lain dari Byzantium di kekaisaran Roma sebelah timur. Kami bersorak tentu bukan karena *adnal ardli*, apalagi Byzantium yang merdeka, tapi karena kagum dengan sikap Lintang menantang intelektualitasnya sendiri. Kami merasa beruntung menjadi saksi bagaimana seseorang tumbuh dalam evolusi inteligensi. Dan ternyata jika hati kita tulus berada di dekat orang berilmu, kita akan disinari pancaran pencerahan, karena seperti halnya kebodohan, kepintaran pun sesungguhnya demikian mudah menjalar.

ORANG cerdas memahami konsekuensi setiap jawaban dan menemukan bahwa di balik sebuah jawaban tersembunyi beberapa pertanyaan baru. Pertanyaan baru tersebut memiliki pasangan sejumlah jawaban yang kembali akan membawa pertanyaan baru dalam deretan eksponensial. Sehingga mereka yang benar-benar cerdas kebanyakan rendah hati, sebab mereka gamang pada akibat dari sebuah jawaban. Konsekuensi-konsekuensi itu mereka temui dalam jalur-jalur seperti labirin, jalur yang jauh menjalar-jalar, jalur yang tak dikenal di lokus-lokus antah berantah, tiada berujung. Mereka mengarungi jalur pemikiran ini, tersesat di jauh di dalamnya, sendirian.

Godaan-godaan besar bersemayam di dalam kepala orang-orang cerdas. Di dalamnya gaduh karena penuh dengan skeptisisme. Selesai menyerahkan tugas kepada dosen, mereka selalu merasa tidak puas, selalu merasa bisa berbuat lebih baik dari apa yang telah mereka presentasikan. Bahkan ketika mendapat nilai A plus tertinggi, mereka masih saja mengutuki dirinya sepanjang malam.

Orang cerdas berdiri di dalam gelap, sehingga mereka bisa melihat sesuatu yang tak bisa dilihat orang lain. Mereka yang tak dipahami oleh lingkungannya, terperangkap dalam kegelapan itu. Semakin cerdas, semakin terkucil, semakin aneh mereka. Kita menyebut mereka: orang-orang yang sulit. Orang-orang sulit ini tak berteman, dan mereka berteriak putus asa memohon pengertian. Ditambah sedikit saja dengan sikap introver, maka orang-orang cerdas semacam ini tak jarang berakhir di sebuah kamar dengan perabot berwarna teduh dan musik klasik yang terdengar lamat-lamat, itulah ruang terapi kejiwaan. Sebagian dari mereka amat menderita.

Sebaliknya, orang-orang yang tidak cerdas hidupnya lebih bahagia. Jiwanya sehat walafiat. Isi kepalanya damai, tenteram, sekaligus sepi, karena tak ada apa-apa di situ, kosong. Jika ada suara memasuki telinga mereka, maka

ga ia sangat unggul dalam geometri multidimensional. Ia dengan cepat dapat membayangkan wajah sebuah kons-truksi suatu fungsi jika digerak-gerakkan dalam variabel derajat. Ia mampu memecahkan kasus-kasus dekomposisi modern yang runyam dan mengajari kami teknik meng-hitung luas poligon dengan cara membongkar sisi-sisinya sesuai Dalil Geometri Euclidian. Ingin kukatakan bahwa ini sama sekali bukan perkara mudah.

Ia sering membuat permainan dan mendesain visual-isasi guna menerjemahkan rumusan geometris pada tingkat kesulitan yang sangat tinggi. Tujuannya agar gampang disi-mulasikan sehingga kami sekelas dapat dengan mudah me-mahami kerumitan Teorema Kupu-Kupu atau Teorema Mor-ley yang menyatakan bahwa pertemuan segitiga yang ditarik dari trisektor segitiga bentuk apa pun akan mem-bentuk segitiga inti yang sama sisi. Semua itu dilengkapinya dengan bukti-bukti matematis dalam jangkauan analisis yang melibatkan kemampuan logika yang sangat tinggi. Ini juga sama sekali bukan urusan mudah, terutama untuk tingkat pendidikan serendah kami. Dan mengingat hal itu terjadi di sebuah sekolah kampung seperti gudang kopra maka kuanggap apa yang dilakukan Lintang sangat luar biasa.

Lintang juga cerdas secara *experiential* yang mem-buatnya piawai menghubungkan setiap informasi dengan konteks yang lebih luas. Dalam kaitan ini, ia memiliki kapasitas *metadiscourse* selayaknya orang-orang yang me-mang dilahirkan sebagai seorang genius. Artinya adalah jika dalam pelajaran biologi kami baru mempelajari fungsi-fungsi otot sebagai subkomponen yang membentuk sistem mekanik parsial sepotong kaki maka Lintang telah memahami sistem mekanika seluruh tubuh dan ia mampu menjelaskan peran sepotong kaki itu dalam keseluruhan mekanika persendian dan otot-otot yang terintegrasi.

Kecerdasannya yang lain adalah kecerdasan linguistik. Ia mudah memahami bahasa, efektif dalam berkomunikasi, memiliki nalar verbal dan logika kualitatif. Ia juga mempunyai *descriptive power*, yakni suatu kemampuan menggambarkan sesuatu dan mengambil contoh yang tepat. Pengalamanku dengan pelajaran bahasa Inggris di hari-hari pertama kelas 2 SMP nanti membuktikan hal itu.

Saat itu aku mendapat kritikan tajam dari ayahku karena nilai bahasa Inggris yang tak kunjung membaik. Aku pun akhirnya menghadap pemegang kunci pintu ilmu filsafat untuk mendapat satu dua resep ajaib. Aku keluhkan kesulitanku memahami *tense*.

"Kalau tak salah, jumlahnya sampai enam belas, dan jika ia sudah berada dalam sebuah narasi aku kehilangan jejak dalam konteks *tense* apa aku berada? Pun ketika ingin membentuk sebuah kalimat, bingung aku menentukan *tense*-nya. Bahasa Inggrisku tak maju-maju."

"Begini," kata Lintang sabar menghadapi ketololanku. Ketika itu ia sedang memaku sandal *cunghai*-nya yang menganga seperti buaya lapar. Kupikir ia pasti mengira bahwa aku mengalami disorientasi waktu dan akan menjelaskan

memproses sebuah pernyataan matematis mulai dari hipotesis sampai pada kesimpulan. Ia membuat penyangkalan berdasarkan teorema, bukan hanya berdasarkan pembuktian kesalahan, apalagi simulasi. Dalam usia muda dia telah memasuki area yang amat teoretis, cara berpikirnya mendobrak, mengambil risiko, tak biasa, dan menerobos. Setiap hari kami merubungnya untuk menemukan kejutan-kejutan pemikirannya.

Baru naik ke kelas satu SMP, ketika kami masih pusing tujuh keliling memetakan absis dan ordinat pada produk cartesius dalam topik relasi himpunan sebagai dasar fungsi linear, Lintang telah mengutak-atik materi-materi untuk kelas yang jauh lebih tinggi di tingkat lanjutan atas bahkan di tingkat awal perguruan tinggi seperti implikasi, biimplikasi, filosofi Pascal, binomial Newton, limit, diferensial, integral, teori-teori peluang, dan vektor. Ketika kami baru saja mengenal dasar-dasar binomial ia telah beranjak ke pengetahuan tentang aturan multinomial dan teknik eksploitasi polinomial, ia mengobrak-abrik pertidaksamaan eksponensial, mengilustrasikan grafik-grafik sinus, dan membuat pembuktian sifat matematis menggunakan fungsi-fungsi trigonometri dan aturan ruang tiga dimensi.

Suatu waktu kami belajar sistem persamaan linier dan tertatih-tatih mengurai-uraikan kasusnya dengan substitusi agar dapat menemukan nilai sebuah variabel, ia bosan dan menghambur ke depan kelas, memenuhi papan tulis dengan alternatif-alternatif solusi linier, di antaranya dengan metode eliminasi Gaus-Jordan, metode Crammer, metode

118

determinan, bahkan dengan nilai Eigen. Setelah itu Lintang mulai menggarap dan tampak sangat menguasai prinsip-prinsip penyelesaian kasus nonlinier. Ia dengan amat lancar menjelaskan persamaan multivariabel, mengeksploitasi rumus kuadrat, bahkan menyelesaikan operasi persamaan menggunakan metode matriks! Padahal dasar-dasar matriks paling tidak baru dikhotbahkan para guru pada kelas dua SMA. Yang lebih menakjubkan adalah semua pengetahuan itu ia pelajari sendiri dengan membaca bermacam-macam buku milik kepala sekolah kami jika ia mendapat giliran tugas menyapu di ruangan beliau. Ia bersimpuh di balik pintu ayun, semacam pintu koboi, menekuni angka-angka yang bicara, bahkan dalam buku-buku berbahasa Belanda.

Ia memperlihatkan bakat kalkulus yang amat besar dan keahliannya tidak hanya sebatas menghitung guna menemukan solusi, tapi ia memahami filosofi operasi-operasi matematika dalam hubungannya dengan aplikasi seperti yang dipelajari para mahasiswa tingkat lanjut dalam subjek metodologi riset. Ia membuat hitungan yang iseng namun cerdas mengenai berapa waktu yang dapat dihemat atau berapa tambahan surat yang dapat diantar per hari oleh Tuan Pos jika mengubah rute antarnya. Ia membuat perkiraan ketahanan benang gelas dalam adu layangan untuk berbagai ukuran nilon berdasarkan perkiraan kekuatan angin, ukuran layangan, dan panjang benang. Rekomendasinya menyebabkan kami tak pernah terkalahkan.

ngarlah itu, bicaranya lebih pintar dari bicara seluruh menteri penerangan yang pernah dimiliki republik ini.

"Ayo yang lain, jangan hanya anak Tanjong keriting ini saja yang terus menjawab," perintah Bu Mus.

Biasanya setelah itu aku tergoda untuk menjawab, agak ragu-ragu, canggung, dan kurang yakin, sehingga sering sekali salah, lalu Lintang membetulkan jawabanku, dengan semangat konstruktif penuh rasa akrab persahabatan. Lintang adalah seorang cerdas yang rendah hati dan tak pernah segan membagi ilmu.

Aku belajar keras sepanjang malam, tapi tak pernah sedikit pun, sedetik pun bisa melampaui Lintang. Nilaiku sedikit lebih baik dari rata-rata kelas namun jauh tertinggal dari nilainya. Aku berada di bawah bayang-bayangnya sekian lama, sudah terlalu lama malah. Rangking duaku abadi, tak berubah sejak caturwulan pertama kelas satu SD. Abadi seperti lukisan ibu menggendong anak di bulan. Rival terberatku, musuh bebuyutanku adalah temanku sebangku, yang aku sayangi.

Dapat dikatakan bahwa Bu Mus sering kewalahan menghadapi Lintang, terutama untuk pelajaran matematika, sehingga ia sering diminta membantu. Ketika Lintang menerangkan sebuah persoalan yang rumit dan membuat simbol-simbol rahasia matematika menjadi sinar yang memberi terang bagi kami, Bu Mus memerhatikan dengan saksama bukan hanya apa yang diucapkan Lintang tapi juga pendekatannya dalam menjelaskan. Lalu beliau menggeleng-gelengkan kepalanya, komat-kamit, berbicara sendiri tak jelas seperti orang menggerendeng. Belakangan aku tahu apa yang dikomat-kamitkan beliau. Bu Mus mengucapkan pelan-pelan kata-kata penuh kagum, "Subhanallah …. Subhanallah …."

"Yang paling membuatku terpesona," cerita Bu Mus pada ibuku. "Adalah kemampuannya menemukan jawaban dengan cara lain, cara yang tak pernah terpikirkan olehku," sambungnya sambil membetulkan jilbab.

"Lintang mampu menjawab sebuah pertanyaan matematika melalui paling tidak tiga cara, padahal aku hanya mengajarkan satu cara. Dan ia menunjukkan padaku bagaimana menemukan jawaban tersebut melalui tiga cara lainnya yang tak pernah sedikit pun aku ajarkan! Logikanya luar biasa, daya pikirnya meluap-luap. Aku sudah tak bisa lagi mengatasi anak pesisir ini."

Bu Mus tampak bingung sekaligus bangga memiliki murid sepandai itu. Sebaliknya, ibuku, seperti biasa, sangat tertarik pada hal-hal yang aneh.

"Ceritakan lagi padaku kehebatannya yang lain," pancing beliau memanasi Bu Mus sambil memajukan posisi duduknya, mendekatkan keminangan tempat cupu-cupu gambir dan kapur, lalu meludahkan sirih melalui jendela rumah panggung kami.

Dan tak ada yang lebih membahagiakan seorang guru selain mendapatkan seorang murid yang pintar. Kecemerlangan Lintang membawa gairah segar di sekolah tua kami yang mulai kehabisan napas, megap-megap melawan paradigma materialisme sistem pendidikan zaman baru. Se-

Bab 12
Mahar

BAKAT laksana Area 51 di Gurun Nevada, tempat di mana mayat-mayat *alien* disembunyikan: misterius! Jika setiap orang tahu dengan pasti apa bakatnya maka itu adalah utopia. Sayangnya utopia tak ada dalam dunia nyata. Bakat tidak seperti alergi, dan ia tidak otomatis timbul seperti jerawat, tapi dalam banyak kejadian ia harus ditemukan.

Banyak orang yang berusaha mati-matian menemukan bakatnya dan banyak pula yang menunggu seumur hidup agar bakatnya atau dirinya ditemukan, tapi lebih banyak lagi yang merasa dirinya berbakat padahal tidak. Bakat menghinggapi orang tanpa diundang. Bakat main bola seperti Van Basten mungkin diam-diam dimiliki seorang tukang taksir di kantor pegadaian di Tanjong Pandan. Se-

dahan rendah *filicium* serta buah-buahnya yang gendut-gendut bergelantungan. Ia bahkan tidak sedikit pun memandang ke arah kami. Ia mengkhianati penonton.

Telinganya tak mendengarkan suaranya sendiri karena ia agaknya mendengarkan suara ribut burung-burung kecil prenjak sayap garis yang berteriak-teriak beradu kencang dengan suara kumbang-kumbang betina pantat kuning. Ia tak mengindahkan jangkauan suaranya serta tak ambil pusing dengan notasi. Kali ini ia mengkhianati harmoni.

Kami juga tak memerhatikannya bernyanyi. Lintang sibuk dengan rumus phytagoras, Harun tertidur pulas sambil mendengkur, Samson menggambar seorang pria yang sedang mengangkat sebuah rumah dengan satu tangan kiri. Sahara asyik menyulam kruistik kaligrafi tulisan Arab *Kulil Haqqu Walau Kana Murron* artinya: *Katakan kebenaran walaupun pahit* dan Trapani melipat-lipat sapu tangan ibunya. Sementara itu Syahdan, aku, dan Kucai sibuk mendiskusikan rencana kami menyembunyikan sandal Pak Fahimi (guru kelas empat yang galak itu) di Masjid Al-Hikmah. Mahar adalah orang satu-satunya yang menyimaknya. Sedangkan Bu Mus menutup wajahnya dengan kedua tangan, beliau berusaha keras menahan kantuk dan tawa mendengar lolongan A Kiong.

Lalu giliran aku. Tak kalah membosankan, lebih membosankan malah. Setelah dimarahi karena selalu menyanyikan lagu "Potong Bebek Angsa", kini aku membuat sedikit kemajuan dengan lagu baru "Indonesia Tetap Merdeka" karya C. Simanjuntak yang diaransemen Damodoro I.S. Ketika aku mulai menyanyi Sahara mengangkat sebentar wajahnya dari kruistiknya dan terang-terangan memandangku dengan jijik karena aku menyanyikan lagu cepat-tegap itu dengan nada yang berlari-lari liar sesuka hati, ke sana kemari tanpa harmonisasi. Aku tak peduli dengan pelecehan itu dan tetap bersemangat.

"… Sorak-sorai bergembira … bergembira semua …."

"… telah bebas negeri kita … Indonesia merdeka …."

Namun, aku menyanyi melompati beberapa oktaf secara drastis tanpa dapat kukendalikan sehingga tak ada keselarasan nada dan tempo. Aku telah mengkhianati keindahan.

Kali ini Bu Mus sudah tak bisa lagi menahan tawanya, beliau terpingkal-pingkal sampai berair matanya. Aku berusaha keras memperbaiki harmonisasi lagu itu tapi semakin keras aku berusaha semakin aneh kedengarannya. Inilah yang dimaksud dengan tidak punya bakat. Aku susah payah menyelesaikan lagu itu dan teman-temanku sama sekali tak mengindahkan penderitaanku karena mereka juga menderita menahan kantuk, lapar, dan haus di tengah hari yang panas ini, dan batin mereka semakin tertekan karena mendengar suaraku.

Bu Mus menyelamatkan aku dengan buru-buru menyuruhku berhenti bernyanyi sebelum lagu merdu itu selesai, dan sekarang beliau menunjuk Samson. Kenyataannya semakin parah, Samson menyanyikan lagu yang berjudul "Teguh Kukuh Berlapis Baja" juga karya C. Simanjuntak sesuai dengan citra tubuh raksasanya. Ia menyanyikan lagu

tiba gilirannya, azan zuhur telanjur berkumandang sehing-
ga ia tak pernah mendapat kesempatan tampil.

Kami tidak peduli ketika Mahar beranjak. Ia menyan-
dang tasnya, sebuah karung kecampang, karena ia juga
sudah bersiap-siap akan pulang. Kami sibuk sendiri-sendiri.
Sahara sama sekali tak memalingkan wajah dari kruistiknya,
Lintang terus menghitung, Samson masih menggambar, dan
yang lain asyik berdiskusi. Mahar melangkah ke depan de-
ngan tenang, anggun, tak tergesa-gesa.

Di depan kelas ia tak langsung menyanyikan lagu
pilihannya, tapi menatap kami satu per satu. Kami terheran-
heran melihat tingkahnya yang ganjil, namun tatapannya
penuh arti, seperti sebuah tatapan kerinduan dari seorang
penyanyi pop gaek yang melakukan konser khusus untuk
para ibu-ibu *single parent*, dan kaum ibu ini adalah para
penggemar setia yang sudah amat lama tak bersua dengan
sang artis nostalgia.

Setelah memandangi kami cukup lama, ia memaling-
kan wajahnya ke arah Bu Mus sambil tersenyum kecil dan
menunduk, layaknya peserta lomba bintang radio yang
memberi hormat kepada dewan juri. Mahar merapatkan
kedua tangannya di dadanya seperti seniman India, seperti
orang memohon doa. Tampak jelas jari-jari kurusnya yang
berminyak seperti lilin dan ujung-ujung kukunya yang ber-
taburan bekas-bekas luka kecil sehingga seluruh kukunya
hampir cacat. Sejak kelas dua SD Mahar bekerja sampingan
sebagai pesuruh tukang parut kelapa di sebuah toko sayur
milik seorang Tionghoa miskin. Tangannya berminyak ka-

rena berjam-jam meremas ampas kelapa sehingga tampak licin, sedangkan jemari dan kukunya cacat karena disayat gigi-gigi mesin parut yang tajam dan berputar kencang. Mesin itu mengepulkan asap hitam dan harus dihidupkan dengan tenaga orang dewasa dengan cara menarik sebuah tuas berulang-ulang. Bunyi mesin itu juga merisaukan, suatu bunyi kemelaratan, kerja keras, dan hidup tanpa pilihan. Ia membantu menghidupi keluarga dengan menjadi pesuruh tukang parut karena ayahnya telah lama sakit-sakitan.

Bu Mus membalas hormat takzimnya yang santun dengan tersenyum ganjil. "Anak muda ini pasti tak pandai melantun tapi jelas ia menghargai seni," mungkin demikian yang ada dalam hati Bu Mus. Tapi tetap saja beliau menahan tawa. Lalu Mahar mengucapkan semacam prolog.

"Aku akan membawakan sebuah lagu tentang cinta Ibunda Guru, cinta yang teraniaya lebih tepatnya …."

Tuhanku! Kami terperangah dan Bu Mus terkejut. Prolog semacam ini tak pernah kami lakukan, dan tema lagu pilihan Mahar sangat tak biasa. Lagu kami hanya tiga macam yaitu: lagu nasional, lagu kasidah, dan lagu anak-anak. Lagu apakah gerangan yang akan dibawakan anak muda berwajah manis ini? Kini kami semua memandanginya dengan heran, Sahara melepaskan kruistiknya. Belum sempat kami mencerna ia menyambung kalem dengan gaya seperti seorang bijak berpetuah.

"Lagu ini bercerita tentang seseorang yang patah hati karena kekasih yang sangat ia cintai direbut oleh teman baiknya sendiri …."

dengar lantunannya. Suhu udara yang panas perlahan-lahan menjadi sejuk menghanyutkan.

Ketika Mahar bernyanyi seluruh alam diam menyimak. Kami merasakan sesuatu tergerak di dalam hati bukan karena Mahar bernyanyi dengan tempo yang tepat, teknik vokal yang baik, nada yang pas, interpretasi yang benar, atau *chord* ukulele yang sesuai, tapi karena ketika ia menyanyikan "*Tennessee Waltz*" kami ikut merasakan kepedihan yang mendalam seperti kami sendiri telah kehilangan kekasih yang paling dicintai. Kemampuan menggerakkan inilah barangkali yang dimaksud dengan bakat. Siang itu, ketika sedang menunggu azan zuhur, ternyata seorang seniman besar telah lahir di sekolah gudang kopra perguruan Muhammadiyah. Mahar mengakhiri lagunya secara *fade out* disertai linangan air mata.

"...*I lost my little darling the night they were playing the beautiful Tennessee waltz*..."

Dan kami serentak berdiri memberi *standing applause* yang sangat panjang untuknya, lima menit! Bu Mus berusaha keras menyembunyikan air mata yang menggenang berkilauan di pelupuk mata sabarnya.

Tak dinyana, beberapa menit yang lalu, ketika Bu Mus menunjuk Mahar secara acak untuk menyanyi, saat itulah nasib menyapanya. Itulah momen nasib yang sedang bertindak selaku pemandu bakat. Siang ini, komidi putar Mahar mulai menggelinding dalam velositas yang bereskalasi.

Bab 13
Jam Tangan Plastik Murahan

SETELAH tampil dengan lagu memukau "*Tennessee Waltz*" kami menemukan Mahar sebagai lawan virtual rasionalitas Lintang. Ia adalah penyeimbang perahu kelas kami yang cenderung oleng ke kiri karena tarikan otak kiri Lintang. Sebaliknya, otak sebelah kanan Mahar meluap-luap melimpah ruah. Mereka berdua membangun tonggak artistik daya tarik kelas kami sehingga tak pernah membosankan.

Jika Lintang memiliki level intelektualitas yang demikian tinggi maka Mahar memperlihatkan bakat seni selevel dengan tingginya inteligensia Lintang. Mahar memiliki hampir setiap aspek kecerdasan seni yang tersimpan seperti persediaan amunisi kreativitas dalam lokus-lokus di kepalanya. Kapasitas estetika yang tinggi

dapkannya ke arah matahari agar mendapatkan suhu yang sangat tinggi, rancangan energi matahari katanya.

Sebaliknya Mahar tak mau kalah, ia menggotong sebuah meja putar dan mendemonstrasikan seni membuat gerabah yang indah, teknik-teknik melukis gerabah itu dan mewarnainya. Lintang memperagakan cara kerja sekstan dan menjelaskan beberapa perhitungan matematika geometris dengan alat itu, Mahar membaca puisi yang ditulisnya sendiri dengan judul "Doa" dan dibawakan secara memukau dengan gaya tilawatil Qur'an, belum pernah aku melihat orang membaca puisi seperti itu.

Kadang kala mereka berkolaborasi, misalnya Mahar menginginkan sebuah gitar elektrik yang gampang dibawa seperti tas biasa, sehingga tak merepotkan jika naik sepeda, maka Lintang datang dengan sebuah desain produk yang belum pernah ada dalam industri instrumen musik, yaitu desain stang gitar yang dipotong lalu dipasangi semacam engsel sehingga terciptalah gitar yang bisa dilipat. Sungguh istimewa. Sudah banyak aku melihat keanehan di dunia pentas—misalnya pemain biola yang ketiduran ketika sedang manggung, panggung yang roboh, musisi yang menghancurkan alat-alat musik, pemain gitar yang kesetrum, seorang pria *midland* yang makan kelelawar, atau orang-orang kampung yang meniru-niru Mick Jagger—tapi gitar dilipat sehingga menjadi seperti papan catur, baru kali ini aku saksikan. Dan jika Mahar dan Lintang beraksi, kami berkumpul di tengah-tengah kelas, bertumpuk-tumpuk kegirangan, terbuai keindahan, dan menggumamkan subhanallah berulang-ulang atas dua macam kepintaran meng-asyikkan yang dianugerahkan Ilahi kepada mereka.

Mahar sangat imajinatif dan tak logis—seseorang dengan bakat seni yang sangat besar. Sesuatu yang berasal dari Mahar selalu menerbitkan inspirasi, aneh, lucu, janggal, ganjil, dan menggoda keyakinan. Namun, mungkin karena otak sebelah kanannya benar-benar aktif maka ia menjadi pengkhayal luar biasa. Di sisi lain ia adalah magnet, *simply irresistible!*

Ia penggemar berat dongeng-dongeng yang tidak masuk akal dan segala sesuatu yang berbau paranormal. Tanyalah padanya hikayat lama dan mitologi setempat, ia hafal luar kepala, mulai dari dongeng naga-naga raksasa Laut Cina Selatan sampai cerita raja berekor yang diyakininya pernah menjajah Belitong.

Ia sangat percaya bahwa *alien* itu benar-benar ada dan suatu ketika nanti akan turun ke Belitong menyamar sebagai mantri suntik di klinik PN Timah, penjaga sekolah, muazin di Masjid Al-Hikmah, atau wasit sepak bola. Dalam keadaan tertentu ia sangat konyol misalnya ia menganggap dirinya ketua persatuan paranormal internasional yang akan memimpin perjuangan umat manusia mengusir serbuan *alien* dengan kibasan daun-daun beluntas.

Aku ingat kejadian ini, suatu ketika untuk nilai rapor akhir kelas enam, Bu Mus yang berpendirian progresif dan terbuka terhadap ide-ide baru, membebaskan kami ber-ekspresi. Kami diminta menyetor sebuah *masterpiece*, karya yang berhak mendapat tempat terhormat, dipajang di

Cetakan kerangka seekor makhluk purbakala yang sangat janggal dan mengesankan sangat buas.

Makhluk ini bukan *acanthopholis*, *sauropodo-morphas*, kera *anthropoid*, dinosaurus atau saurus-saurus semacamnya, dan bukan pula makhluk-makhluk prasejarah seperti yang telah kita kenal. Sebaliknya, Mahar membuat sebuah cetakan fosil kelelawar raksasa semacam *Palaeo-chiropterxy tupaiodon* tapi dengan bentuk yang dimodifi-kasi sehingga tampak ganjil dan mengerikan. Anatomi makh-luk itu tentu tak pernah teridentifikasi oleh para ahli karena ia hanya ada di kepala Mahar, di dalam imajinasi seorang seniman.

Fosil di atas batu apung tipis itu dibuat begitu orisinal sehingga mengesankan seperti temuan paleontologi yang autentik. Ia menggunakan semacam lapisan karbon untuk memperkuat kesan purba pada setiap detail fosil itu. Lalu karyanya dibingkai dengan potongan-potongan balok lapuk yang sudut-sudutnya diikat tali pohon jawi agar kesan pur-banya benar-benar terasa.

"Inilah seni, Bung!" khotbahnya di hadapan kami yang terkesima. Gayanya seperti pesulap sehabis membuka genggaman tangan untuk memperlihatkan burung merpati.

Dan ia mendapat angka sembilan, tak ada lawannya. Angka itu adalah nilai kesenian tertinggi yang pernah dianu-gerahkan Bu Mus sepanjang karier mengajarnya. Bahkan Lintang sekalipun tak berkutik.

Imajinasi Mahar meloncat-loncat liar amat menge-sankan. Sesungguhnya, seperti Lintang, ia juga sangat cerdas, dan aku belum pernah menjumpai seseorang dengan kecerdasan dalam genre seperti ini. Ia tak pernah kehabisan ide. Kreativitasnya tak terduga, unik, tak biasa, memberontak, segar, dan menerobos. Misalnya, ia melatih kera peliharaannya sedemikian rupa sehingga mampu berperilaku layaknya seorang instruktur. Maka dalam sebuah penampilan, keranya itu memerintahkannya untuk melakukan sesuatu yang dalam pertunjukan biasa hal itu seharusnya dilakukan sang kera. Sang kera dengan gaya seorang instruktur menyuruh Mahar bernyanyi, menari-nari, dan berakrobat. Mahar telah menjungkirbalikkan paradigma seni sirkus, yang menurutku merupakan sebuah terobosan yang sangat genius.

Pada kesempatan lain Mahar bergabung dengan grup rebana Masjid Al-Hikmah dan mengolaborasikan permainan sitar di dalamnya. Jika grup ini mendapat tawaran mengisi acara di sebuah hajatan perkawinan, para undangan lebih senang menonton mereka daripada menyalami kedua mempelai.

Mahar pula yang membentuk sekaligus menyutradarai grup teater kecil SD Muhammadiyah. Penampilan favorit kami adalah cerita perang Uhud dalam episode Siti Hindun. Dikisahkan bahwa wanita pemarah ini mengupah seorang budak untuk membunuh Hamzah sebagai balas dendam atas kematian suaminya. Setelah Hamzah mati wanita itu membelah dadanya dan memakan hati panglima besar itu. A Kiong memerankan Hamzah, dan Sahara sangat menikmati perannya sebagai Siti Hindun. Juga karena inisiatif

Mahar, akhirnya kami membentuk sebuah grup *band*. Alat-alat musik kami adalah *electone* yang dimainkan Sahara, *standing bass* yang dibetot tanpa ampun oleh Samson, sebuah drum, tiga buah *tabla*, serta dua buah rebana yang dipinjam dari badan amil Masjid Al-Hikmah.

Pemain rebana adalah aku dan A Kiong. Mahar menambahkan kendang dan seruling yang dimainkan secara sekaligus oleh Trapani melalui bantuan sebuah kawat agar seruling tersebut dapat dijangkau mulutnya tanpa meninggalkan kendang itu. Maka pada aransemen tertentu Trapani leluasa menggunakan tangan kanannya untuk menabuh kendang sementara jemari tangan kirinya menutup-nutup enam lubang seruling. Sebuah pemandangan spektakuler seperti sirkus musik. Setiap wanita muda dipastikan bertekuk lutut, terbius seperti orang mabuk sehabis kebanyakan makan jengkol jika melihat Trapani yang tampan berimprovisasi. Trapani adalah salah satu daya tarik terbesar *band* kami. Hanya ada sedikit masalah, yaitu ia mogok tampil jika ibunya tidak ikut menonton.

Insiden sempat terjadi pada awal pembentukan *band* ini karena Harun bersikeras menjadi drumer padahal ia sama sekali buta nada dan tak paham konsep tempo.

"Dengarkan musiknya, Bang, ikuti iramanya," kata Mahar sabar.

"Drum itu tak bisa kauperlakukan semena-mena."

Setelah dimarahi seperti itu biasanya Harun tersenyum kecil dan memperhalus tabuhannya. Tapi itu tak berlangsung lama. Beberapa saat kemudian, meskipun kami sedang membawakan irama bertempo pelan nan syahdu, misalnya lagu "Semenanjung Tak Seindah Wajah" yang syairnya bercerita tentang seorang pria Melayu duafa meratap-ratap karena ditipu kekasihnya, Harun kembali menghantam drum itu sekuat tenaganya seperti memainkan lagu *rock* Deep Purple yang berjudul "*Burn*". Dan ia sendiri tak pernah tahu kapan harus berhenti. Ia hanya tertawa riang dan menghantam drum itu sejadi-jadinya.

Mahar tetap sabar menghadapi Harun dan berusaha menuntunnya pelan-pelan, namun akhirnya kesabaran Mahar habis ketika kami membawakan lagu "*Light My Fire*" milik The Doors. Di sepanjang lagu yang inspiratif itu Harun menghajar *hithat, tenor drum, simbal,* serta menginjak-injak pedal *bass drum* sejadi-jadinya. Dengan stik drum ia menghajar apa saja dalam jangkauannya, persis drumer Tarantula melakukan *end fill* untuk menutup lagu *rock* dangdut "Wakuncar".

"Dengar kata adikmu ini, Abangda Harun, kalau Abang bermain drum seperti itu bisa-bisa Jim Morrison melompat dari liang kuburnya!"

Diperlukan waktu berhari-hari dan permen asam jawa hampir setengah kilo untuk membujuk Harun agar mau melepaskan jabatan sebagai drumer dan menerima promosi jabatan baru sebagai tukang pikul drum itu ke mana pun kami tampil.

Mahar adalah penata musik setiap lagu yang kami bawakan dan racun pada setiap aransemennya menyengat ketika ia memainkan melodi dengan sitarnya. Ia berimprovisasi, berdiri di tengah pertunjukan, dan dengan wajah demikian syahdu ia mengekspresikan setiap denting senar sitar yang bercerita tentang daun-daun pohon bintang yang melayang jatuh di permukaan Sungai Lenggang yang tenang lalu hanyut sampai jauh ke muara, tentang angin selatan yang meniup punggung Gunung Selumar, berbelok dalam kesenyapan Hutan Jangkang, lalu menyelinap diam-diam ke perkampungan. Ah, indahnya, pria muda ini memiliki konsep yang jelas bagaimana seharusnya sebuah sitar berbunyi.

Mahar adalah *arranger* berbakat dengan musikalitas yang nakal. Ia piawai memilih lagu dan mengadaptasikan karakter lagu tersebut ke dalam instrumen-instrumen kami yang sederhana. Misalnya pada lagu "*Owner of a Lonely Heart*" karya grup rock Yes. Mahar mengawali komposisi-nya dengan intro permainan solo *tabla* yang menghentak bertalu-talu dalam tempo tinggi. Ia mengajari Syahdan menyelipkan-nyelipkan warna tabuhan Afrika dan padang pasir pada fondasi tabuhan gaya suku Sawang. Sangat eksotis.

Gebrakan solo Syahdan seumpama garam bagi mereka yang darah tinggi: berbahaya, beracun, dan memicu adre-nalin. Syahdan mengudara sendirian dengan letupan-letup-an yang menggairahkan sampai beberapa bar. Lalu Syahdan menurunkan sedikit tempo bahana *tabla*-nya dan pada mo-men itu, kami—para pemain rebana dan dua pemain *tabla* lainnya—pelan-pelan masuk secara elegan mendampingi suara *tabla* Syahdan yang surut, namun tak lama kemudian kembali bereskalasi menjadi tempo yang semakin cepat, semakin garang, semakin ganas memuncak. Kami menghantam tabuh-tabuhan ini sekuat tenaga dengan tempo secepat-cepatnya beserta semangat Spartan, para penonton menahan napas karena berada dalam tekanan puncak ekstase, lalu tepat pada puncak kehebohan, suara alat-alat perkusi ini secara mendadak kami hentikan, tiga detik yang diam, lengang, sunyi, dan senyap. Ketika penonton mulai melepaskan kembali napas panjangnya dengan penuh kenyamanan perlahan-lahan hadirlah dentingan sitar Mahar menyambut perasaan damai itu. Mahar melantunkan dawai sitar sendirian dalam nada-nada minor nan syahdu bergelombang seperti buluh perindu. Pilihan nada ini demikian indah hingga terdengar laksana aliran sungai-sungai di bawah taman surga. Dada terasa lapang seperti memandang laut lepas landai tak bertepi di sebuah sore yang jingga.

Pada bagian ini biasanya penonton menghambur ke bibir panggung. Lalu Mahar meningkahi sitar dengan intonasi naik turun dalam jangkauan hampir empat oktaf. Dengan gaya India klasik, Mahar berimprovisasi. Ia memainkan sitar dengan sepenuh jiwa seolah esok ia telah punya janji pasti dengan malaikat maut. Matanya terpejam mengikuti alur skala minor yang menyentuh langsung bagian terindah dari alam bawah sadar manusia yang mampu menikmati sari pati manisnya musik. Jemarinya yang kurus panjang mengaduk-aduk senar sitar dengan teknik yang memukau. Ia menyerahkan segenap jiwa raganya, terbang dalam daya bius melodi musik.

Suara sitar itu menyayat-nyayat, berderai-derai seperti hati yang sepi, meraung-raung seperti jiwa yang tersesat karena khianat cinta, merintih seperti arwah yang tak diterima bumi. Rendah, tinggi, pelan, kencang, berbisik laksana awan, marah laksana topan, memekakkan laksana ledakan gunung berapi, lalu diam tenang laksana danau di tengah rimba raya. Semakin lama semakin keras dan semakin cepat, kembali memuncak, semakin lama semakin tinggi dan pada titik nadirnya Trapani serta-merta menyambut dengan sorak melengking melalui tiupan seruling, panjang, satu not, menjerit-jerit nyaring pada tingkat nada tertinggi yang dapat dicapai seruling bambu tradisonal itu.

Mereka berdua bertanding, berlomba-lomba meninggikan nada dan mengeraskan suara instrumen masing-masing. Mereka seperti seteru lama yang menanggungkan dendam membara, seruling dan sitar saling menggertak, menghardik, dan membentak galak ... namun dengan harmoni yang terpelihara rapi. Tiba-tiba, amat mengejutkan, sama sekali tak terduga, secara mendadak mereka *break!* Tiga detik diam. Setelah itu serta-merta datang menyerbu, menyalak galak, menghambur masuk bertalu-talu seluruh suara alat musik: drum, *standing* bass, seluruh *tabla*, sitar, seruling, seluruh rebana, dan *electone* sekeras-kerasnya. Tepat pada puncak bahana seluruh alat musik secara mendadak kami *break* lagi, satu detik diam, napas penonton tertahan, lalu pada detik kedua Mahar meloncat seperti tupai, merebut mikrofon dan langsung menjerit-jerit menyanyikan lagu *"Owner of a Lonely Heart"* dalam nada tinggi yang terkendali. Para penonton histeris dalam sensasi, kemudian tubuh mereka terpatah-patah mengikuti hentak-an-hentakan *staccato* yang dinamis sepanjang lagu itu.

Inilah musik, kawan. Musik yang dibawakan dengan sepenuh kalbu. Mahar menekankan konsep akustik dalam komposisi ini, misalnya dengan mengambil gaya piano *grand* pada *electone* dengan tambahan sedikit efek *sustain*. Keseluruhan komposisi dan konsep ini ternyata menghasil-kan interpretasi yang unik terhadap lagu "*Owner of a Lonely Heart*". Kami yakin sedikit banyak kami telah berhasil me-nangkap semangat lagu itu, termasuk esensi pesannya, yaitu hati yang sepi lebih baik dari hati yang patah, seperti dimaksudkan orang-orang hebat dalam grup Yes.

Maka tak ayal lagu *rock* modern tersebut adalah *masterpiece* penampilan kami selain sebuah lagu Melayu ber-judul "Patah Kemudi" karya Ibu Hajah Dahlia Kasim.

Mahar juga adalah seorang seniman idealis. Pernah sebuah parpol ingin memanfaatkan grup kami yang mulai kondang untuk menarik massa melalui iming-iming uang dan berbagai mainan anak-anak, Mahar menolak mentah-mentah.

"Orang-orang itu sudah terkenal dengan tabiatnya menghamburkan janji yang tak 'kan ditepatinya," demikian Mahar berorasi di tengah-tengah kami yang duduk meling-kar di bawah *filicium*. Jarinya menunjuk-nunjuk langit seperti seorang koordinator demonstrasi.

"Kita tidak akan pernah menjadi bagian dari segerom-bolan penipu! Sekolah kita adalah sekolah Islam bermartabat, kita tidak akan menjual kehormatan kita demi sebuah jam tangan plastik murahan!"

Mahar demikian berapi-api dan kami bersorak-sorai mendukung pendiriannya. Dan mungkin karena kecewa kepada para pemimpin bangsa maka Mahar memberi sebuah nama yang sangat memberi inspirasi untuk *band* kami, yaitu: Republik Dangdut.

Mahar adalah Jules Verne kami. Ia penuh ide gila yang tak terpikirkan orang lain, walaupun tak jarang idenya itu absurd dan lucu. Salah satu contohnya adalah ketika ketua RT punya masalah dengan televisinya. TV hitam putih satu-satunya hanya ada di rumah beliau dan tidak bisa dikeluarkan dari kamarnya yang sempit karena kabel antenanya sangat pendek dan ia kesulitan mendapatkan kabel untuk memperpanjangnya. Kabel itu tersambung pada antena di puncak pohon randu. Keadaan mendesak sebab malam itu ada pertandingan final badminton All England antara Svend Pri melawan Iie Sumirat. Begitu banyak penonton akan hadir, tapi ruangan TV sangat sempit. Sejak sore Pak Ketua RT tak enak hati karena banyak handai taulan yang akan bertamu tapi tak 'kan semua mendapat kesempatan menonton pertandingan seru itu.

Ketika beliau berkeluh kesah pada kepala sekolah kami, maka Mahar yang sudah kondang akal dan taktiknya segera dipanggil dan ia muncul dengan ide ajaib ini:

"Gambar TV itu bisa dipantul-pantulkan melalui kaca, Ayahanda Guru," kata Mahar berbinar-binar dengan ekspresi lugunya.

Andrea Hirata

Pak Harfan melonjak girang seperti akan meneriakkan *"eureka!"* Maka digotonglah dua buah lemari pakaian berkaca besar ke rumah ketua. Lemari pertama diletakkan di ruang tamu dengan posisi frontal terhadap layar TV dan ruangan itu paling tidak menampung 17 orang. Sedangkan lemari kedua ditempatkan di beranda. Lemari kaca kedua diposisikan sedemikian rupa sehingga dapat menangkap gambar TV dari lemari kaca pertama. Ada sekitar 20 orang menonton TV melalui lemari kaca di beranda.

Tak ada satu pun penonton yang tak kebagian melihat aksi Iie Sumirat. Penonton merasa puas dan benar-benar menonton dari layar kaca dalam arti sesungguhnya. Meskipun Svend Pri yang kidal di layar TV menjadi normal di kaca yang pertama dan kembali menjadi kidal pada layar lemari kaca kedua. Menurutku inilah ide paling revolusioner, paling lucu, dan paling hebat yang pernah terjadi pada dunia penyiaran. Aku rasa yang dapat menandingi ide kreatif ini hanya penemuan *remote control* beberapa waktu kemudian.

Kepada majelis penonton TV yang terhormat Pak Harfan berulang kali menyampaikan bahwa semua itu adalah ide Mahar, dan bahwa Mahar itu adalah muridnya. Murid yang dibanggakannya habis-habisan.

Sayangnya, seperti banyak dialami seniman hebat lainnya, mereka jarang sekali mendapat perhatian dan penghargaan yang memadai. Gaya hidup dan pemikiran mereka yang mengawang-awang sering kali disalahartikan. Misalnya Mahar, kami sering menganggapnya manusia aneh, pembual, dan tukang khayal yang tidak dapat membedakan antara realitas dan lamunan.

Keadaan ini diperparah lagi dengan ketidakmampuan kami mengapresiasi karya-karya seninya. Sehingga beberapa karya hebatnya malah mendapat cemoohan. Kenyataannya adalah kami tidak mampu menjangkau daya imajinasi dan pesan-pesan abstrak yang ia sampaikan melalui karya-karya tersebut. Kami selalu membesar-besarkan kekurangannya ketika sebuah pertunjukan gagal total, tapi jika berhasil kami jarang ingin memujinya. Mungkin karena masih kecil, maka kami sering tidak adil padanya.

Bab 14
Laskar Pelangi dan
Orang-Orang Sawang

PAPILIO blumei, kupu-kupu tropis yang menawan berwarna hitam bergaris biru-hijau itu mengunjungi pucuk *filicium*. Kehadiran mereka semakin cantik karena kehadiran kupu-kupu kuning berbintik metalik yang disebut *pure clouded yellow*. Mereka dan lidah atap sirap cokelat yang rapuh menyajikan komposisi warna kontras di atas sekolah Muhammadiyah. Dua jenis bidadari taman itu melayang-layang tanpa bobot bersukacita. Tak lama kemudian, seperti tumpah dari langit, ikut bergabung kupu-kupu lain, *danube clouded yellow*.

Hanya para ahli yang dapat membedakan *pure clouded yellow* dengan *danube clouded yellow*, berturut-turut nama latin mereka adalah *Colias crocea* dan *Colias myrmi-*

done. Di mata awam kecantikan mereka sama: absolut, dan hanya dapat dibayangkan melalui keindahan namanya. Keduanya adalah si kuning berawan yang memesona laksana Danau Danube yang melintasi Eropa: sejuk, elegan, dan misterius. Berbeda dengan tabiat unggas yang cenderung agresif dan eksibisionis, makhluk-makhluk bisu berumur pendek ini bahkan tak tahu kalau dirinya cantik. Meskipun jumlahnya ratusan, tapi kepak sayapnya senyap dan mulut mungil indahnya diam dalam kerupawanan yang melebihi taman lotus. Melihat mereka rasanya aku ingin menulis puisi.

Saat ratusan pasang *danube clouded yellow* berpatroli melingkari lingkaran daun-daun *filicium*, maka mereka menjelma menjadi pasir kuning di Dermaga Olivir. Sayap-sayap yang menyala itu adalah fatamorgana pantulan cahaya matahari, berkilauan di atas butiran-butiran ilmenit yang terangkat abrasi. Sebuah daya tarik Belitong yang lain, pesona pantai dan kekayaan material tambang yang menggoda.

Kupu-kupu *clouded yellow* dan *Papilio blumei* saling bercengekrama dengan harmonis seperti sebuah reuni besar bidadari penghuni berbagai surga dari agama yang berbeda-beda. Jika diperhatikan dengan saksama, setiap gerakan mereka, sekecil apa pun, seolah digerakkan oleh semacam mesin keserasian. Mereka adalah orkestra warna dengan insting sebagai konduktornya. Dan agaknya dulu memang telah diatur jauh-jauh hari sebelum mereka bermetamorfosis, telah tercatat di Lauhul Mahfuzh saat mereka masih meringkuk berbedak-bedak tebal dalam gulungan-gulungan daun pisang, bahwa sore ini mereka akan menari-nari di pucuk-pucuk *filicium*, bersenda gurau, untuk memberiku pelajaran tentang keagungan Tuhan.

Kupu-kupu ini sering melakukan reuni setelah hujan lebat. Sayangnya sore ini, pemandangan seperti butiran-butiran cat berwarna-warni yang dihamburkan dari langit itu serentak bubar dan harmoni ekosistem hancur beran-takan karena serbuan sepuluh sosok *Homo sapiens*. Makh-luk brutal ini memanjati dahan-dahan *filicium*, bersorak-sorai, dan bergelantungan mengklaim dahannya masing-masing. Kawanan itu dipimpin oleh setan kecil bernama Kucai. Berada pada posisi puncak rantai makanan seolah melegitimasi kecenderungan *Homo sapiens* untuk merusak tatanan alam.

Kucai mengangkangi dahan tertinggi, sedangkan Sa-hara, satu-satunya betina dalam kawanan itu, bersilang kaki di atas dahan terendah. Pengaturan semacam itu tentu bu-kan karena budaya patriarki begitu kental dalam komunitas Melayu, tapi semata-mata karena pakaian Sahara tidak me-mungkinkan ia berada di atas kami. Ia adalah muslimah yang menjaga aurat rapat-rapat.

Kepentingan kami tak kalah mendesak dibanding keperluan kaum unggas, fungi, dan makhluk lainnya ter-hadap *filicium* karena dari dahan-dahannya kami dapat de-ngan leluasa memandang pelangi.

Kami sangat menyukai pelangi. Bagi kami pelangi ada-lah lukisan alam, sketsa Tuhan yang mengandung daya tarik mencengangkan. Tak tahu siapa di antara kami yang pertama kali memulai hobi ini, tapi jika musim hujan tiba kami tak sabar menunggu kehadiran lukisan langit menakjubkan itu. Karena kegemaran kolektif terhadap pelangi maka Bu Mus menamai kelompok kami Laskar Pelangi.

Sore ini, setelah hujan lebat sepanjang hari, terbentang pelangi sempurna, setengah lingkaran penuh, terang benderang dengan enam lapis warna. Ujung kanannya berangkat dari Muara Genting seperti pantulan permadani cermin sedangkan ujung kirinya tertanam di kerimbunan hutan pinus di lereng Gunung Selumar. Pelangi yang menghunjam di daratan ini melengkung laksana jutaan bidadari berkebaya warna-warni terjun menukik ke sebuah danau terpencil, bersembunyi malu karena kecantikannya.

Kini *filicium* menjadi gaduh karena kami bertengkar bertentangan pendapat tentang panorama ajaib yang terbentang melingkupi Belitong Timur. Berbagai versi cerita mengenai pelangi menjadi debat kusir. Dongeng yang paling seru tentu saja dikisahkan oleh Mahar. Ketika kami mendesaknya ia sempat ragu-ragu. Pandangan matanya mengisyaratkan bahwa: kalian tidak akan bisa menjaga informasi yang sangat penting ini!

Dia diam demi membuat pertimbangan serius, namun akhirnya ia menyerah, bukan kepada kami yang memohon tapi kepada hasratnya sendiri yang tak terkekang untuk membual.

"Tahukah kalian ...," katanya sambil memandang jauh.

"Pelangi sebenarnya adalah sebuah lorong waktu!"

Kami terdiam, suasana jadi bisu, terlena khayalan Mahar.

"Jika kita berhasil melintasi pelangi maka kita akan bertemu dengan orang-orang Belitong tempo dulu dan nenek moyang orang-orang Sawang."

Wajahnya tampak menyesal seperti baru saja membongkar sebuah rahasia keluarga yang terdalam dan telah disimpan tujuh turunan. Lalu dengan nada terpaksa ia melanjutkan, "Tapi jangan sampai kalian bertemu dengan orang Belitong primitif dan leluhur Sawang itu, karena mereka itu adalah kaum kanibal ...!!"

Sekarang wajahnya pasrah. A Kiong menutup mulutnya dengan tangan dan hampir saja tertungging dari dahan karena melepaskan pegangan. Sejak kelas satu SD, A Kiong adalah pengikut setia Mahar. Ia percaya—dengan sepenuh jiwa—apa pun yang dikatakan Mahar. Ia memosisikan Mahar sebagai seorang suhu dan penasihat spiritual. Mereka berdua telah menasbihkan diri sendiri dalam sebuah sekte ketololan kolektif.

Demi mendengar kisah Mahar, Syahdan yang bertengger persis di belakang pendongeng itu dengan gerakan sangat takzim, tanpa diketahui Mahar, menyilangkan jari di atas keningnya dan mengesek-gesekkannya beberapa kali. Mahar tidak mengerti apa yang sedang terjadi di belakangnya. Sakit perut kami menahan tawa melihat kelakuan Syahdan. Baginya Mahar sudah tak waras.

Lintang menepuk-nepuk punggung Mahar, menghargai ceritanya yang menakjubkan, tapi ia tersenyum simpul dan pura-pura batuk untuk menyamarkan tawanya. Kami terus memandangi keindahan pelangi tapi kali ini kami tak lagi berdebat. Kami diam sampai matahari membenamkan diri. Azan magrib menggema dipantulkan tiang-tiang tinggi rumah panggung orang Melayu, sahut-menyahut dari masjid ke masjid. Sang lorong waktu perlahan hilang ditelan malam. Kami diajari tak bicara jika azan berkumandang.

"Diam dan simaklah panggilan menuju kemenangan itu …," pesan orangtua kami.

KAMI, orang-orang Melayu, adalah pribadi-pribadi sederhana yang memperoleh kebijakan hidup dari para guru mengaji dan orang-orang tua di surau-surau sehabis salat magrib. Kebijakan itu disarikan dari hikayat para nabi, kisah Hang Tuah, dan rima-rima gurindam. Ras kami adalah ras yang tua. *Malay* atau Melayu telah dikenal Albert Buffon sejak lampau ketika ia mengidentifikasi ras-ras besar Kaukasia, Negroid, dan Mongoloid. Meskipun banyak antropolog berpendapat bahwa ras Melayu Belitong tidak sama dengan ras *Malay* versi Buffon—dengan kata lain kami sebenarnya bukan orang Melayu—tapi kami tak membesarbesarkan pendapat itu. Pertama karena orang-orang Belitong tak paham akan hal itu dan kedua karena kami tak memiliki semangat primordialisme. Bagi kami, orang-orang sepanjang pesisir Selat Malaka sampai ke Malaysia adalah Melayu—atas dasar ketergila-gilaan mereka pada irama se-menanjung, dentaman rebana, dan pantun yang sambut-menyambut—bukan atas dasar bahasa, warna kulit, keper-cayaan, atau struktur bangun tulang-belulang. Kami adalah ras egalitarian.

Aku melamun merenungkan cerita Mahar. Aku tak tertarik dengan lorong waktu, tapi terpancang pada cerita-nya tentang orang-orang Belitong tempo dulu. Minggu lalu ketika sedang memperbaiki *sound system* di masjid, demi melihat kabel centang perenang yang dianggapnya benda ajaib zaman baru, muazin kami yang telah berusia 70 tahun menceritakan sesuatu yang membuatku terkesiap.

Cerita itu adalah tentang kakek beliau yang sempat bercerita kepadanya bahwa orangtua kakeknya itu, berarti mbah buyut atau datuk muazin kami, hidup berkelompok mengembara di sepanjang pesisir Belitong. Mereka ber-pakaian kulit kayu dan mencari makan dengan cara menom-bak binatang atau menjeratnya dengan akar-akar pohon. Mereka tidur di dahan-dahan pohon santigi untuk menghin-dari terkaman binatang buas. Kala bulan purnama mereka menyalakan api dan memuja bulan serta bintang gemintang. Aku merinding memikirkan betapa masih dekatnya komu-nitas kami dengan kebudayaan primitif.

"Kita telah lama bersekutu dengan orang-orang Sa-wang. Mereka adalah pelaut ulung yang hidup di perahu. Suku itu berkelana dari pulau ke pulau. Di Teluk Balok leluhur kita menukar pelanduk, rotan, buah pinang, dan

damar dengan garam buatan wanita-wanita Sawang ...,"
cerita muazin itu.

Seperti ikan yang hidup dalam akuarium, senantiasa
lupa akan air, begitulah kami. Sekian lama hidup berdam-
pingan dengan orang Sawang kami tak menyadari bahwa
mereka sesungguhnya sebuah fenomena antropologi. Di-
banding orang Melayu penampilan mereka amat berbeda.
Mereka seperti orang-orang Aborigin. Kulit gelap, rahang
tegas, mata dalam, pandangan tajam, bidang kening yang
sempit, struktur tengkorak seperti suku Teuton, dan beram-
but kasat lurus seperti sikat.

PN Timah mempekerjakan suku maskulin ini sebagai
buruh yuka, yaitu penjahit karung timah, pekerjaan strata
terendah di gudang beras. Dan mereka bahagia dengan
sistem pembayaran setiap hari Senin. Sulit dikatakan uang
itu akan bertahan sampai Rabu. Tak ada kepelitan mengalir
dalam pembuluh darah orang Sawang. Mereka membelanja-
kan uang seperti tak ada lagi hari esok dan berutang seperti
akan hidup selamanya.

Karena kekacauan persoalan manajemen keuangan
ini, orang Sawang tak jarang menjadi korban stereotip di
kalangan mayoritas Melayu. Setiap perilaku minus tak ayal
langsung diasosiasikan dengan mereka. Diskredit ini adalah
refleksi sikap diskriminatif sebagian orang Melayu yang
takut direbut pekerjaannya karena malas bekerja kasar. Se-
jarah menunjukkan bahwa orang-orang Sawang memiliki
integritas, mereka hidup eksklusif dalam komunitasnya sen-
diri, tak usil dengan urusan orang lain, memiliki etos kerja

tinggi, jujur, dan tak pernah berurusan dengan hukum. Lebih dari itu, mereka tak pernah lari dari utang-utangnya.

Orang Sawang senang sekali memarginalkan diri sendiri. Itulah sifat alamiah mereka. Bagi mereka hidup ini hanya terdiri atas mandor yang mau membayar mereka setiap minggu dan pekerjaan kasar yang tak sanggup dikerjakan suku lain. Mereka tak memahami konsep aristokrasi karena kultur mereka tak mengenal *power distance*. Orang yang tak memaklumi hal ini akan menganggap mereka tak tahu tata krama. Satu-satunya manusia terhormat di antara mereka adalah sang kepala suku, seorang *shaman* sekaligus dukun, dan jabatan itu sama sekali bukan hereditas.

PN memukimkan orang Sawang di sebuah rumah panjang yang bersekat-sekat. Di situ hidup 30 kepala keluarga. Tak ada catatan pasti dari mana mereka berasal. Mungkinkah mereka belum terpetakan oleh para antropolog? Tahukah para pembuat kebijakan bahwa tingkat kelahiran mereka amat rendah sedangkan mortalitasnya begitu tinggi sehingga di rumah panjang hanya tertinggal beberapa keluarga yang berdarah murni Sawang? Akankah bahasa mereka yang indah hilang ditelan zaman?

Bab 15
Euforia Musim Hujan

TAMBANG hitam terbentang cekung di atas permukaan air berwarna cokelat yang bergelora. Ujung tambang yang diikat dengan sepotong kayu bercabang tersangkut ke sebuah dahan karet tua yang rapuh di tengah aliran sungai. Tadi Samson yang telah melemparkannya dengan gugup. Hampir tujuh belas meter jarak antara tepian sungai dan dahan karet tempat kayu satu meter itu tersangkut. Berarti lebar sungai ini paling tidak tiga puluh meter dan dalamnya hanya Tuhan yang tahu. Alirannya meluncur deras tergesa-gesa, tipikal sungai di Belitong yang berawal dan berakhir di laut. Bagian membujur permukaan sungai tampak berkilat-kilat disinari cahaya matahari.

Sekarang ujung tambang satunya dipegangi A Kiong yang pucat pasi pada posisi melintang. Ia memanjat pohon kepang rindang yang berseberangan dengan pohon karet tadi dan menambatkan tali pada salah satu cabangnya. Badanku gemetar ketika aku melintas menuju pohon karet dengan cara menggeser-geserkan genggaman tanganku yang mencekik tambang erat-erat. Aku bergelantungan seperti tentara latihan perang. Kadang-kadang kakiku terlepas dari tambang dan menyentuh permukaan air yang meliuk-liuk, membuat darahku dingin berdesir. Kulihat samar bayanganku di atas air yang keruh. Kalau aku terjatuh maka aku akan ditemukan tersangkut di akar-akar pohon bakau dekat jembatan Lenggang, lima puluh kilometer dari sini.

SEMUA susah payah melawan larangan orangtua itu hanyalah untuk memetik buah-buah karet dan demi sedikit taruhan harga diri dalam arena *tarak*. Atau barangkali perbuatan bodoh itu justru digerakkan oleh keinginan untuk membongkar rahasia buah karet yang misterius. Kekuatan kulit buah karet tak bisa diramalkan dari bentuk dan warnanya. Pada rahasia itulah tersimpan daya tarik permainan mengadu kekuatan kulitnya. Permainan kuno nan legendaris itu disebut *tarak*. Cuma ada satu hal yang agak berlaku umum, yaitu pohon-pohon karet yang buahnya sekeras batu selalu berada di tempat-tempat yang jauh di dalam hutan dan memerlukan nyali lebih, atau sikap nekat yang tolol, untuk mengambilnya.

Di dalam *tarak*, dua buah karet ditumpuk kemudian dipukul dengan telapak tangan. Buah yang tak pecah adalah pemenangnya. Inilah permainan pembukaan musim hujan di kampung kami, semacam pemanasan untuk menghadapi permainan-permainan lainnya yang jauh lebih seru pada saat air bah tumpah dari langit.

SEIRING dengan semakin gencarnya hujan mengguyur kampung-kampung orang Melayu Belitong, aura *tarak* perlahan-lahan redup. Jika *tarak* sudah tak dimainkan maka itulah akhir bulan September, begitulah tanda alam yang dibaca secara primitif. Wilayah-wilayah tropis di muka bumi akan mengalami mendung seharian dan hujan berkepanjangan. Sementara di Barat sana, orang-orang menjalani hari-hari yang kelabu menjelang musim salju. Pada sepanjang bulan berakhiran "-ber", seisi dunia tampak lebih murung, maka tidak mengherankan di beberapa bagian barat angka statistik bunuh diri meningkat.

Aku melongok keluar jendela, RRI mengumandangkan sebuah lagu lama sebelum siaran berita, "Rayuan Pulau Kelapa". Alunan nada Hawaian yang tak lekang dimakan waktu mendayu-dayu membuat mata mengantuk. Sebuah siang yang syahdu, sesyahdu *Howling Wolf* saat menyanyikan lagu *blues* "How Long Baby, How Long".

Tapi suasana agak berbeda bagi kami. Acara sedih di bulan-bulan penghujung tahun ini adalah urusan orang dewasa. Bagi kami hujan yang pertama adalah berkah dari langit yang disambut dengan sukacita tak terkira-kira. Dan tak pernah kulihat di wilayah lain hujan turun sedemikian lebat seperti di Belitong.

Tujuh puluh persen daratan di Belitong adalah *rain forest* alias hutan hujan. Pulau kecil itu berada pada titik pertemuan Laut Cina Selatan di sisi barat dan Laut Jawa di sisi timur. Adapun di sisi utara dan selatan ia diapit oleh Selat Karimata dan Selat Gaspar. Letaknya yang terlindung daratan luas Pulau Jawa dan Kalimantan melindungi pantainya dari gelombang ekstrem musim barat, namun uapan jutaan kubik air selama musim kemarau dari samudra berkeliling itu akan tumpah seharian selama berbulan-bulan pada musim hujan. Maka hujan di Belitong tak pernah sebentar dan tak pernah kecil.

Hujan di Belitong selalu lama dan sejadi-jadinya seperti air bah tumpah ruah dari langit, dan semakin lebat hujan itu, semakin gempar guruh menggelegar, semakin kencang angin mengaduk-aduk kampung, semakin dahsyat petir sambar-menyambar, semakin giranglah hati kami. Kami biarkan hujan yang deras mengguyur tubuh kami yang kumal. Ancaman dibabat rotan oleh orangtua kami anggap sepi. Ancaman tersebut tak sebanding dengan daya tarik luar biasa air hujan, binatang-binatang aneh yang muncul dari dasar parit, mobil-mobil proyek timah yang terbenam, dan bau air hujan yang menyejukkan rongga dada.

Kami akan berhenti sendiri setelah bibir membiru dan jemari tak terasa karena kedinginan. Seluruh dunia tak bisa mencegah kami. Kami adalah para duta besar yang berkuasa penuh saat musim hujan. Para orangtua hanya menggerutu, frustrasi merasa dirinya tak dianggap. Kami berlarian, bermain sepak bola, membuat candi dari pasir, berpura-pura menjadi biawak, berenang di lumpur, memanggil-manggil pesawat terbang yang melintas, dan berteriak keras-keras tak keruan kepada hujan, langit, dan halilintar seperti orang lupa diri.

Tapi lebih dari itu, yang paling seru adalah permainan tanpa nama yang melibatkan pelepah-pelepah pohon pinang hantu. Satu atau dua orang duduk di atas pelepah selebar sajadah, kemudian dua atau tiga orang lainnya menarik pelepah itu dengan kencang. Maka terjadilah pemandangan seperti orang main ski es, tapi secara manual karena ditarik tenaga manusia.

Penumpang yang duduk di depan memegangi pelepah seperti penunggang unta sedangkan penumpang di belakang memeluknya erat-erat agar tidak tergelincir. Mereka yang bertubuh paling besar, yaitu Samson, Trapani, dan A Kiong menduduki jabatan penarik pelepah dan mereka amat bangga dengan jabatan itu.

Puncak permainan ini adalah momen ketika para penarik pelepah yang bertenaga sekuat kuda beban berbelok mendadak serta dengan sengaja menambah kekuatannya di belokan itu. Maka penumpangnya akan melaju sangat kencang, terseret sejajar ke arah samping, meluncur mulus tapi deras sekali di atas permukaan lumpur yang licin, lalu menikung tajam dalam kecepatan tinggi.

Aku rasakan tingkungan itu membanting tubuhku tanpa dapat kukendalikan dan sempat kulihat cipratan air bercampur lumpur yang besar menghempas dari sisi kanan pelepah mengotori para penonton: Sahara, Harun, Kucai, Mahar, dan Lintang. Mereka gembira luar biasa menerima cipratan air kotor itu, semakin kotor airnya semakin senang mereka. Mereka bertepuk tangan girang menyemangati kami. Sementara Syahdan yang duduk di belakangku memegang tubuhku kuat-kuat sambil bersorak-sorai.

Syahdan bertindak selaku *co-pilot*, dan aku pilotnya. Kami meluncur menyamping dengan tubuh rebah persis seperti gerakan laki-laki gondrong pengendara sepeda motor tong setan di sirkus atau lebih keren lagi seperti gerakan *speed racer* yang merendahkan tubuhnya untuk mengambil belokan maut. Sebuah gaya rebah yang penuh aksi. Pada saat menikung itu aku merasakan sensasi tertinggi dari permainan tradisional yang asyik ini.

Namun, cerita tidak selesai sampai di situ. Karena sudut belokan tersebut tidak masuk akal maka tikungan tersebut tak 'kan pernah bisa diselesaikan. Para penarik bertabrakan sesama dirinya sendiri, terjatuh-jatuh jumpalitan, terbanting-banting tak tentu arah, sementara aku dan Syahdan terpental dari pelepah, terhempas, terguling-guling, lalu kami berdua terkapar di dalam parit.

Kepalaku terasa berat, kuraba-raba dan benjolan kecil-kecil bermunculan. Air masuk melalui hidungku, suaraku jadi aneh, seperti robot, dan ada rasa pening di bagian kepala sebelah kanan yang menjalar ke mata. Rasa itu hanya sebentar, biasa kita alami kalau air memasuki hidung. Aku tersedak-sedak kecil seperti kambing batuk. Lalu aku mencari-cari Syahdan. Ia terbanting agak jauh dariku. Tubuhnya telentang, tergeletak tak berdaya, air menggenangi setengah tubuhnya di dalam parit. Ia tak bergerak.

Kami menghambur ke arah Syahdan. Aduh! Gawat, apakah ia pingsan? Atau gegar otak? Atau malah mati? Karena ia tak bernapas sama sekali dan tadi ia terpelanting seperti tong jatuh dari truk. Di sudut bibirnya dan dari lubang hidungnya kulihat darah mengalir, pelan dan pekat. Kami merubung tubuhnya yang diam seperti mayat. Sahara mulai terisak-isak, wajahnya pias. Aku memandangi wajah temanku yang lain, semuanya pucat pasi. A Kiong gemetar hebat, Trapani memanggil-manggil ibunya, aku sangat cemas.

Aku menampar-nampar pipinya.

"Dan! Dan ...!" Aku pegang urat di lehernya, seperti pernah kulihat dalam film *Little House on The Prairie*. Namun sayang sebenarnya aku sendiri tak mengerti apa yang kupegang, karena itu aku tak merasakan apa-apa. Samson, Kucai, dan Trapani turut menggoyang-goyang tubuh Syahdan, berusaha menyadarkannya. Tapi Syahdan diam kaku tak bereaksi. Bibirnya pucat dan tubuhnya dingin seperti es. Sahara menangis keras, diikuti oleh A Kiong.

"Syahdan ... Syahdan ... bangun, Dan ...," ratap Sahara pedih dan ketakutan.

Kami semakin panik, tak tahu harus berbuat apa. Aku terus-menerus memanggil-manggil nama Syahdan, tapi ia diam saja, kaku, tak bernyawa, Syahdan telah mati. Kasihan sekali Syahdan, anak nelayan melarat yang mungil ini harus mengalami nasib tragis seperti ini.

Kami menggigil ketakutan dan Samson memberi isyarat agar mengangkat Syahdan. Ketika kami angkat tubuhnya telah keras seperti sepotong balok es. Aku memegang bagian kepalanya. Kami gotong tubuh kecilnya sambil berlari. Sahara dan A Kiong meraung-raung. Kami benar-benar panik, namun dalam kegentingan yang memuncak tiba-tiba di gumpalan bulat kepala keriting yang kupeluk kulihat deretan gigi-gigi hitam keropos dan runcing-runcing seperti dimakan kutu meringis ke arahku, kemudian kudengar pelan suara tertawa terkekeh-kekeh.

Ha! Rupanya *co-pilot*-ku ini hanya berpura-pura tewas! Sekian lama ia membekukan tubuhnya dan berusaha menahan napas agar kami menyangka ia mati. Kurang ajar betul, lalu kami membalas penipuannya dengan melemparkannya kembali ke dalam parit kotor tadi. Dia senang bukan main. Ia terpingkal-pingkal melihat kami kebingungan. Kami pun ikut tertawa. Sahara menghapus tangisnya dengan lengannya yang kotor. Makin lama tawa kami makin keras. Kulirik lagi Syahdan, ia meringis kesakitan tapi tawanya keras sekali sampai-sampai keluar air matanya. Air matanya itu bercampur dengan air hujan.

Anehnya, justru peristiwa terjatuh, terhempas, dan terguling-guling yang mencederai, lalu disusul dengan tertawa keras saling mengejek itulah yang kami anggap sebagai daya tarik terbesar permainan pelepah pinang. Tak jarang kami mengulanginya berkali-kali dan peristiwa jatuh seperti itu bukan lagi karena sudut tikungan, kecepatan, dan massa yang melanggar hukum fisika, tapi memang karena ke-tololan yang disengaja yang secara tidak sadar digerakkan oleh spirit euforia musim hujan. Pesta musim hujan adalah sebuah perhelatan meriah yang diselenggarakan oleh alam bagi kami, anak-anak Melayu tak mampu.

Bab 16
Puisi Surga dan Kawanan Burung Pelintang Pulau

NAH, seluruh kejadian ini terjadi pada bulan Agustus saat aku berada di kelas dua SMP. Kemarau masih belum mau pergi. Pohon-pohon angsana menjadi gundul, bambu-bambu kuning meranggas. Jalan berbatu-batu kecil merah, setiap dihempas kendaraan, mengembuskan debu yang melekat pada sirip-sirip daun jendela kayu. Kota kecilku kering dan bau karat.

Warga Tionghoa semakin rajin menekuni kebiasaannya: mandi saat tengah hari, menyisir rambutnya yang masih basah ke belakang, lalu memotongi ujung-ujung kukunya dengan antip. Hanya mereka yang tampak sedikit bersih pada bulan-bulan seperti ini. Adapun warga suku Sawang termangu-mangu memeluk tiang-tiang rumah panjang mereka, terlalu panas untuk tidur di bawah atap seng tak berplafon dan terlalu lelah untuk kembali bekerja, dilematis.

Orang-orang Melayu semakin kumal. Sesekali anak-anaknya melewati jalan raya membawa balok-balok es dan botol sirop Capilano. Hawa pengap tak 'kan menguap sampai malam. Sebaliknya, menjelang dini hari suhu akan turun drastis, dingin tak terkira, menguji iman umat Nabi Muhammad untuk beranjak dari tempat tidur dan shalat subuh di masjid.

Perubahan ekstrem suhu adalah konsekuensi geografis pulau kecil yang dikelilingi samudra. Karena itu kemarau di kampung kami menjadi sangat tidak menyenangkan. Kepekatan oksigen menyebabkan tubuh cepat lelah dan mata mudah mengantuk. Namun, ada suka di mana-mana. Anda tentu paham maksud saya. Bulan ini amat semarak karena banyak perayaan berkenaan dengan hari besar negeri ini. Agustus, semuanya serba menggairahkan!

Begitu banyak kegiatan yang kami rencanakan setiap bulan Agustus, antara lain berkemah! Ketika anak-anak SMP PN dengan bus birunya berekreasi ke Tanjong Pendam, mengunjungi kebun binatang atau museum di Tanjong Pandan, bahkan *verloop** bersama orangtuanya ke Jakarta. Kami, SMP Muhammadiyah, pergi ke Pantai Pangkalan

---

*cuti

Punai. Jauhnya kira-kira 60 km, ditempuh naik sepeda. Semacam liburan murah yang asyik luar biasa.

Meskipun setiap tahun kami mengunjungi Pangkalan Punai, aku tak pernah bosan dengan tempat ini. Setiap kali berdiri di bibir pantai aku selalu merasa terkejut, persis seperti pasukan Alexander Agung pertama kali menemukan India. Jika laut berakhir di puluhan hektar daratan landai yang dipenuhi bebatuan sebesar rumah dan pohon-pohon rimba yang rindang merapat ke tepi paling akhir ombak pasang mengempas, maka kita akan menemukan keindahan pantai dengan cita rasa yang berbeda. Itulah kesan utama yang dapat kukatakan mengenai Pangkalan Punai.

Tak jauh dari pantai mengalirlah anak-anak sungai berair payau dan di sanalah para penduduk lokal tinggal di dalam rumah panggung tinggi-tinggi dengan formasi berkeliling. Mereka juga orang-orang Melayu, orang Melayu yang menjadi nelayan. Berarti rumah-rumah ini tepatnya terkurung oleh hutan lalu di tengahnya mengalir anak-anak sungai dan posisinya cenderung menjorok ke pinggir laut. Sebuah komposisi lanskap hasil karya tangan Tuhan. Keindahan seperti digambarkan dalam buku-buku komik Hans Christian Andersen.

Namun, pemandangan semakin cantik jika kita mendaki bukit kecil di sisi barat daya Pangkalan. Saat sore menjelang, aku senang berlama-lama duduk sendiri di punggung bukit ini. Mendengar sayup-sayup suara anak-anak nelayan—laki-laki dan perempuan—menendang-nendang pelampung, bermain bola tanpa tiang gawang nun di bawah sana. Teriakan mereka terasa damai. Sekitar pukul empat sore, sinar matahari akan mengguyur barisan pohon cemara angin yang tumbuh lebat di undakan bukit yang lebih tinggi di sisi timur laut. Sinar yang terhalang pepohonan cemara angin itu membentuk segitiga gelap raksasa, persis di tempat aku duduk. Sebaliknya, di sisi lain, sinarnya yang kontras menghunjam ke atas permukaan pantai yang dangkal, sehingga dari kejauhan dapat kulihat pasir putih dasar laut.

Jika aku menoleh ke belakang, maka aku dapat menyaksikan pemandangan padang sabana. Ribuan burung pipit menggelayuti rumput-rumput tinggi, menjerit-jerit tak keruan, berebutan tempat tidur. Di sebelah sabana itu adalah ratusan pohon kelapa bersaling-silang dan di antara celah-celahnya aku melihat batu-batu raksasa khas Pangkalan Punai. Batu-batu raksasa yang membatasi tepian Laut Cina Selatan yang biru berkilauan dan luas tak terbatas. Seluruh bagian ini disirami sinar matahari dan aliran sungai payau tampak sampai jauh berkelok-kelok seperti cucuran perak yang dicairkan.

Sebaliknya, jika aku melemparkan pandangan lurus ke bawah, ke arah formasi rumah panggung yang berkeliling tadi, maka sinar matahari yang mulai jingga jatuh persis di atas atap-atap daun nanga' yang menyembul-nyembul di antara rindangnya dedaunan pohon santigi. Asap mengepul dari tungku-tungku yang membakar serabut kelapa untuk mengusir serangga magrib. Asap itu, diiringi suara azan magrib, merayap menembus celah-celah atap daun, hanyut pelan-pelan menaungi kampung seperti hantu, lamat-lamat merambati dahan-dahan pohon bintang yang berbuah manis, lalu hilang tersapu semilir angin, ditelan samudra luas. Dari balik jendela-jendela kecil rumah panggung yang berserakan di bawah sana sinar lampu minyak yang lembut dan kuntum-kuntum api pelita menari-nari sepi.

Pesona hakiki Pangkalan Punai membayangiku menit demi menit sampai terbawa-bawa mimpi. Mimpi ini kemudian kutulis menjadi sebuah puisi karena, sebagai bagian dari program berkemah, kami harus menyerahkan tugas untuk pelajaran kesenian berupa karangan, lukisan, atau pekerjaan tangan dari bahan-bahan yang didapat di pinggir pantai. Inilah puisiku.

Aku Bermimpi Melihat Surga

Sungguh, malam ketiga di Pangkalan Punai aku mimpi melihat surga
Ternyata surga tidak megah, hanya sebuah istana kecil di tengah hutan
Tidak ada bidadari seperti disebut di kitab-kitab suci

Aku meniti jembatan kecil
Seorang wanita berwajah jernih menyambutku
"Inilah surga" katanya.
Ia tersenyum, kerling matanya mengajakku menengadah
Seketika aku terkesiap oleh pantulan sinar matahari senja
Menyirami kubah-kubah istana

181

mengapa sinar matahari berwarna perak, jingga, dan biru?
Sebuah keindahan yang asing

Di istana surga
Dahan-dahan pohon ara menjalar ke dalam kamar-kamar
    sunyi yang bertingkat-tingkat
Gelas-gelas kristal berdenting dialiri air zamzam
menebarkan rasa kesejukan

Bunga petunia ditanam di dalam pot-pot kayu
Pot-pot itu digantungkan pada kosen-kosen jendela tua ber-
    warna biru
Di beranda, lampu-lampu kecil disembunyikan di balik
    tilam, indah sekali
Sinarnya memancarkan kedamaian
Tembus membelah perdu-perdu di halaman

Surga begitu sepi
Tapi aku ingin tetap di sini
Karena kuingat janjimu Tuhan
Kalau aku datang dengan berjalan
ENGKAU akan menjemputku dengan berlari-lari

Dengan puisi ini, untuk pertama kalinya aku men-
dapat nilai kesenian yang sedikit lebih baik dari nilai Mahar,
tapi hal itu hanya terjadi sekali itu saja. Puisiku ini membuk-
tikan bahwa karya seni yang baik, setidaknya baik bagi Bu
Mus, adalah karya seni yang jujur. Namun, aku punya cerita

yang panjang dan kurasa cukup penting mengapa kali ini Mahar tidak mendapatkan nilai kesenian tertinggi seperti biasanya. Semua itu gara-gara sekawanan burung hebat nan misterius yang dinamai orang-orang Belitong sebagai burung pelintang pulau.

Nama burung pelintang pulau selalu menarik perhatian siapa saja, di mana saja, terutama di pesisir. Sebagian orang malah menganggap burung ini semacam makhluk gaib. Nama burung ini mampu menggetarkan nurani orang-orang pesisir sehubungan dengan nilai-nilai mitos dan pesan yang dibawanya.

Burung pelintang pulau amat asing. Para pencinta burung lokal dan orang-orang pesisir hanya memiliki pengetahuan yang amat minim mengenai burung ini. Di mana habitatnya, bagaimana rupa dan ukuran aslinya, dan apa makanannya, selalu jadi polemik. Hanya segelintir orang yang sedang beruntung saja pernah melihatnya langsung. Burung ini tak pernah tertangkap hidup-hidup. Kerahasiaan burung ini adalah konsekuensi dari kebiasaannya.

Nama pelintang pulau adalah cerminan kebiasaan burung ini terbang sangat kencang dan jauh tinggi melintang (melintasi) pulau demi pulau. Mereka hanya singgah sebentar dan selalu hinggap di puncak tertinggi dari pohon-pohon yang tingginya puluhan meter seperti pohon medang dan tanjung. Singgahnya pun tak pernah lama, tidak untuk makan apa pun. Mereka sangat liar, tidak mungkin bisa didekati.

Setelah hinggap sebentar dengan kawanan lima atau enam ekor mereka terburu-buru terbang dengan kencang ke arah yang sama sekali tak dapat diduga. Banyak orang yang percaya bahwa mereka hidup di pulau-pulau kecil yang tak dihuni manusia. Sementara mitos lain mengatakan bahwa burung-burung ini hanya hinggap sekali saja pada sebuah kanopi di setiap pulau. Mereka menghabiskan sebagian besar hidupnya terbang tinggi di angkasa, melintas dari satu pulau ke pulau lain yang berjumlah puluhan di perairan Belitong.

Orang-orang Melayu pesisir percaya bahwa jika burung ini singgah di kampung maka pertanda di laut sedang terjadi badai hebat atau angin puting beliung. Sering sekali kehadirannya membatalkan niat nelayan yang akan melaut. Tapi ada penjelasan logis untuk pesan ini, yaitu jika mereka memang tinggal di pulau terpencil maka badai laut akan menyapu pulau tersebut dan saat itulah mereka menghindar menuju pesisir lain.

Burung yang konon sangat cantik dengan dominasi warna biru dan kuning ini berukuran seperti burung bayan. Tapi aku agak kurang setuju dengan pendapat itu. Aku setuju dengan warnanya, tapi ukurannya pasti jauh lebih besar, karena saksi mata melihatnya bertengger puluhan meter darinya sehingga akan tampak lebih kecil. Perkiraanku burung itu paling tidak berpenampilan seperti burung rawe yang beringas atau peregam segagah rajawali. Demikianlah burung pelintang pulau, semakin misterius keberadaannya, semakin legendaris ceritanya. Mungkinkah burung ini belum terpetakan oleh para ahli ornitologi?

Namun, burung apa pun itu, ketika melakukan semacam penelitian untuk membuat tugas kesenian yang ia putuskan akan berupa lukisan, Mahar mengaku melihat burung pelintang pulau nun jauh tinggi berayun-ayun di pucuk-pucuk meranti. Ia pontang-panting menuju tenda untuk memberitahukan apa yang baru saja dilihatnya, dan kami pun menghambur masuk ke hutan untuk menyaksikan salah satu spesies paling langka kekayaan fauna pulau Belitong itu. Sayangnya yang kami saksikan hanya dahan-dahan yang kosong, beberapa ekor anak lutung yang masih berwarna kuning, dan langit hampa yang luas menyilaukan. Mahar menjebak dirinya sendiri. Maka, seperti biasa, mengalirlah ejekan untuk Mahar.

"Kalau makan buah bintang kebanyakan, manisnya memang dapat membuat orang mabuk, Har, pandangan kabur, dan mulut melantur," Samson menarik pelatuk dan penghujatan pun dimulai.

"Sungguh Son, yang kulihat tadi burung pelintang pulau kawanan lima ekor."

"Dalam laut dapat kukira, dalamnya dusta siapa sangka," dengan rima pantun yang sederhana Kucai menohok Mahar tanpa perasaan.

Keputusasaan terpancar di wajah Mahar yang tanpa dosa, matanya mencari-cari dari dahan ke dahan. Aku iba melihatnya, dengan cara apa aku dapat membelanya? Tanpa saksi yang menguatkan, posisinya tak berdaya.

Kulihat dalam-dalam mata Mahar dan aku yakin yang baru saja dilihatnya memang burung-burung keramat itu. Ah! Beruntung sekali. Sayangnya upaya Mahar meyakinkan kami sia-sia karena reputasinya sendiri yang senang membual. Itulah susahnya jadi pembual, sekali mengajukan kebenaran hakiki di antara seribu macam dusta, orang hanya akan menganggap kebenaran itu sebagai salah satu dari buah kebohongan lainnya.

"Mungkin yang kau lihat tadi burung ayam-ayam yang sengaja hinggap di dahan tepat di atasmu untuk mengencingi jambulmu itu," cela Kucai.

Tawa kami meledak menusuk perasaan Mahar. Burung ayam-ayaman tidak eksklusif, terdapat di mana-mana, dan senang bercanda di sepanjang saluran pembuangan pasar ikan. Perut-perut ikan adalah caviar bagi mereka. Burung itu selalu digunakan orang Melayu sebagai perlambang untuk menghina. Belum reda tawa kami Sahara berusaha menyadarkan kesesatan Mahar.

"Jangan kaucampuradukkan imajinasi dan dusta, Kawan. Tak tahukah engkau, kebohongan adalah pantangan kita, larangan itu bertalu-talu disebutkan dalam buku *Budi Pekerti Muhammadiyah*."

Trapani mencoba sedikit berlogika, "Barangkali kau salah lihat, Har. Keluarga Lintang saja yang sudah empat turunan tinggal di pesisir tak pernah sekalipun melihat burung itu apa lagi kita yang baru berkemah dua hari."

Masuk akal juga, tapi nasib orang siapa tahu?

Situasi makin kacau ketika sore itu berita kunjungan burung pelintang pulau menyebar ke kampung dan beberapa nelayan batal melaut. Ibu Mus tak enak hati tapi tak mengerti bagaimana menetralisasi suasana. Mahar semakin terpojok dan merasa bersalah. Namun percaya atau tidak, malamnya angin bertiup sangat kencang mengobrak-abrik tenda kami. Beberapa batang pohon cemara tumbang. Di laut kami melihat petir menyambar-nyambar dengan dahsyat dan awan hitam di atasnya bergulung-gulung mengerikan. Kami lari terbirit-birit mencari perlindungan ke rumah penduduk.

"Mungkin yang kau lihat tadi sore benar-benar burung pelintang pulau, Har," kata Syahdan gemetar.

Mahar diam saja. Aku tahu kata "mungkin" itu tidak tepat. Bagaimanapun juga badai ini sedikit banyak memihak ceritanya, mengurangi rasa bersalahnya, dan dapat menghindarkannya dari cap pembual, apalagi esoknya para nelayan berterima kasih padanya. Namun, ternyata temannya masih meragukannya dengan menggunakan kata "mungkin", padahal tenda kami sudah hancur lebur diaduk-aduk badai. Rasa tersinggungnya tidak berkurang sedikit pun. Pada tingkat ini dia sudah merasa dirinya seorang *persona non grata*, orang yang tak disukai.

Demikianlah dari waktu ke waktu kami selalu memperlakukan Mahar tanpa perasaan. Kami lebih melihatnya sebagai seorang bohemian yang aneh. Kami dibutakan tabiat orang pada umumnya, yaitu menganggap diri paling baik, tidak mau mengakui keunggulan orang, dan mencari-

187

cari kekurangan orang lain untuk menutupi ketidakbecusan diri sendiri.

Kami jarang sekali ingin secara objektif membuka mata melihat bakat seni hebat yang dimiliki Mahar dan bagaimana bakat itu berkembang secara alami dengan menakjubkan. Namun, tak mengapa, lihatlah sebentar lagi, seluruh ketidakadilan selama beberapa tahun ini akan segera dibalas tuntas olehnya dengan setimpal. Cerita akan semakin seru!

Besoknya Mahar membuat lukisan berjudul "Kawan-an Burung Pelintang Pulau". Sebuah tema yang menarik. Lukisan itu berupa lima ekor burung yang tak jelas bentuknya melaju secepat kilat menembus celah-celah pucuk pohon meranti. Latar belakangnya adalah gumpalan awan kelam yang memancing badai hebat. Hamparan laut dilukis biru gelap dan permukaannya berkilat-kilat memantulkan cahaya halilintar di atasnya.

Kelima ekor burung itu hanya ditampakkan berupa serpihan-serpihan warna hijau dan kuning dengan ilustrasi tak jelas, seperti sesuatu yang berkelebat sangat cepat. Jika dilihat sepintas, memang masih terlihat samar-samar seperti lima kawanan burung tapi kesan seluruhnya adalah seperti sambaran petir berwarna-warni. Sebuah lukisan penuh daya mitos yang menggetarkan.

Dengan kekuatan imajinasinya, Mahar berusaha mengabadikan sifat-sifat misterius burung ini. Yang ada dalam pemikiran di balik lukisannya bukanlah bentuk anatomis burung pelintang pulau tapi representasi sebuah legenda

magis, sifat-sifat alami burung pelintang pulau yang feno-
menal, keterbatasan pengetahuan kita tentang mereka, kar-
akternya yang suka menjauhi manusia, dan mitos-mitos
ganjil yang menggerayangi setiap kepala orang pesisir.

Lukisan Mahar sesungguhnya merupakan sebuah kar-
ya hebat yang memiliki nyawa, mengandung ribuan kisah,
menantang keyakinan, dan mampu menggugah perasaan.
Namun, Mahar tetaplah anak kecil dengan keterbatasan
kosa kata untuk menjelaskan maksudnya. Ia kesulitan me-
nemukan orang yang dapat memahaminya, dan lebih dari
itu, ia juga seniman yang bekerja berdasarkan suasana hati.
Maka ketika Samson, Syahdan, dan Sahara berpendapat
bahwa bentuk burung yang tak jelas karena Mahar sebenar-
nya tak pernah melihatnya, Mahar kembali tenggelam da-
lam sarkasme, *mood*-nya rusak berantakan.

Inilah kenyataan pahit dunia nyata. Begitu banyak
seniman bagus yang hidup di antara orang-orang buta seni.
Lingkungan umumnya tak memahami mereka dan lebih
parah lagi, tanpa beban berani memberi komentar seenak
udelnya. Ketika Mahar sudah berpikir dalam tataran imaji-
nasi, simbol, dan substansi, Samson, Syahdan, dan Sahara
masih berpikir harfiah. Kasihan Mahar, seniman besar kami
yang sering dilecehkan.

Karena kecewa sebab karyanya dianggap tak jujur,
Mahar setengah hati menyerahkan karyanya kepada Bu
Mus sehingga terlambat. Inilah yang menyebabkan nilai
Mahar agak berkurang sedikit. Yaitu karena melanggar tata

tertib batas penyerahan tugas, bukan karena pertimbangan artistik. Ironis memang.

"Kali ini Ibunda tidak memberimu nilai terbaik untuk mendidikmu sendiri," kata Bu Mus dengan bijak pada Mahar yang cuek saja.

"Bukan karena karyamu tidak bermutu, tapi dalam bekerja apa pun kita harus memiliki disiplin."

Aku rasa pandangan ini cukup adil. Sebaliknya, aku dan kami sekelas tidak menganggap keunggulanku dalam nilai kesenian sebagai momentum lahirnya seniman baru di kelas kami. Seniman besar kami tetap Mahar, *the one and only*.

Adapun Mahar yang nyentrik sama sekali tidak peduli. Ia tak ambil pusing mengenai bagaimana karya-karya seninya dinilai dalam skala angka-angka, apalagi sekarang ia sedang sibuk. Ia sedang berusaha keras memikirkan konsep seni untuk karnaval 17 Agustus.

Bab 17
Ada Cinta
di Toko Kelontong Bobrok Itu

MEMANG menyenangkan menginjak remaja. Di sekolah, mata pelajaran mulai terasa bermanfaat. Misalnya pelajaran membuat telur asin, menyemai biji sawi, membedah perut kodok, keterampilan menyulam, menata janur, membuat pupuk dari kotoran hewan, dan praktik memasak. Konon di Jepang pada tingkat ini para siswa telah belajar semikonduktor, sudah bisa menjelaskan perbedaan antara istilah analog dan digital, sudah belajar membuat animasi, belajar *software development*, serta praktik merakit robot.

Tak mengapa, lebih dari itu kami mulai terbata-bata berbahasa Inggris: *good this, good that, excuse me, I beg your pardon,* dan *I am fine thank you.* Tugas yang paling menyenangkan adalah belajar menerjemahkan lagu. Lagu lama "Have I Told You Lately That I Love You" ternyata mengandung arti yang aduhai. Dengarlah lagu penuh pesona cinta ini. Bermacam-macam vokalis kelas satu telah membawakannya termasuk pria *midland* bersuara serak: Mr. Rod Stewart. Tapi sedapat mungkin dengarlah versi Kenny Rogers dalam album *Vote For Love Volume 1*. Lagu cantik itu ada di trek pertama.

Syair lagu itu kira-kira bercerita tentang seorang anak muda yang benci sekali jika disuruh gurunya membeli kapur tulis, sampai pada suatu hari ketika ia berangkat dengan jengkel untuk membeli kapur tersebut, tanpa disadarinya, nasib telah menunggunya di pasar ikan dan menyergapnya tanpa ampun.

Membeli kapur adalah salah satu tugas kelas yang paling tidak menyenangkan. Pekerjaan lain yang amat kami benci adalah menyiram bunga. Beragam familia pakis mulai dari kembang tanduk rusa sampai puluhan pot suplir kesayangan Bu Mus serta rupa-rupa kaktus topi uskup, *Parodia*, dan *Mammillaria* harus diperlakukan dengan sopan seperti porselen mahal dari Tiongkok. Belum lagi deretan panjang pot amarilis, kalimatis, azalea, nanas sabrang, *Calathea, Stromanthe, Abutilon*, kalmus, damar kamar, dan anggrek *Dendrobium* dengan berbagai variannya. Berlaku semena-mena terhadap bunga-bunga ini merupakan pelanggaran serius.

"Ini adalah bagian dari pendidikan!" pesan Bu Mus serius.

Masalahnya adalah, mengambil air dari dalam sumur di belakang sekolah merupakan pekerjaan kuli kasar. Selain harus mengisi penuh dua buah kaleng cat 15 kilogram dan pontang-panting memikulnya, sumur tua yang angker itu sangat mengerikan. Sumur itu hitam, berlumut, gelap, dan menakutkan. Diameternya kecil, dasarnya tak kelihatan saking dalamnya, seolah tersambung ke dunia lain, ke sarang makhluk jadi-jadian. Beban hidup terasa berat sekali jika pagi-pagi sekali harus menimba air dan menunduk ke dalam sumur itu.

Hanya ketika menyirami bunga *stripped canna beauty* aku merasa sedikit terhibur. Ah, indahnya bunga yang semula tumbuh liar di bukit-bukit lembap di Brazil ini. Masih dalam familia *Apocynaceae* maka agak sedikit mirip dengan alamanda tapi strip-strip putih pada bunganya yang berwarna kuning adalah daya tarik tersendiri yang tak dimiliki jenis *canna* lain. Daun hijaunya yang menjulur gemuk-gemuk kontras dengan gradasi warna kuntum bunga sepanjang musim, menghadirkan pesona keindahan purba. Orang Parsi menyebutnya bunga surga. Jika ia merekah maka dunia tersenyum. Ia adalah bunga yang emosional, maka menyiramnya harus berhati-hati. Tidak semua orang dapat menumbuhkannya. Konon hanya mereka yang bertangan dingin, berhati lembut putih bersih yang mampu membiakkannya, ialah Bu Muslimah, guru kami.

Kami memiliki beberapa pot *stripped canna beauty* dan sepakat menempatkannya pada posisi yang terhormat di antara tanaman-tanaman kerdil nan cantik *Peperomia*,

daun picisan, sekulen, dan *Ardisia*. Ketika tiba musim ber-
semi bersamaan, maka tersaji sebuah pemandangan seperti
kue lapis di dalam nampan.

Aku selalu tergesa-gesa menyirami bunga biar tugas
itu cepat selesai, namun jika tiba pada bagian *canna* itu
dan para tetangganya tadi, aku berusaha setenang-tenang-
nya. Aku menikmati suatu lamunan, menduga-duga apa
yang dibayangkan orang jika berada di tengah-tengah surga
kecil ini. Apakah mereka merasa sedang berada di taman
Jurassic?

Aku melihat sekeliling kebun bunga kecil kami. Letak-
nya persis di depan kantor kepala sekolah. Ada jalan kecil
dari batu-batu persegi empat menuju kebun ini. Di sisi kiri
kanan jalan itu melimpah ruah *Monstera*, *Nolina*, *Violces*,
kacang polong, cemara udang, keladi, *begonia*, dan aster
yang tumbuh tinggi-tinggi serta tak perlu disiram. Bunga-
bunga ini tak teratur, kaya raya akan nektar, berdesak-
desakan dengan bunga berwarna menyala yang tak dike-
nal, bermacam-macam rumput liar, kerasak, dan semak
ilalang.

Secara umum kebun bunga kami mengesankan taman
yang dirawat sekaligus kebun yang tak terpelihara, dan hal
ini justru secara tak sengaja menghadirkan paduan yang
menarik hati. Latar belakang kebun itu adalah sekolah kami
yang doyong, seperti bangunan kosong tak dihuni yang
dilupakan zaman. Semuanya memperkuat kesan sebuah
paradiso liar, keeksotisan tropika.

Lalu merambat pada tiang lonceng adalah dahan jalar labu air. Seperti tangan raksasa ia menggerayangi dinding papan pelepak sekolah kami, tak terbendung menjangkau-jangkau atap sirap yang terlepas dari pakunya. Sebagian dahannya merambati pohon jambu mawar dan delima yang meneduhi atap kantor itu. Cabang-cabang buah muda labu air terkulai di depan jendela kantor sehingga dapat dijang-kau tangan. Burung-burung gelatik rajin bergelantungan di situ. Sepanjang pagi tempat itu riuh rendah oleh suara kumbang dan lebah madu. Jika aku memusatkan pende-ngaran pada dengungan ribuan lebah madu itu, lama-kelamaan tubuhku seakan kehilangan daya berat, meng-apung di udara. Itulah kebun sekolah Muhammadiyah, in-dah dalam ketidakteraturan, seperti lukisan Kandinsky. Ka-lau bukan gara-gara sumur sarang jin yang horor itu, peker-jaan menyiram bunga seharusnya bisa menjadi tugas yang menyenangkan.

Namun, tugas membeli kapur adalah pekerjaan yang jauh lebih horor. Toko Sinar Harapan, pemasok kapur satu-satunya di Belitong Timur, amat jauh letaknya. Sesampai-nya di sana—di sebuah toko yang sesak di kawasan kumuh pasar ikan yang becek—jika perut tidak kuat, siapa pun akan muntah karena bau lobak asin, tauco, kanji, kerupuk udang, ikan teri, asam jawa, air tahu, terasi, kembang kol, pedak cumi, jengkol, dan kacang merah yang ditelantarkan di dalam baskom-baskom karatan di depan toko.

Jika berani masuk ke dalam toko, bau itu akan ber-campur dengan bau plastik bungkus mainan anak-anak, aroma kapur barus yang membuat mata berair, bau cat minyak, bau gaharu, bau sabun colek, bau obat nyamuk, bau ban dalam sepeda yang bergelantungan di sembarang tempat di seantero toko, dan bau tembakau lapuk di atas rak-rak besi yang telah bertahun-tahun tak laku dijual.

Dagangan yang tak laku ini tidak dibuang karena pemiliknya menderita suatu gejala psikologis yang disebut *hoarding,* sakit gila no. 28, yaitu hobi aneh mengumpulkan barang-barang rongsokan tak berguna tapi sayang dibuang. Seluruh akumulasi bau tengik itu masih ditambah lagi dengan aroma keringat kuli-kuli panggul yang petantang-petenteng membawa gancu, ingar-bingar dengan bahasanya sendiri, dan lalu-lalang seenaknya memanggul karung tepung terigu.

Belum seberapa, pusat bau busuk yang sesungguhnya berada di los pasar ikan yang bersebelahan langsung dengan Toko Sinar Harapan. Di sini ikan hiu dan pari disangkutkan pada cantolan paku dengan cara menusukkan banar mulai dari insang sampai ke mulut binatang malang itu, sebuah pemandangan yang mengerikan. Bau amis darah menyebar ke seluruh sudut pasar. Perut-perut ikan dibiarkan bertumpuk-tumpuk di sepanjang meja, berjejal tumpah berserakan di lantai yang tak pernah dibersihkan. Dan bau yang paling parah berasal dari makhluk-makhluk laut hampir busuk yang disimpan dalam peti-peti terbuka dengan es seadanya.

Pagi itu giliran aku dan Syahdan berangkat ke toko bobrok itu. Kami naik sepeda dan membuat perjanjian yang bersungguh-sungguh, bahwa saat berangkat ia akan memboncengku. Ia akan mengayuh sepeda setengah jalan sampai ke sebuah kuburan Tionghoa. Lalu aku akan menggantikannya mengayuh sampai ke pasar. Nanti pulangnya berlaku aturan yang sama. Suatu pengaturan tidak masuk akal yang dibuat oleh orang-orang frustrasi. Ditambah lagi satu syarat cerewet lainnya, yaitu setiap jalan menanjak kami harus turun dari sepeda lalu sepeda dituntun bergantian dengan jumlah langkah yang diperhitungkan secara teliti.

Tubuh Syahdan yang kecil terlonjak-lonjak di atas batang sepeda laki punya Pak Harfan saat ia bersusah payah mengayuh pedal. Sepeda itu terlalu besar untuknya sehingga tampak seperti kendaraan yang tak bisa ia kuasai, apalagi dibebani tubuhku di tempat duduk belakang. Namun, ia bertekad terus mengayuh sekuat tenaga. Siapa pun yang melihat pemandangan itu pasti prihatin sekaligus tertawa. Tapi suasana hatiku sedang tidak peka untuk segala bentuk komedi. Aku duduk di belakang, tak acuh pada kesusahannya.

"Turun dulu, Tuan Raja ...," Syahdan menggodaku ketika sepeda kami menanjak.

Ia ngos-ngosan, tapi tersenyum lebar dan membungkuk laksana seorang penjilat. Syahdan selalu riang menerima tugas apa pun, termasuk menyiram bunga, asalkan dirinya dapat menghindarkan diri dari pelajaran di kelas. Baginya acara pembelian kapur ini adalah piknik kecil-kecilan sambil melihat beragam kegiatan di pasar dan kesempatan mengobrol dengan beberapa wanita muda pujaannya. Aku turun dengan malas, dingin, tak tertarik

dengan kelakarnya, dan tak punya waktu untuk bertoleran-
si pada penderitaan pria kecil ini.

Kami sampai di sebuah Toapekong. Di depannya ada
bangunan rendah berbentuk seperti kue bulan dan di tengah
bangunan itu tertempel foto hitam putih wajah serius se-
orang nyonya yang disimpan dalam bidang yang ditutupi
kaca. Lelehan lilin merah berserakan di sekitarnya. Itulah
kuburan yang kumaksud tadi dalam perjanjian kami, maka
tibalah giliranku mengayuh sepeda.

Aku naiki sepeda itu tanpa selera, setengah hati, dan
sejak gelindingan roda yang pertama aku sudah memarahi
diriku sendiri, menyesali tugas ini, toko busuk itu, dan
pengaturan bodoh yang kami buat. Aku menggerutu karena
rantai sepeda reyot itu terlalu kencang sehingga berat untuk
aku mengayuhnya. Aku juga mengeluh karena hukum yang
tak pernah memihak orang kecil: sadel yang terlalu tinggi,
para koruptor yang bebas berkeliaran seperti ayam hutan,
Syahdan yang berat meskipun badannya kecil, dunia yang
tak pernah adil, dan baut dinamo sepeda yang longgar se-
hingga gir-nya menempel di ban akibatnya semakin berat
mengayuhnya dan menyalakan lampu sepeda di siang bo-
long ini persis kendaraan pembawa jenazah.

Syahdan duduk dengan penuh nikmat di tempat
duduk belakang sambil menyiulkan-nyiulkan lagu "Sema-
lam di Malaysia". Ia tak ambil pusing mendengar ocehanku,
peluh hampir masuk ke dalam kelopak matanya tapi wajah-
nya riang gembira tak alang kepalang.

Lalu kami memasuki wilayah bangunan permanen yang berderet-deret, berhadapan satu sama lain hampir beradu atap. Inilah jejeran toko kelontong dengan konsep menjual semua jenis barang. Sepeda kami meliuk-liuk di antara truk-truk raksasa yang diparkir seenaknya di depan warung-warung kopi. Di sana hiruk pikuk para karyawan rendahan PN Timah, pengangguran, bromocorah, pensiunan, pemulung besi, polisi pamong praja, kuli panggul, sopir mobil omprengan, para penjaga malam, dan pegawai negeri. Pembicaraan mereka selalu seru, tapi selalu tentang satu topik, yaitu memaki-maki pemerintah.

Setelah deretan warung kopi lalu berdiri hitam berminyak-minyak beberapa bengkel sepeda dan tenda-tenda pedagang kaki lima. Kelompok ini berada di sela-sela mobil omprengan dan para pedagang dadakan dari kampung yang menjual berbagai hasil bumi dalam keranjang-keranjang pempang. Pedagang kampung ini menjual beragam jenis rebung, umbi-umbian, pinang, sirih, kayu bakar, madu pahit, jeruk nipis, gaharu, dan pelanduk yang telah diasap. Bagian akhir pasar ini adalah meja-meja tua panjang, parit-parit kecil yang mampet, dan tong-tong besar untuk menampung jeroan ikan, sapi, dan ayam. Baunya membuat perut mual. Inilah pasar ikan.

Pasar ini sengaja ditempatkan di tepi sungai dengan maksud seluruh limbahnya, termasuk limbah pasar ikan, dapat dengan mudah dilungsurkan ke sungai. Tapi pasar ini berada di dataran rendah. Akibatnya jika laut pasang tinggi sungai akan menghanyutkan kembali gunungan sampah organik itu menuju lorong-lorong sempit pasar. Lalu ketika air surut sampah itu tersangkut pada kaki-kaki meja, tumpukan kaleng, pagar-pagar yang telah patah, pangkal-pangkal pohon seri, dan tiang-tiang kayu yang centang pe-renang. Demikianlah pasar kami, hasil karya perencanaan kota yang canggih dari para arsitek Melayu yang paling kampungan. Tidak dekaden tapi kacau-balau bukan main.

Toko Sinar Harapan terletak sangat strategis di tengah pusaran bau busuk. Ia berada di antara para pedagang kaki lima, bengkel sepeda, mobil-mobil omprengan, dan pasar ikan.

Pembelian sekotak kapur adalah transaksi yang tak penting sehingga pembelinya harus menunggu sampai ju-ragan toko selesai melayani sekelompok pria dan wanita yang menutup kepalanya dengan sarung dan berpakaian dengan dominasi warna kuning, hijau, dan merah. Di se-kujur tubuh wanita-wanita ini bertaburan perhiasan emas—asli maupun imitasi, perak, dan kuningan yang sangat men-colok.

Mereka tidak tertarik untuk berbasa-basi dengan orang-orang Melayu di sekelilingnya. Mereka hanya berbi-cara sesama mereka sendiri atau sedikit bicara dengan Bang Sad atau "bangsat". Itulah panggilan untuk Bang Arsyad, orang Melayu, tangan kanan A Miauw sang juragan Toko Sinar Harapan, karena kadang-kadang tabiat Bang Sad tak jauh dari namanya. Pria-pria bersarung ini berbicara sangat cepat dengan nada yang bereskalasi harmonis naik turun dalam *band* yang lebar, maka akan terdengar persis pola akumulatif suara ombak menghempas pantai, suatu lingua yang sangat cantik.

A Miauw sendiri adalah sesosok teror. Pria yang sok mendapat hoki ini sangat berlagak bagai bos. Tubuhnya gendut dan ia selalu memakai kaus kutang, celana pendek, dan sandal jepit. Di tangannya tak pernah lepas sebuah buku kecil panjang bersampul motif batik, buku utang. Pensil terselip di daun telinganya yang berdaging seperti bakso dan di atas mejanya ada sempoa besar yang jika dimainkan bunyinya mampu merisaukan pikiran.

Tokonya lebih cocok jika disebut gudang rabat. Ratusan jenis barang bertumpuk-tumpuk mencapai plafon di dalam ruangan kecil yang sesak. Selain berbagai jenis sayur, buah, dan makanan di dalam baskom-baskom karatan tadi, toko ini juga menjual sajadah, asinan kedondong dalam stoples-stoples tua, pita mesin tik, dan cat besi dengan bonus kalender wanita berpakaian seadanya. Di dalam sebuah bufet kaca panjang dipajang bedak kerang pemutih wajah murahan, tawas, mercon, peluru senapan angin, racun tikus, kembang api, dan antena TV. Jika kita terburu-buru membeli obat diare cap kupu-kupu, maka jangan harap A Miauw dapat segera menemukannya. Kadang-kadang ia sendiri tak tahu di mana puyer itu disimpan. Ia seperti tertimbun dagangan dan tenggelam di tengah pusaran barang-barang kelontong.

"Kiak-kiak!"

A Miauw memanggil tak sabar, dan Bang Sad tergopoh-gopoh menghampirinya.

"Magai di Manggara masempo linna?"

Orang-orang bersarung keberatan ketika mengamati harga kaus lampu petromaks. Di Manggar lebih murah kata mereka.

"Kito lui, ba? Ngape de Manggar harge e lebe mura?"

Bang Sad menyampaikan keluhan itu pada juragannya, dalam bahasa Kek campur Melayu.

Aku sudah muak di dalam toko bau ini tapi sedikit terhibur dengan percakapan tersebut. Aku baru saja menyaksikan bagaimana kompleksitas perbedaan budaya dalam komunitas kami didemonstrasikan. Tiga orang pria dari akar etnik yang sama sekali berbeda berkomunikasi dengan tiga macam bahasa ibu masing-masing, campur aduk.

Orang-orang yang berjiwa penuh prasangka akan menduga A Miauw sengaja merekayasa konfigurasi komunikasi seperti itu untuk keuntungannya sendiri, namun mari kugambarkan sedikit kepribadian A Miauw. Ia memang pria congkak dengan intonasi bicara tak enak didengar, wajahnya juga seperti orang yang selalu ingin memerintah, katakatanya tidak bersahabat, dan badannya bau tengik bawang putih, tapi ia adalah seorang Kong Hu Cu yang taat dan dalam hal berniaga ia jujur tak ada bandingnya.

Maka dalam harmoni masyarakat kami, warga Tionghoa adalah pedagang yang efisien. Adapun para produsen berada di negeri antah berantah, mereka hanya kami kenal melalui tulisan *made in...* yang tertera di buntut-buntut panci. Orang-orang Melayu adalah kaum konsumen yang semakin miskin justru semakin konsumtif. Sedangkan orang-orang pulau berkerudung tadi adalah para pembuka lapangan kerja musiman bagi warga suku Sawang yang memanggul belanjaan mereka.

"Segere! Siun! Siun!" hardik tiga orang Sawang, kuli panggul, yang numpang lewat, membuyarkan lamunanku. Mereka adalah kawan yang telah lama kukenal. Dolen, Baset, dan Kunyit, begitulah nama mereka. Agaknya urusan A Miauw dengan orang-orang berkerudung itu telah selesai dan sekarang masuklah ia ke transaksi kapur.

"Aya…ya…, Muhammadiyah! Kapur tulis!" keluh A Miauw menarik napas panjang, seolah kami hanya akan merusak hokinya.

Acara pembelian kapur adalah rutin dan sama. Setelah menunggu sekian lama sampai hampir pingsan di dalam toko bau itu, A Miauw akan berteriak nyaring memerintah-kan seseorang mengambil sekotak kapur. Lalu dari ruang belakang akan terdengar teriakan jawaban dari seseorang—yang selalu kuduga seorang gadis kecil—yang juga berbicara nyaring, lantang, dan cepat seperti kicauan burung murai batu.

Kotak kapur dikeluarkan melalui sebuah lubang kecil persegi empat seperti kandang burung merpati. Yang terlihat hanya sebuah tangan halus, sebelah kanan, yang sangat putih bersih, menjulurkan kotak kapur melalui lubang itu. Wajah pemilik tangan ini adalah misterius, sang burung murai batu tadi, tersembunyi di balik dinding papan yang membatasi ruangan tengah toko dengan gudang barang dagangan di belakang. Sang misteri ini tidak pernah bicara sepatah kata pun padaku. Ia menjulurkan kotak kapur dengan tergesa-gesa dan menarik tangannya cepat-cepat seperti orang mengumpankan daging ke kandang macan. Demikianlah berlangsung bertahun-tahun, prosedurnya tetap, itu-itu saja, tak berubah.

Jika tangannya menjulur tak kulihat ada cincin di jari-jemarinya yang lentik, halus, panjang-panjang, dan ramping, namun *siuk a*, gelang giok indah berwarna hijau tampak berkarakter dan melingkar garang pada pergelangan tangannya yang ditumbuhi bulu-bulu halus. Dalam hatiku, jika aku berani macam-macam pastilah jemarinya secepat patukan bangau menusuk kedua bola mataku dengan gerakan kuntau yang tak terlihat. Mungkin pula gelang giok yang selalu membuatku segan itu diwarisinya dari kakeknya, seorang suhu sakti, yang mendapatkan gelang itu dari mulut seekor naga setelah naga itu dibinasakan dalam pertarungan dahsyat untuk merebut hati neneknya. Ah! Kiranya aku terlalu banyak nonton film shaolin.

Namun, tahukah Anda? Di balik kesan yang garang itu, di ujung jari-jemari lentik si misterius ini tertanam paras-paras kuku nan indah luar biasa, terawat amat baik, dan sangat memesona, jauh lebih memesona dibanding gelang giok tadi. Tak pernah kulihat kuku orang Melayu seindah itu, apalagi kuku orang Sawang. Ia tak pernah memakai kuteks. Aliran urat-urat halus berwarna merah tersembunyi samar-samar di dalam kukunya yang saking halus dan putihnya sampai tampak transparan. Ujung-ujung kuku itu dipotong dengan presisi yang mengagumkan dalam bentuk seperti bulan sabit sehingga membentuk harmoni pada kelima jarinya.

Permukaan kulit di seputar kukunya sangat rapi, menandakan perawatan intensif dengan merendamnya lama-lama di dalam bejana yang berisi air hangat dan pucuk-pucuk daun kenanga. Ketika memanjang, kuku-kuku itu bergerak maju ke depan dengan bentuk menunduk dan menguncup, semakin indah seperti batu-batu kecubung dari Martapura, atau lebih tepatnya seperti batu kinyang air muda kebiru-biruan yang tersembunyi di kedalaman dasar Sungai Mirang. Amat berbeda dengan kuku Sahara yang jika memanjang ia akan melebar dan makin lama semakin menganga, persis seperti mata pacul.

Dan yang tercantik dari yang paling cantik adalah kuku jari manisnya. Ia memperlihatkan seni perawatan kuku tingkat tinggi melalui potongan pendek natural dengan tepian kuku berwarna kulit yang klasik. Tak berlebihan jika kukatakan bahwa paras kuku jari manis nona misterius ini laksana batu merah delima yang terindah di antara tumpukan harta karun raja brana yang tak ternilai harganya.

Aku sudah terlalu sering mendapatkan tugas membeli kapur yang menjengkelkan ini, sudah puluhan kali. Satu-satunya penghiburan dari tugas horor ini adalah kesempatan menyaksikan sekilas kuku-kuku itu lalu menertawakan bagaimana kontrasnya kuku-kuku zamrud khatulistiwa tersebut dibanding potongan-potongan kecil terasi busuk di seantero toko bobrok ini. Karena terlalu sering,

205

aku jadi hafal jadwal si nona misterius memotong kukunya: setiap hari Jumat, lima minggu sekali.

Demikianlah berlangsung selama beberapa tahun. Aku tak pernah sekali pun melihat wajah nona ini dan ia pun sama sekali tak berminat melihat bagaimana rupaku. Bahkan setiap kuucapkan kamsia setelah kuterima kotak kapurnya, ia juga tidak menjawab. Diam seribu bahasa. Nona penuh rahasia ini seperti pengejawantahan makhluk asing dari negeri antah berantah, dan ia dengan sangat konsisten menjaga jarak denganku. Tidak ada basa basi, tak ada ngobrol-ngobrol, tak ada buang-buang waktu untuk soal remeh-temeh, yang ada hanya bisnis!

Kadangkala aku penasaran ingin melihat bagaimana wajah pemilik kuku-kuku nirwana itu. Apakah wajahnya seindah kuku-kukunya? Apakah jari-jari tangan kirinya seindah jari-jari tangan kanannya? Atau ... apakah dia cuma punya satu tangan? Jangan-jangan dia tidak punya wajah! Tapi semua pikiran itu hanya di dalam hatiku saja. Tak ada niat sedikit pun untuk mengintip wajahnya. Mendapat kesempatan memandangi kuku-kukunya saja pun cukuplah untuk membuatku bahagia. Kawan, aku tidak termasuk dalam golongan pria-pria yang kurang ajar.

Biasanya setelah mengambil kapur, kami langsung pulang, A Miauw akan mencatat di buku utang dan nanti akan dilunasi Pak Harfan setiap akhir bulan. Kami tak berurusan dengan masalah keuangan, dan ketika kami berlalu, si juragan itu tak sedikit pun melirik kami. Ia menjentikkan dengan keras biji-biji sempoa seolah mengingatkan, "Utang kalian sudah menumpuk!"

Bagi A Miauw, kami adalah pelanggan yang tidak menguntungkan, alias merepotkan saja. Kalau sekali-kali Syahdan mendekatinya untuk meminjam pompa sepeda, ia akan meminjamkan pompa itu sambil mengomel meledak-ledak. Aku benci sekali melihat kaus kutangnya itu.

Sekarang sudah hampir tengah hari, udara semakin panas. Berada di tengah toko ini serasa direbus dalam panci sayur lodeh yang mendidih. Cuaca mendung tapi gerahnya tak terkira. Aku sudah tak tahan dan mau muntah. Untungnya A Miauw, seperti biasa, menjerit memerintahkan nona misterius agar menjulurkan kapur di kotak merpati. Dengan pandangan matanya yang sok kuasa, A Miauw memberiku isyarat untuk mengambil kapur itu.

Aku berjalan cepat melintasi karung-karung bawang putih tengik sambil menutup hidung. Aku bergegas agar tugas penuh siksaan ini segera selesai. Namun, tinggal beberapa langkah mencapai kotak merpati sekejap angin semilir yang sejuk berembus meniup telingaku—hanya sekejap saja. Saat itu tak kusadari bahwa sang nasib yang gaib menyelinap ke dalam toko bobrok itu, mengepungku, dan menyergapku tanpa ampun, karena tepat pada momen itu kudengar si nona berteriak keras mengejutkan:

"Haiyaaaaa…. !!!"

Bersamaan dengan teriakan itu terdengar suara puluhan batangan kapur jatuh di atas lantai ubin.

Rupanya si kuku cantik sembrono sehingga ia men-jatuhkan kotak kapur sebelum aku sempat mengambilnya. Maka kapur-kapur itu sekarang berserakan di lantai.

"Ah...," keluhku.

Agaknya aku harus merangkak-rangkak, memunguti kapur-kapur itu di sela-sela karung buah kemiri, meskipun kulitnya telah dikelupas, tapi buahnya masih basah sehingga berbau memusingkan kepala. Kuperlukan bantuan Syah-dan, namun kulihat ia sedang berbicara dengan putri tukang *hok lo pan* atau martabak terang bulan seperti orang men-ceritakan dirinya sedang banyak uang karena baru saja selesai menjual 15 ekor sapi. Aku tak mau mengganggu saat-saat gombalnya itu.

Maka apa boleh buat, kupunguti susah payah kapur-kapur itu. Sebagian kapur itu jatuh di bawah daun pintu terbuka yang dibatasi oleh tirai yang amat rapat, terbuat dari rangkaian keong-keong kecil. Aku tahu di balik tirai itu, sang nona itu juga memunguti kapur karena kudengar gerutuannya.

"Haiyaaa ... haiyaaa ...."

Ketika aku sampai pada kapur-kapur yang berserakan persis di bawah tirai itu, hatiku berkata pasti nona ini akan segera menutup pintu agar aku tidak punya kesempatan sedikit pun untuk melihat dia lebih dari melihat kukunya, namun yang terjadi kemudian sungguh di luar dugaan. Kejadiannya sangat mengejutkan, karena amat cepat, tanpa disangka sama sekali, si nona misterius justru tiba-tiba mem-buka tirai dan tindakan cerobohnya itu membuat wajah

kami yang sama-sama terperanjat hampir bersentuhan!!!
Kami beradu pandang dekat sekali ... dan suasana seketika
menjadi hening .... Mata kami bertatapan dengan perasaan
yang tak dapat kulukiskan dengan kata-kata. Kapur-kapur
yang telah ia kumpulkan terlepas dari genggamannya, jatuh
berserakan, sedangkan kapur-kapur yang ada di geng-
gamanku terasa dingin membeku seperti aku sedang men-
cengkeram batangan-batangan es lilin.

Saat itu aku merasa jarum detik seluruh jam yang
ada dunia ini berhenti berdetak. Semua gerakan alam ter-
sentak diam dipotret Tuhan dengan kamera raksasa dari
langit, *blitz*-nya membutakan, *flash*!!! Menyilaukan dan
membekukan. Aku terpana dan merasa seperti melayang,
mati suri, dan mau pingsan dalam ekstase. Aku tahu A
Miauw pasti sedang berteriak-teriak tapi aku tak mendengar
sepatah kata pun dan aku tahu persis bau busuk toko itu
semakin menjadi-jadi dalam udara pengap di bawah atap
seng, tapi pancaindraku telah mati. Aliran darah di sekujur
tubuhku menjadi dingin, jantungku berhenti berdetak se-
bentar kemudian berdegup kencang sekali dengan ritme
yang kacau seperti kode morse yang meletup-letupkan pe-
san SOS. Lebih dari itu aku menduga bahwa dia, si misterius
berkuku seindah pelangi, yang tertegun seperti patung
persis di depan hidungku ini, agaknya juga dilanda perasaan
yang sama.

"*Siun! Siun! Segere...!*" teriak kuli-kuli Sawang, ter-
dengar samar, menggema jauh berulang-ulang seperti di-

dengungkan di dalam gua yang panjang dan dalam, mereka memintaku minggir.

Tapi kami berdua masih terpaku pandang tanpa mampu berkata apa pun, lidahku terasa kelu, mulutku terkunci rapat—lebih tepatnya ternganga. Tak ada satu kata pun yang dapat terlaksana. Aku tak sanggup beranjak. Wanita ini memiliki aura yang melumpuhkan. Tatapan matanya itu mencengkeram hatiku.

Ia memiliki struktur wajah lonjong dengan air muka yang sangat menawan. Hidungnya kecil dan bangir. Garis wajahnya tirus dengan tatapan mata kharismatik menyejukkan sekaligus menguatkan hati, seperti tatapan wanita-wanita yang telah menjadi ibu suri. Jika menerima nasihat dari wanita bermata semacam ini, semangat pria mana pun akan berkobar.

Bajunya ketat dan bagus seperti akan berangkat kondangan, dengan dasar biru dan motif kembang *portlandica* kecil-kecil berwarna hijau muda menyala. Kerah baju itu memiliki kancing sebesar jari kelingking, tinggi sampai ke leher, merefleksikan keanggunan seorang wanita yang menjaga integritasnya dengan keras. Alisnya indah alami dan jarak antara alis dengan batas rambut di keningnya membentuk proporsi yang cantik memesona. Ia adalah lukisan Monalisa yang ditenggelamkan dalam danau yang dangkal dan dipandangi melalui terang cahaya bulan.

Seperti kebanyakan ras Mongoloid, tulang pipinya tidak menonjol, tapi bidang wajahnya, bangun bahunya, jenjang lehernya, potongan rambutnya, dan jatuh dagunya yang elegan menciptakan keseluruhan kesan dirinya benar-benar mirip Michelle Yeoh, bintang film Malaysia yang cantik itu. Maka terkuaklah rahasia yang tertutup rapi selama bertahun-tahun. Sang pemilik kuku-kuku indah itu ternyata seorang wanita muda yang cantik jelita dengan aura yang tak dapat dilukiskan dengan cara apa pun.

Kejadian ini membuat pipinya yang putih bersih tiba-tiba memerah dan matanya yang sipit bening seperti ingin menghamburkan air mata. Aku tahu bahwa selain sejuta perasaan tadi yang mungkin sama-sama melanda kami, ia juga merasakan malu tak terkira. Ia bangkit dengan cepat dan membanting pintu tanpa ampun. Ia tak peduli dengan kapur-kapur itu dan tak peduli padaku yang masih hilang dalam tempat dan waktu.

Suara keras bantingan pintu itu membuatku siuman dari sebuah pesona yang memabukkan dan menyadarkan aku bahwa aku telah jatuh cinta. Aku limbung, kepalaku pening, dan pandangan mataku berkunang-kunang karena syok berat. Beberapa waktu berlalu aku masih terduduk terbengong-bengong bertumpu di atas lututku yang gemetar. Aku mencoba mengatur napas dan darahku berdesir menyelusuri seluruh tubuhku yang berkeringat dingin. Aku baru saja dihantam secara dahsyat oleh cinta pertama pada pandangan yang paling pertama. Sebuah perasaan hebat luar biasa yang mungkin dirasakan manusia.

Aku berupaya keras bangun dan ketika aku menoleh ke belakang, orang-orang di sekelilingku, Syahdan yang menghampiriku, A Miauw yang menunjuk-nunjuk, orang-

211

orang bersarung yang pergi beriringan, dan kuli-kuli Sawang yang terhuyung-huyung karena beban pikulannya, mereka semuanya, seolah bergerak seperti dalam *slow motion*, demikian indah, demikian anggun. Bahkan para kuli panggul yang memikul karung jengkol tiba-tiba bergerak penuh wibawa, santun, lembut, dan berseni, seolah mereka sedang memeragakan busana Armani yang sangat mahal di atas *catwalk*.

Toko yang tadi berbau busuk memusingkan sekarang menjadi harum semerbak seperti minyak kesturi dalam botol-botol liliput yang dijual pria-pria berjanggut lebat seusai shalat Jumat. Syahdan yang gelap, kecil, dan jelek kelihatan tampan sekali seperti Nat King Cole. Sedangkan A Miauw tiba-tiba menjadi seorang tauke yang demikian ramah, peduli, dan memperlakukan semua pelanggan dengan adil tanpa membedakan. Ia tampak seperti seorang bandit yang memutuskan jadi padri.

Aku tak peduli lagi dengan kotak kapur yang isinya tinggal setengah. Aku berbalik meninggalkan toko dan merasa kehilangan seluruh bobot tubuh dan beban hidupku. Langkahku ringan laksana orang suci yang mampu berjalan di atas air. Aku menghampiri sepeda reyot Pak Harfan yang sekarang terlihat seperti sepeda keranjang baru. Aku dihinggapi semacam perasaan bahagia yang aneh, sebuah rasa bahagia bentuk lain yang belum pernah kualami sebelumnya. Rasa bahagia ini jauh melebihi ketika aku mendapat hadiah radio transistor 2-*band* dari ibuku sebagai upah mau disunat tempo hari.

Ketika mempersiapkan sepeda untuk pulang, aku mencuri pandang ke dalam toko. Kulihat dengan jelas Michelle Yeoh mengintipku dari balik tirai keong itu. Ia berlindung, tapi sama sekali tak menyembunyikan perasaannya. Aku kembali melayang menembus bintang gemerlapan, menari-nari di atas awan, menyanyikan lagu nostalgia "Have I Told You Lately That I Love You". Aku menoleh lagi ke belakang, di situ, di antara tumpukan kemiri basah yang tengik, kaleng-kaleng minyak tanah, dan karung-karung pedak cumi aku telah menemukan cinta.

Kutatap Syahdan dengan senyum terbaik yang aku miliki—ia membalas dengan pandangan aneh—lalu kuangkat tubuhnya yang kecil untuk mendudukkannya di atas sepeda. Aku ingin, dengan gembira, mengayuh sepeda itu, membonceng Syahdan, mengantarnya ke tempat-tempat di mana saja di jagat raya ini yang ia inginkan. Oh, inilah rupanya yang disebut mabuk kepayang!

Dalam perjalanan pulang, aku dengan sengaja melanggar perjanjian. Setelah kuburan Tionghoa aku tak meminta Syahdan menggantikanku, karena aku sedang bersukacita. Seluruh energi positif kosmis telah memberiku kekuatan ajaib. Semua terasa adil kalau sedang jatuh cinta. Cinta memang sering membuat perhitungan menjadi kacau. Sepanjang perjalanan aku bersiul dengan lagu yang tak jelas. Lagu tanpa harmoni, lagu yang belum pernah tercipta, karena yang menyanyi bukan mulutku, tapi hatiku. Jika sedang tak bersiul di telingaku tak henti-henti berkumandang lagu "All I Have to Do is Dream".

Seusai pelajaran aku dan Syahdan dipanggil Bu Mus untuk mempertanggungjawabkan kapur yang kurang. Aku diam mematung, tak mau berdusta, tak mau menjawab apa pun yang ditanyakan, dan tak mau membantah apa pun yang dituduhkan. Aku siap menerima hukuman seberat apa pun—termasuk jikalau harus mengambil ember yang kemarin dijatuhkan Trapani di sumur horor itu. Saat itu yang ada di pikiranku hanyalah Michelle Yeoh, Michelle Yeoh, dan Michelle Yeoh, serta detik-detik ketika cinta menyergapku tadi. Hukuman yang kejam hanya akan menambah sentimentil suasana romantis di mana aku rela masuk sumur maut dunia lain sebagai pahlawan cinta pertama .... Ah! Cinta ...

Benar saja hukumannya seperti kuduga. Sebelum turun ke dalam sumur sempat kulihat Bu Mus menginterogasi Syahdan yang mengangkat-angkat bahunya yang kecil, menggeleng-gelengkan kepalanya, dan menyilangkan jarinya di kening.

"Hah! Ia menuduhku sudah sinting ...?"

Bab 18
Moran

BARU kali ini Mahar menjadi penata artistik karnaval, dan karnaval ini tidak main-main, inilah peristiwa besar yang sangat penting, karnaval 17 Agustus. Sebenarnya guru-guru kami agak pesimis karena alasan klasik, yaitu biaya. Kami demikian miskin sehingga tak pernah punya cukup dana untuk membuat karnaval yang representatif. Para guru juga merasa malu karena parade kami kumuh dan itu-itu saja. Namun, ada sedikit harapan tahun ini. Harapan itu adalah Mahar.

Karnaval 17 Agustus sangat potensial untuk meningkatkan gengsi sekolah, sebab ada penilaian serius di sana. Ada kategori busana terbaik, peserta paling kreatif, kendaraan hias terbaik, parade paling megah, peserta paling serasi, dan yang paling bergengsi: penampil seni terbaik. Gengsi ini juga tak terlepas dari integritas para juri yang dipimpin oleh seorang seniman senior yang sudah kondang, Mbah Suro namanya. Mbah Suro adalah orang Jawa, ia seniman Yogyakarta yang hijrah ke Belitong karena idealisme berkeseniannya. Karena sangat idealis maka tentu saja Mbah Suro juga sangat melarat.

Seperti telah diduga siapa pun, seluruh kategori—mulai dari juara pertama sampai juara harapan ketiga—selalu diborong sekolah PN. Kadang-kadang sekolah negeri mendapat satu dua sisa juara harapan. Sekolah kampung tak pernah mendapat penghargaan apa pun karena memang tampil sangat apa adanya. Tak lebih dari penggembira.

Sekolah-sekolah negeri mampu menyewa pakaian adat lengkap sehingga tampil memesona. Sekolah-sekolah PN lebih keren lagi. Parade mereka berlapis-lapis, paling panjang, dan selalu berada di posisi paling strategis. Barisan terdepan adalah puluhan sepeda keranjang baru yang dihias berwarna-warni. Bukan hanya sepedanya, pengendaranya pun dihias dengan pakaian lucu. Lonceng sepeda dibunyikan dengan keras bersama-sama, sungguh semarak.

Pada lapisan kedua berjejer mobil-mobil hias yang didandani berbentuk perahu, pesawat terbang, helikopter, pesawat ulang alik Apollo, taman bunga, rumah adat Melayu, bahkan kapal keruk. Di atas mobil-mobil ini berkeliaran putri-putri kecil berpakaian putih bersih, bermahkota, dengan rok lebar seperti Cinderella. Putri-putri peri ini membawa tongkat berujung bintang, melambai-lambaikan tangan pada para penonton yang bersukacita dan melem-par-lemparkan permen.

Setelah parade mobil hias muncullah barisan para profesional, yaitu para murid yang berdandan sesuai dengan cita-cita mereka. Banyak di antara mereka yang berjubah putih, berkacamata tebal, dan mengalungkan stetoskop. Tentulah anak-anak ini nanti jika sudah besar ingin jadi dokter.

Ada juga para insinyur dengan pakaian *overall* dan berbagai alat, seperti *test pen*, obeng, dan berbagai jenis kunci. Beberapa siswa membawa buku-buku tebal, mikros-kop, dan teropong bintang karena ingin menjadi dosen, ilmuwan, dan astronom. Selebihnya berseragam pilot, pra-mugari, tentara, kapten kapal, dan polisi, gagah sekali. Gu-ru-gurunya—di bawah komando Ibu Frischa—tampak sa-ngat bangga, mengawal di depan, belakang, dan samping barisan, masing-masing membawa *handy talky*.

Setelah lapisan profesi tadi, muncul lapisan penghibur yang menarik. Inilah kelompok badut-badut, para pahlawan super seperti Superman, Batman, dan Captain America. Ba-lon-balon gas menyembul-nyembul dibawa oleh kurcaci dengan tali-tali setinggi tiang telepon. Dalam barisan ini juga banyak peserta yang memakai baju binatang, mereka menjadi kuda, laba-laba, ayam jago, atau ular-ular naga. Mereka menari-nari riang dengan koreografi yang menarik. Mereka juga bernyanyi-nyanyi sepanjang jalan, menden-dangkan lagu anak-anak yang riang. Yang paling menonjol dari penampilan kelompok ini adalah serombongan anak-

anak yang berjalan-jalan memakai egrang. Di antara mereka ada seorang anak perempuan dengan egrang paling tinggi melintas dengan tangkas tanpa terlihat takut akan jatuh. Dialah Flo, dan dia melangkah ke sana kemari sesuka hatinya tanpa aturan. Penata rombongan ini susah payah menertibkannya tapi ia tak peduli. Ayah ibunya tergopoh-gopoh mengikutinya, berteriak-teriak menyuruhnya berhati-hati. Flo berlari-lari kecil di atas egrang itu membuat kacau barisannya.

Penutup barisan karnaval sekolah PN adalah barisan *marching band*. Bagian yang paling aku sukai. Tiupan puluhan trombon laksana sangkakala hari kiamat dan dentuman timpani menggetarkan dadaku. *Marching band* sekolah PN memang bukan sembarangan. Mereka disponsori sepenuhnya oleh PN Timah. Koreografer, penata busana, dan penata musiknya didatangkan khusus dari Jakarta. Tidak kurang dari seratus lima puluh siswa terlibat dalam *marching band* ini, termasuk para *colour guard* yang atraktif. Tanpa *marching band* sekolah PN, karnaval 17 Agustus akan kehilangan jiwanya.

Puncak penampilan parade karnaval sekolah PN adalah saat barisan panjang *marching band* membentuk formasi dua kali putaran jajaran genjang sambil memberi penghormatan di depan podium kehormatan. Dengan penataan musik, koreografi, dan busana yang demikian luar biasa, *marching band* PN selalu menyabet juara pertama untuk kategori yang paling bergengsi tadi, yaitu Penampil Seni Terbaik. Kategori ini sangat menekankan konsep *performing art* dan

trofinya adalah idaman seluruh peserta. Sudah belasan ta-
hun terakhir, tak tergoyahkan, trofi tersebut terpajang abadi
di lemari prestisius lambang supremasi sekolah PN.

Podium kehormatan merupakan tempat terhormat
yang ditempati makhluk-makhluk terhormat, yaitu Kepala
Wilayah Operasi PN Timah, sekretarisnya, seseorang yang
selalu membawa *walkie talkie,* beberapa pejabat tinggi PN
Timah, Pak Camat, Pak Lurah, Kapolsek, Komandan Kodim,
para Kepala Desa, para tauke, Kepala Puskesmas, para Ke-
pala Dinas, Tuan Pos, Kepala Cabang Bank BRI, Kepala Suku
Sawang, dan kepala-kepala lainnya, beserta ibu. Podium
ini berada di tengah-tengah pasar dan di sanalah pusat pe-
nonton yang paling ramai. Masyarakat lebih suka menon-
ton di dekat podium daripada di pinggir-pinggir jalan, ka-
rena di podium para peserta diwajibkan beraksi, menunjuk-
kan kelebihan, dan mempertontonkan atraksi andalannya
sambil memberi penghormatan. Di sudut podium itulah
bercokol Mbah Suro dan para juri yang akan memberi pe-
nilaian.

Bagi sebagian warga Muhammadiyah, karnaval justru
pengalaman yang kurang menyenangkan, kalau tidak bisa
dibilang traumatis. Karnaval kami hanya terdiri atas serom-
bongan anak kecil berbaris banjar tiga, dipimpin oleh dua
orang siswa yang membawa spanduk lambang Muham-
madiyah yang terbuat dari kain belacu yang sudah lusuh.
Spanduk itu tergantung menyedihkan di antara dua buah
bambu kuning seadanya. Di belakangnya berbaris para sis-
wa yang memakai sarung, kopiah, dan baju takwa. Mereka

Andrea Hirata

melambangkan tokoh-tokoh Sarekat Islam dan pelopor Muhammadiyah tempo dulu.

Samson selalu berpakaian seperti penjaga pintu air. Tentu bukan karena setelah besar ia ingin jadi penjaga pintu air seperti ayahnya, tapi hanya itulah kostum karnaval yang ia punya. Sedangkan pakaian tetap Syahdan adalah pakaian nelayan, juga sesuai dengan profesi ayahnya. Adapun A Kiong selalu mengenakan baju seperti juru kunci penunggu gong sebuah perguruan shaolin.

Sebagian besar siswa memakai sepatu bot tinggi, baju kerja terusan, dan helm pengaman. Pakaian ini juga milik orangtuanya. Mereka memeragakan diri sebagai buruh kasar PN Timah. Beberapa orang yang tidak memiliki sepatu bot atau helm tetap nekat berparade memakai baju terusan. Jika ditanya, mereka mengatakan bahwa mereka adalah buruh timah yang sedang cuti.

Selebihnya memanggul setandan pisang, jagung, dan semanggar kelapa. Ada pula yang membawa cangkul, pancing, berbagai jerat tradisional, radio, ubi kayu, tempat sampah, dan gitar. Agar lebih dramatis Syahdan membawa sekarung pukat, Lintang meniup-niup peluit karena dia wasit sepak bola, sementara aku dan Trapani berlari ke sana kemari mengibas-ngibaskan bendera merah karena kami adalah hakim garis.

Beberapa siswa memikul kerangka besar tulang belulang ikan paus, membawa tanduk rusa, membalut dirinya dengan kulit buaya, dan menuntun beruk peliharaan—tak jelas apa maksudnya. Seorang siswa tampak berpakaian rapi, memakai sepatu hitam, celana panjang warna gelap, ikat pinggang besar, baju putih lengan panjang dan menenteng sebuah tas koper besar. Siswa ajaib ini adalah Harun. Tak jelas profesi apa yang diwakilinya. Di mataku dia tampak seperti orang yang diusir mertua.

Demikianlah karnaval kami setiap tahun. Tak melambangkan cita-cita. Mungkin karena kami tak berani bercita-cita. Setiap siswa disarankan memakai pakaian profesi orangtua karena kami tak punya biaya untuk membuat atau menyewa baju karnaval. Semuanya adalah wakil profesi kaum marginal. Maka dalam hal ini Kucai juga berpakaian rapi seperti Harun dan ia melambai-lambaikan sepucuk kartu pensiun kepada para penonton sebab ayahnya adalah pensiunan. Sedangkan beberapa adik kelasku terpaksa tidak bisa mengikuti karnaval karena ayahnya pengangguran.

Satu-satunya daya tarik karnaval kami adalah Mujis. Meskipun bukan murid Muhammadiyah namun tukang semprot nyamuk ini selalu ingin ikut. Dengan dua buah tabung seperti penyelam di punggungnya dan topeng yang berfungsi sebagai kacamata dan penutup mulut seperti moncong babi, ia menyemprotkan asap tebal dan anak-anak kecil yang menonton di pinggir jalan berduyun-duyun mengikutinya.

Jika melewati podium kehormatan, biasanya kami berjalan cepat-cepat dan berdoa agar parade itu cepat selesai. Nyaris tak ada kesenangan karena minder. Hanya Harun, dengan koper zaman The Beatles-nya tadi yang me-

lenggang pelan penuh percaya diri dan melemparkan se-
nyum penuh arti kepada para petinggi di podium kehormat-
an.

Mungkin dalam hati para tamu terhormat itu bertanya-
tanya, "Apa yang dilakukan anak-anak bebek ini?"

Kenyataan inilah yang memicu pro dan kontra di
antara murid dan guru Muhammadiyah setiap kali akan
karnaval. Beberapa guru menyarankan agar jangan ikut saja
daripada tampil seadanya dan bikin malu. Mereka yang
gengsian dan tak kuat mental seperti Sahara jauh-jauh hari
sudah menolak berpartisipasi. Maka sore ini, Pak Harfan
yang berjiwa demokratis, mengadakan rapat terbuka di
bawah pohon *filicium*. Rapat ini melibatkan seluruh guru
dan murid dan Mujis.

Beliau diserang bertubi-tubi oleh para guru yang tak
setuju ikut karnaval, tapi beliau dan Bu Mus berpendirian
sebaliknya. Suasana memanas. Kami terjebak di tengah.

"Karnaval ini adalah satu-satunya cara untuk me-
nunjukkan kepada dunia bahwa sekolah kita ini masih eksis
di muka bumi ini. Sekolah kita ini adalah sekolah Islam
yang mengedepankan pengajaran nilai-nilai religi, kita harus
bangga dengan hal itu!"

Suara Pak Harfan bergemuruh. Sebuah pidato yang
menggetarkan. Kami bersorak sorai mendukung beliau. Tapi
tak berhenti sampai di situ.

"Kita harus karnaval! Apa pun yang terjadi! Dan biar-
lah tahun ini para guru tidak ikut campur, mari kita beri
kesempatan kepada orang-orang muda berbakat seperti

Mahar untuk menunjukkan kreativitasnya, tahukah kali-an ... dia adalah seniman yang genius!"

Kali ini tepuk tangan kami yang bergemuruh, gegap gempita sambil berteriak-teriak seperti suku Mohawk berperang. Pak Harfan telah membakar semangat kami se-hingga kami siap tempur. Kami sangat mendukung ke-putusan Pak Harfan.dan sangat senang karena akan digarap oleh Mahar, teman kami sekelas. Kami mengelu-elukannya, tapi ia tak tampak. Ooh, rupanya dia sedang bertengger di salah satu dahan *filicium*. Dia tersenyum.

Sebagai kelanjutan keputusan rapat akbar, Mahar serta-merta mengangkat A Kiong sebagai *General Affair Assistant,* yaitu pembantu segala macam urusan. A Kiong mengatakan padaku tiga malam dia tak bisa tidur saking bangganya dengan penunjukan itu. Dan telah tiga malam pula Mahar bersemadi mencari inspirasi. Tak bisa diganggu.

Kalau masuk kelas Mahar diam seribu bahasa. Belum pernah aku melihatnya seserius ini. Ia menyadari bahwa semua orang berharap padanya. Setiap hari kami dan para guru menunggu dengan waswas konsep seni kejutan seperti apa yang akan ia tawarkan. Kami menunggu seperti orang menunggu buku baru Agatha Christie. Jika kami ingin ber-bicara dengannya dia buru-buru melintangkan jari di bibir-nya menyuruh kami diam. Menyebalkan! Tapi begitulah seniman bekerja. Dia melakukan semacam riset, meng-khayal, dan berkontemplasi.

Dia duduk sendirian menabuh *tabla*, mencari-cari mu-sik, sampai sore di bawah *filicium*. Tak boleh didekati. Ia duduk melamun menatap langit lalu tiba-tiba berdiri, me-reka-reka koreografi, berjingkrak-jingkrak sendiri, me-loncat, duduk, berlari berkeliling, diam, berteriak-teriak seperti orang gila, menjatuhkan tubuhnya, berguling-guling di tanah, lalu dia duduk lagi, melamun berlama-lama, bernyanyi tak jelas, tiba-tiba berdiri kembali, berlari ke sana kemari. Tak ada ombak tak ada angin ia menyeruduk-nyeruduk seperti hewan kena sampar.

Apakah ia sedang menciptakan sebuah *masterpiece*? Apakah ia akan berhasil membuktikan sesuatu pada *event* yang mempertaruhkan reputasi ini? Apakah ia akan berhasil membalikkan kenyataan sekolah kami yang telah dipan-dang sebelah mata dalam karnaval selama dua puluh tahun? Apakah ia benar-benar seorang penerobos, seorang pendob-rak yang akan menciptakan sebuah prestasi fenomenal? Haruskah ia menanggung beban seberat ini? Bagaimanapun ia masih tetap seorang anak kecil.

Kuamati ia dari jauh. Kasihan sahabatku seniman yang kesepian itu, yang tak mendapatkan cukup apresiasi, yang selalu kami ejek. Wajahnya tampak kusut semrawut. Sudah seminggu berlalu, ia belum juga muncul dengan konsep apa pun.

Lalu pada suatu Sabtu pagi yang cerah ia datang ke sekolah dengan bersiul-siul. Kami paham ia telah mendapat pencerahan. Jin-jin telah meraupi wajah kucel kurang tidurnya dengan ilham, dan Dionisos, sang dewa misteri dan teater, telah meniup ubun-ubunnya subuh tadi. Ia akan muncul dengan ide seni yang seksi. Kami sekelas dan banyak siswa dari kelas lain serta para guru merubungnya. Ia maju ke depan siap mempresentasikan rencananya. Wajahnya optimis.

Semua diam siap mendengarkan. Ia sengaja mengulur waktu, menikmati ketidaksabaran kami. Kami memang sudah sangat penasaran. Ia menatap kami satu per satu seperti akan memperlihatkan sebuah bola ajaib bercahaya pada sekumpulan anak kecil.

"Tak ada petani, buruh timah, guru ngaji, atau penjaga pintu air lagi untuk karnaval tahun ini!" teriaknya lantang, kami terkejut.

Dan ia berteriak lagi.

"Semua kekuatan sekolah Muhammadiyah akan kita satukan untuk satu hal!!!"

Kami hanya terperangah, belum mengerti maksudnya, tapi Mahar optimis sekali.

"Apa itu, Har? Ayolah, bagaimana nanti kami akan tampil? Jangan bertele-tele!" tanya kami penasaran hampir bersamaan. Lalu inilah ledakan ide gemilangnya.

"Kalian akan tampil dalam koreografi massal suku Masai dari Afrika!"

Kami saling berpandangan, serasa tak percaya dengan pendengaran sendiri. Ide itu begitu menyengat seperti belut listrik melilit lingkaran pinggang kami. Kami masih kaget dengan ide luar biasa itu ketika Mahar kembali berteriak menggelegar melambungkan gairah kami.

"Lima puluh penari! Tiga puluh penabuh *tabla*! Berputar-putar seperti gasing, kita ledakkan podium kehormatan!"

Oh, Tuhan, aku mau pingsan. Serta-merta kami melonjak girang seperti kesurupan, bertepuk tangan, bersorak sorai senang membayangkan kehebohan penampilan kami nanti. Mahar memang sama sekali tak bisa diduga. Imajinasinya liar meloncat-loncat, mendobrak, baru, dan segar.

"Dengan rumbai-rumbai!" kata suara keras di belakang. Suara Pak Harfan sok tahu. Kami semakin gegap gempita. Wajah beliau sumringah penuh minat.

"Dengan bulu-bulu ayam!" sambung Bu Mus. Kami semakin riuh rendah.

"Dengan surai-surai!"

"Dengan lukisan tubuh!"

"Dengan aksesori!"

Demikian guru-guru lain sambung-menyambung.

"Belum pernah ada ide seperti ini!" kata Pak Harfan lagi.

Para guru mengangguk-angguk salut dengan ide Mahar. Mereka salut karena selain akan menampilkan sesuatu yang berbeda, menampilkan suku terasing di Afrika adalah ide yang cerdas. Suku itu tentu berpakaian seadanya. Semakin sedikit pakaiannya—atau dengan kata lain semakin tidak berpakaian suku itu—maka anggaran biaya untuk pakaian semakin sedikit. Ide Mahar bukan saja baru dan yahud dari segi nilai seni tapi juga aspiratif terhadap kondisi kas sekolah. Ide yang sangat istimewa.

Seluruh kalangan di perguruan Muhammadiyah sekarang menjadi satu hati dan mendukung penuh konsep Mahar. Semangat kami berkobar, kepercayaan diri kami meroket. Kami saling berpelukan dan meneriakkan nama Mahar. Ia laksana pahlawan. Kami akan menampilkan sebuah tarian spektakuler yang belum pernah ditampilkan sebelumnya. Dengan suara *tabla* bergemuruh, dengan kostum suku Masai yang eksotis, dengan koreografi yang memukau, maka semua itu akan seperti festival Rio. Kami sudah membayangkan penonton yang terpesona. Kali ini, untuk pertama kalinya, kami berani bersaing.

Setelah itu, setiap sore, di bawah pohon *filicium*, kami bekerja keras berhari-hari melatih tarian aneh dari negeri yang jauh. Sesuai dengan arahan Mahar tarian ini harus dilakukan dengan gerakan cepat penuh tenaga. Kaki dihentakkan-hentakkan ke bumi, tangan dibuang ke langit, berputar-putar bersama membentuk formasi lingkaran, kemudian cepat-cepat menunduk seperti sapi akan menanduk, lalu melompat berbalik, lari semburat tanpa arah dan mundur kembali ke formasi semula dengan gerakan seperti banteng mundur. Kaki harus mengais tanah dengan garang. Demikian berulang-ulang. Tak ada gerakan santai atau lembut, semuanya cepat, ganas, rancak, dan patah-patah. Mahar menciptakan koreografi yang keras tapi penuh nilai seni. Asyik ditarikan dan merupakan olah raga yang menyehatkan.

Tahukah Anda apa yang dimaksud dengan bahagia? Ialah apa yang aku rasakan sekarang. Aku memiliki minat besar pada seni, akan membuat sebuah *performing art* bersama para sahabat karib—dan kemungkinan ditonton oleh cinta pertama? Aku mengalami kebahagiaan paling besar yang mungkin dicapai seorang laki-laki muda.

Kami sangat menyukai gerakan-gerakan enerjik rekaan Mahar dan kuat dugaanku bahwa kami sedang menarikan kegembiraan suku Masai karena sapi-sapi peliharaannya baru saja beranak. Selain itu selama menari kami harus meneriakkan kata-kata yang tak kami pahami artinya seperti, "Habuna! Habuna! Habuna! Baraba ... baraba ... baraba ... habba ... habba ... homm!"

Ketika kami tanyakan makna kata-kata itu, dengan gaya seperti orang memiliki pengetahuan yang amat luas sampai melampaui benua, Mahar menjawab bahwa itulah pantun orang Afrika. Aku baru tahu ternyata orang Afrika juga memiliki kebiasaan seperti orang Melayu, gemar berpantun. Aku simpan baik-baik pengetahuan ini.

Namun mengenai maksud tarian, ternyata aku salah duga. Semula aku menyangka bahwa kami berdelapan—karena Sahara tak ikut dan Mahar sendiri menjadi pemain *tabla*—adalah anggota suku Masai yang gembira karena sapi-sapinya beranak. Tapi ternyata kami adalah sapi-sapi itu sendiri. Karena setelah kami menari demikian riang gembira, kemudian kami diserbu oleh dua puluh ekor *cheetah*. Mereka mengepung, mencabik-cabik harmonisasi formasi tarian kami, meneror, menerkam, mengelilingi kami, dan mengaum-aum dengan garang. Lalu situasi menjadi kritis dan kacau-balau bagi para sapi dan pada saat itulah menyerbu dua puluh orang Moran atau prajurit Masai yang sangat terkenal itu. Prajurit-prajurit ini menyelamatkan para sapi dan berkelahi dengan *cheetah* yang menyerang kami. Gerakan *cheetah* itu direka-reka Mahar dengan sangat genius sehingga mereka benar-benar tampak seperti binatang yang telah tiga hari tidak makan. Sedangkan para Moran dilatih lebih khusus sebab menyangkut keterampilan memainkan properti-properti seperti tombak, cambuk, dan parang.

Demikianlah cerita koreografi Mahar. Keseluruhan fragmen itu diiringi oleh tabuhan tiga puluh *tabla* yang lantang bertalu-talu memecah langit. Para penabuh *tabla* juga menari-nari dengan gerakan dinamis memesona. Hasil akhirnya adalah sebuah drama seru pertarungan massal antara manusia melawan binatang dalam alam Afrika yang liar, sebuah karya yang memukau, *masterpiece* Mahar.

Nuansa karnaval semakin tebal menggantung di awan Belitong Timur. Hari H semakin dekat. Seluruh sekolah sibuk dengan berbagai latihan. *Marching band* sekolah PN sepanjang sore melakukan geladi sepanjang jalan kampung. Baru latihannya saja penontonnya sudah membludak. Meneror semangat peserta lain.

Tapi kami tak gentar. Situasi moril kami sedang tinggi. Melihat kepemimpinan, kepiawaian, dan gaya Mahar kepercayaan diri kami meletup-letup. Ia tampil laksana para *event organizer*, atau para seniman, atau mereka yang menyangka dirinya seniman. Pakaiannya serba hitam dengan tas pinggang yang berisi *walkman*, pulpen, kacamata hitam, batu baterai, kaset, dan deodoran. Kami mengerahkan seluruh sumber daya civitas akademika Muhammadiyah. Latihan kami semakin serius dan yang paling sering membuat kesalahan adalah Kucai. Meskipun dia ketua kelas tapi di panggung sandiwara ini Maharlah yang berkuasa.

Mahar mencoba menjelaskan maksudnya dengan berbagai cara. Kadang-kadang ia demikian terperinci seperti buku resep masakan, dan lebih sering ia merasa frustrasi. Namun, kami sangat patuh pada setiap perintahnya walaupun kadang-kadang tidak masuk akal. Tapi ini seni, Bung, tak ada hubungannya dengan logika.

"Dalam tarian ini kalian harus mengeluarkan seluruh energi dan harus tampak gembira! Bersukacita seperti karyawan PN baru terima jatah kain, seperti orang Sawang dapat utangan, seperti para pelaut terdampar di sekolah perawat!"

Aku sungguh kagum dari mana Mahar menemukan kata-kata seperti itu. Ketika istirahat A Kiong berbisik pada Samson, "Son, aku baru tahu kalau di Belitong ada sekolah perawat di pinggir laut?"

Rupanya bisikan polos itu terdengar oleh Sahara yang kemudian, seperti biasa, merepet panjang mencela keluguan A Kiong, "Apa kau tak paham kalau itu perumpamaan? Banyak-banyaklah membaca buku sastra!"

Bab 19
Sebuah Kejahatan Terencana

DAN tibalah hari karnaval. Hari yang sangat mendebar-kan. Mahar merancang pakaian untuk *cheetah* dengan bahan semacam terpal yang dicat kuning bertutul-tutul sehingga dua puluh orang adik kelasku benar-benar mirip hewan itu. Wajah mereka dilukis seperti kucing dan rambut mereka dicat kuning menyala-nyala dengan bahan wantek.

Tiga puluh pemain *tabla* seluruh tubuhnya dicat hitam berkilat tapi wajahnya dicat putih mencolok sehingga menimbulkan pemandangan yang sangat aneh. Sedangkan dua puluh Moran atau prajurit Masai sekujur tubuhnya dicat merah, mereka menggunakan penutup kepala berupa jalin-an besar ilalang, membawa tombak panjang, dan mengenakan jubah berwarna merah yang sangat besar. Tampak sangat garang dan megah.

Tampaknya Mahar memberi perhatian istimewa pada delapan ekor sapi. Pakaian kami paling artistik. Kami memakai celana merah tua yang menutup pusar sampai ke bawah lutut. Seluruh tubuh kami dicat cokelat muda seperti sapi Afrika. Wajah dilukis berbelang-belang. Pergelangan kaki dipasangi rumbai-rumbai seperti kuda terbang dengan lonceng-lonceng kecil sehingga ketika melangkah terdengar suara gemerincing semarak. Di pinggang dililitkan selendang lebar dari bahan bulu ayam. Kami juga memakai beragam jenis aksesori yang indah, yaitu anting-anting besar yang dijepit dan gelang-gelang yang dibuat dari akar-akar kayu.

Yang paling istimewa adalah penutup kepala. Tak cocok jika disebut topi, tapi lebih sesuai jika disebut mahkota seribu rupa. Mahkota ini sangat besar, dibuat dari lilitan kain semacam setagen yang sangat panjang. Lalu berbagai jenis benda diselipkan, dijepit, atau dijahit pada setagen itu. Puluhan bulu angsa dan belibis, berbagai jenis perdu sepanjang hampir satu meter, dahan sapu-sapu, berbagai bunga liar, berbagai jenis daun, dan bendera-bendera kecil. Empat hari Sahara membuat mahkota hebat ini. Lalu punggung kami dipasangi sesuatu seperti surai kuda, bahannya—seperti tertulis pada sketsa—adalah tali rafia. Kami adalah sapi yang anggun dan megah.

Inilah rancangan adiguna karya Mahar. Secara umum kami tidak tampak seperti sapi. Dilihat dari belakang kami lebih mirip manusia keledai, dari samping seperti ayam kalkun, dari atas seperti sarang burung bangau. Jika dilihat dari wajah, kami seperti hantu.

Aksesori yang tampaknya biasa saja adalah untaian kalung. Juga sesuai dengan sketsa rancangan Mahar, kami akan memakai kalung besar yang terbuat dari benda-benda bulat sebesar bola pingpong berwarna hijau. Tak ada yang istimewa dengan kalung ini dan tak seorang pun mau membicarakannya. Kami sibuk membahas mahkota kami. Kami yakin mahkota ini akan membuat orang kampung ternganga mulutnya dan wanita-wanita muda di kawasan pasar ikan berebutan kirim salam.

Tak disangka ternyata kalung yang tak menarik perhatian itulah sesungguhnya sentral ide seluruh koreografi ini. Tak ada seorang yang menduga bahwa pada untaian anak-anak kalung itu Mahar menyimpan rahasia terdalam daya magis penampilan kami, yang membuatnya tidak tidur tiga hari tiga malam. Sesungguhnya kalung itulah puncak tertinggi kreativitas Mahar.

Setelah seluruh pakaian siap, Mahar mengeluarkan aksesori terakhir dari dalam karung, yaitu kalung tadi. Jumlahnya delapan, sejumlah sapi. Kami semakin girang. Tentu Mahar telah bersusah payah sendirian membuatnya. Kalung itu dibuat dari buah pohon aren yang masih hijau sebesar bola pingpong yang ditusuk seperti sate dengan tali rotan kecil. Kami berebutan memakainya. Tak banyak pengetahuan kami mengenai buah hutan ini. Sebelum parade kami berkumpul berpegangan tangan, menundukkan kepala untuk berdoa, mengharukan.

Seperti telah kami duga, sambutan penonton di sepanjang jalan sangat luar biasa. Mereka bertepuk tangan dan berlarian mengikuti dari belakang untuk melihat penampilan kami di depan podium kehormatan.

Menjelang podium kami mendengar gelegar suara sepuluh unit timpani, yaitu drum terbesar. Suaranya menggetarkan dada dan ditimpali oleh suara membahana puluhan instrumen *brass* mulai dari *tuba, horn*, trombon, klarinet, trompet, saksofon tenor dan bariton yang dimainkan puluhan siswa. *Marching band* sekolah PN sedang beraksi!

Pakaian pemain *marching band* dibedakan berdasarkan instrumen yang dimainkan. Yang paling gagah adalah barisan *bass drum* yang tampil menggunakan pakaian prajurit Romawi. Mereka membuat helm bertanduk runcing dan benar-benar mencetak aluminium menjadi rompi lalu mengecatnya dengan warna kuningan. Pemain simbal memakai rompi berwarna-warni dan bawahan celana panjang biru yang dimasukkan dalam sepatu bot Pendragon yang mahal setinggi lutut. Mereka seperti sekawanan ksatria yang baru turun dari punggung kuda-kuda putih. Marching Band PN tampil semakin baik setiap tahun. Mereka selalu menunjukkan bahwa mereka yang terbaik.

Sebagai *entry* podium kehormatan mereka melantunkan *Glenn Miller's In the Mood* dengan interpretasi yang pas. Penonton melenggak-lenggok diayun irama *swing* yang asyik. Para *colour guard* serta-merta menyesuaikan koreografinya dengan gaya kabaret khas tahun 60-an. Panggung kasino Las Vegas segera berpindah ke sudut pasar ikan Belitong yang kumuh. Setiap siswa yang terlibat dalam *marching band* ini belum-belum sudah mengumbar senyum kemenangan seolah seperti tahun-tahun lalu: Penampil Seni Terbaik tahun ini pasti mereka sabet. Tapi jika menyaksikan mereka beraksi agaknya keyakinan itu memang sangat beralasan.

Sebagai puncak atraksi di depan podium mereka membawakan *Concerto for Trumpet and Orchestra* yang biasa dilantunkan Wynton Marsalis. Dalam nomor ini penampilan mereka amat mengagumkan. Agaknya mereka sudah bisa dikompetisikan di luar negeri. Komposisi ini sesungguhnya adalah musik klasik karya Johann Hummel tapi oleh *Marching Band* PN dibawakan kembali dalam aransemen *big band* dengan kekuatan *brass section* yang memukau.

Bagian intro Concerto indah itu diisi atraksi lima belas pemain blira dengan pecahan suara satu, dua, dan tiga. Lalu ikut bergabung hentakan-hentakan sepuluh pasang simbal, *bass drum*, dan timpani. Tempo dan bahana mereka pelankan ketika puluhan *snare drum* mengambil alih. Jiwa siapa pun yang mendengarnya akan tergetar. Belum tuntas sensasi penonton dengan buaian *snare drum* yang cantik rancak tiba-tiba para *colour guard* menguasai medan, membentuk formasi dan menampilkan tarian kontemporer yang memikat. Bayangkan indahnya: sebuah *big band* dengan kekuatan *brass*, kostum yang gemerlapan, dan koreografi kontemporer.

Ribuan penonton bertepuk tangan kagum. Kemudian mereka bersorak-sorai ketika tiga orang mayoret—ratu segala pesona—dengan sangat terampil melempar-lemparkan tongkatnya tanpa membuat kesalahan sedikit pun. Para mayoret cantik, bertubuh ramping tinggi, dengan senyum khas yang dijaga keanggunannya, meliuk-liuk laksana burung merak sedang memamerkan ekornya.

Wanita-wanita muda yang meloncat dari gambar-gambar di almanak ini mengenakan rok mini dengan *stocking* berwarna hitam dan sepatu bot *Cortez* metalik tinggi sampai ke lutut. Sarung tangannya putih sampai ke lengan atas dan mereka bergerak demikian lincah tanpa sedikit pun terhalangi hak sepatunya yang tinggi. Topinya adalah baret putih yang diselipi selembar bulu angsa putih bersih seperti topi Robin Hood. Mereka tidak sekadar mayoret, mereka adalah peragawati. Langkahnya cepat panjang-panjang dan sering kali memekik memberi perintah. Pandangannya menyapu seluruh penonton seperti tiupan sihir yang membius.

Wajahnya mencerminkan suatu kebiasaan bergaul dengan barang-barang impor dan tidak mau menghabiskan waktu untuk soal remeh-temeh. Jika sore mereka berjalan-jalan dengan beberapa ekor anjing chihuahua dan malam hari makan di bawah temaram cahaya lilin. Tak pernah kekenyangan dan tak pernah beserdawa. Garis matanya memperlihatkan kemanjaan, kesejahteraan dan masa depan yang gilang gemilang. Mereka seperti orang-orang yang tak 'kan pernah kami kenal namanya, seperti orang yang berasal dari tempat yang sangat jauh dan hanya mampir sebentar untuk membuat kami ternganga. Mereka seperti orang-orang yang hanya memakan bunga-bunga putih melati dan mengisap embun untuk hidup. Jubahnya dari bahan sutra berkilat, berkibar-kibar tertiup angin, menebarkan bau harum memabukkan.

Sementara di sini, di sudut ini, kami terpojok di pinggir, seperti segerombolan spesies primata aneh yang menyembul-nyembul dari sela-sela akar pohon beringin. Hitam, kumal, dan coreng-moreng, terheran-heran melihat gemerlap dunia. Tapi kami segera membentuk barisan, tak surut semangat, tak sabar menunggu giliran.

Segera setelah ujung Marching Band PN meninggalkan arena podium dan perlahan-lahan menghilang bersama lagu syahdu penutup sensasi "*Georgia on My Mind*", diiringi tepuk tangan dan suitan panjang penonton, seketika itu juga, tanpa membuang tempo, dengan amat jeli mencuri momen, secara sangat mendadak Mahar bersama tiga puluh pemain *tabla* menghambur tak beraturan menguasai arena depan podium. Gerakan mereka mengagetkan. Dengan dentuman *tabla* bertalu-talu serta tingkah tarian yang sangat dinamis, penonton pun terperanjat. Mahar menyajikan pemandangan natural, asli, yang sama sekali kontras dengan *marching band* modern. Melalui lantakan *tabla* sekuat tenaga dan gerak tari seperti ratusan monyet sedang berebutan dengan tupai menjarah buah kuini, Mahar menyeret fantasi penonton ke alam liar Afrika.

Penonton terbelalak menerima sajian musik etnik menghentak yang tak diduga-duga. Mereka berdesak-desakan maju merepotkan para pengaman. Para penonton terbius oleh irama yang belum pernah mereka dengar dan pakaian serta tarian yang belum pernah mereka lihat. Demi mendengar lengkingan *tabla* yang memecah langit, barisan Marching Band PN terpecah konsentrasinya dan berbalik arah ke podium. Mereka membubarkan diri tanpa komando lalu bergabung dengan para penonton yang terpaku. Mereka keheranan melihat tarian liar yang tak seperti Campak Darat, yaitu tarian Belitong paling kuno dengan gerakan tetap maju mundur, dan irama yang tak seperti Betiong yakni irama asli Belitong yang biasa mereka dengar. Sebaliknya yang mereka saksikan adalah gerakan rancak tanpa pola dan ekspresi bebas spontan dari tubuh-tubuh muda yang lentik meliuk-liuk seperti gelombang samudra, garang seperti luak, dan menyengat laksana lebah tanah. Koreografi Mahar berkarakter *dance drumming* dari suku-suku sub Sahara yang mengandung fragmen *survival* ribuan tahun dari spesies yang hidup saling memangsa. Inilah *adzohu*, sebuah manifestasi perjuangan eksistensi dalam metafora *gesture* tubuh manusia yang memaknai ketukan *tabla* laksana tiupan mantra-mantra nan magis. Koreografi ini mengandung tenaga gaib yang menyihir. Mahar memvisualisasikan alam ganas di mana hukum rimba berkuasa. Maka musik tari ini tak hanya mendetak degup jantung karena *tabla* yang berdentum-dentum tapi membran vibrasinya juga menggetarkan jiwa karena tenaga mistik sebuah ritual suci siklus hidup.

Penonton semakin merangsek ke depan dan mulai terpukau pada tarian etnik Afrika yang eksotis. Mereka mengamati satu per satu wajah kami yang tersamar dalam coreng-moreng, ingin tahu siapa penampil tak biasa ini. Namun tanpa disadari tubuh mereka bergerak-gerak patah-patah mengikuti potongan-potongan irama yang dilantak-kan dan tanpa diminta tepuk tangan, siulan, dan sorak-sorai ribuan penonton membahana menyambut kejutan ak-si seksi *tabla*. Penonton riuh rendah berdecak kagum. Pada detik itu aku tahu bahwa penampilan kami telah berhasil. Mahar telah melakukan *entry* dengan sukses. Semua seni-man panggung mengerti jika *entry* telah sukses biasanya seluruh pertunjukan akan selamat. Para hadirin telah terbeli tunai!

Kesuksesan *entry* pemain *tabla* mengangkat keper-cayaan diri kami sampai level tertinggi. Kami, delapan ekor sapi, yang akan tampil pada plot kedua, gemetar menunggu aba-aba dari Mahar untuk menerjang arena. Kami sudah tak sabar dan rasanya kaki sudah gatal ingin mendemons-trasikan kehebatan mamalia menari. Kami adalah remaja-remaja kelebihan energi dan lapar akan perhatian. Lima belas meter dari tempat kami berdiri adalah arena utama dan kami mengambil ancang-ancang laksana peluru-peluru meriam yang siap diledakkan. Sangat mendebarkan, apalagi penonton semakin menggila tak terkendali mengikuti ketukan *tabla*. Mereka membentuk lingkaran yang rapat, ikut menari, bertepuk tangan, bersuit-suit panjang, dan ber-teriak-teriak histeris.

"Tabahkan hati kalian, keluarkan seluruh kemam-puan!" ledak Bu Mus memberi semangat kepada kami, para mamalia. Pak Harfan sudah tidak bisa bicara apa-apa. Tangannya membekap dada seperti orang berdoa.

Tapi di tengah penantian menegangkan itu aku merasakan sedikit keanehan di lingkaran leherku. Seperti ada kawat panas menggantung. Aku juga merasa heran melihat warna telinga teman-temanku yang berubah menjadi merah, demikian pula kalung kami, membentuk lingkaran berwarna kelam di kulit. Aku merasakan panas pada bagian dada, wajah, dan telinga, lalu rasa panas itu berubah menjadi gatal.

Dalam waktu singkat rasa gatal meningkat dan aku mulai menggaruk-garuk di seputar leher. Sekarang kami sadar bahwa rasa gatal itu berasal dari getah buah aren yang menjadi mata kalung kami. Hasil rancangan adibusana Mahar. Buah aren yang ditusuk dengan tali rotan itu mengeluarkan getah yang pelan-pelan meleleh di lingkaran leher. Rasa gatal itu semakin menjadi-jadi tapi kami tak bisa berbuat apa-apa karena untuk melepaskan kalung itu berarti harus melepaskan mahkota. Dan melepaskan mahkota besar yang beratnya hampir satu setengah kilogram ini bukan persoalan mudah. Mahkota raksasa ini sengaja dirancang Mahar untuk dikenakan dengan lilitan tiga kali melalui dagu sehingga tanpa bantuan seseorang tak mungkin membukanya sendiri. Tak mungkin melakukan itu apalagi Mahar sekarang telah melakukan gerakan seperti menyembah-nyembah ke arah kami. Itulah isyarat kami harus masuk dan beraksi.

Maka semua usaha untuk berbuat sesuatu pada kalung itu terlambat dan yang terjadi berikutnya tak 'kan pernah kulupakan seumur hidupku. Kami menyerbu arena dengan semangat spartan. Tepuk tangan penonton bergemuruh. Pada awalnya kami menari bersukacita sesuai dengan skenario. Lalu kami, para sapi ini, mulai bergerak-gerak aneh dan sedikit melenceng dari gerakan seharusnya karena kami diserang oleh rasa gatal yang luar biasa.

Rasa gatal ini begitu dahsyat. Aku tak pernah merasakan gatal demikian hebat dan jelas berasal getah buah aren muda yang menjadi mata kalung kami. Pertama-tama rasanya panas, perih, lalu geli dan gatal sekali. Jika digaruk bukannya sembuh tapi akan semakin menjadi-jadi, bertambah gatal dua kali lipat. Karena gerakan kami rancak dengan tangan mengibas-ngibas ke sana kemari maka getah aren itu menyebar ke seluruh tubuh. Sekarang seluruh tubuh kami dilanda gatal tak tertahankan.

Kami berusaha tidak menggaruk-garuk karena hal itu akan merusak koreografi, kami bertekad mengalahkan *Marching Band* PN. Selain itu menggaruk hanya akan memperparah keadaan, maka kami bertahan dalam penderitaan. Satu-satunya cara mengalihkan siksaan gatal adalah dengan terus-menerus bergerak jumpalitan seperti orang lupa diri. Maka sekarang kami bergerak sendiri-sendiri tak terkendali seperti orang kesetanan. Kami berteriak-teriak, meraung, saling menanduk, saling menerkam, saling mencakar, merayap, berguling-guling di tanah, menggelepar-gelepar. Semua itu tak terdapat dalam skenario. Lintang komat-kamit tak jelas dan matanya memerah seperti buah saga. Trapani sama sekali menguap ketampanannya, wajah manisnya berubah menjadi wajah algojo yang sedang kalap. Sedangkan A Kiong menampar-nampar dirinya sendiri dengan keras seperti orang kesurupan. Telinganya seolah mengeluarkan asap dan wajahnya seperti kaleng biskuit Roma. Wajah kami memerah seperti terbakar api dan urat-urat lengan bertimbulan menahankan gatal.

Kami bergerak demikian beringas, berjingkrak-jingkrak seperti sekaleng cacing yang dicurahkan di atas aspal yang panas mendidih. Sebaliknya, melihat kami sangat menjiwai, para pemain *tabla* pun terbakar semangatnya. Mereka mempercepat tempo untuk mengikuti gerakan-gerakan liar kami. Kami menari dengan tenaga dua kali lipat dari latihan dan gerakan dua kali lebih cepat dari seharusnya. Kami seolah berkejaran dengan tabuhan *tabla*. Menimbulkan pemandangan yang menakjubkan. Bahkan orang Afrika sendiri tak pernah menari sehebat ini.

Sesungguhnya maksud kami bukan itu. Tapi kami senewen menanggungkan gatal. Penonton yang tidak memahami situasi mengira suara *tabla* itu mengandung sihir dan telah membuat kami, delapan ekor sapi ini, kesurupan, maka mereka bertepuk tangan gegap gempita karena kagum dengan daya magis tarian Afrika. Mereka berteriak-teriak histeris memberi semangat dan salut kepada kami yang mampu mencapai penghayatan setinggi itu. Penonton semakin merapat dan petinggi di podium kehormatan menghambur ke depan meninggalkan tempat-tempat duduknya yang teduh dan nyaman. Mereka berebutan menyaksikan kami dari dekat. Mereka takjub dengan sebuah peman-dangan aneh. Bagi mereka ini adalah ekspresi seni yang luar biasa. Sementara kami semakin tunggang-langgang, berputar-putar seperti gasing. Kami sudah tak peduli de-ngan pantun Afrika yang harusnya kami lantunkan. Teriakan kami sekarang menjadi:

"Hushhhhhhh …hushh…hushhhh! Habbaa…habb-baaa… habbaaaa…!!!"

Penonton malah mengira itu mantra-mantra gaib. Aku melirik Mahar. Aneh sekali, wajahnya tampak senang tak alang kepalang, gembira bukan main. Ia tampak sangat setuju dengan seluruh gerakan gila kami walaupun tidak seperti yang dilatihkannya dulu.

"Terus Kawan, hebat sekali, ayo berguling-guling, ini-lah maksudnya," bisiknya di antara kami sambil berlari-lari memikul *tabla*. Aku mulai curiga. Tapi aku tak sempat berpikir jauh karena kami sekarang sedang diserang oleh dua puluh ekor *cheetah*. Suasana semakin seru. Kami se-makin sinting karena gatal dan panas. Kami merasa sangat haus, menderita dehidrasi. Ketika *cheetah* menyerang, kami berbalik menyerang. Kami sudah lupa diri. Seharusnya hal ini tak terjadi. Skenarionya tidak begitu.

Skenarionya adalah kami seharusnya menguik-nguik ketakutan sampai prajurit Masai, Moran yang gagah berani itu, datang sebagai pahlawan untuk menyelamatkan kami. Tapi sebaliknya sekarang kami dengan beringas membalas serangan *cheetah* karena kami tak mungkin diam, jika diam rasa gatal rasanya akan memecahkan pembuluh darah kami.

Para *cheetah* kebingungan. Ketika mereka menerjang kami membalas, *cheetah* berlari kocar-kacir dan kembali menyerang, demikian terjadi berulang-ulang. Namun anehnya skenario yang kacau-balau tak direncanakan ini justru memunculkan karakter asli binatang yang pada suatu ketika bisa demikian ganas tanpa ampun dan pada keadaan yang lain terbirit-birit ketakutan jika kekuatannya tak berimbang. Sebaliknya sekali lagi kulirik Mahar. Ia senang sekali dengan improvisasi spontan ini, tabuhan tablanya semakin ganas. Senyumnya mengembang. Tak pernah aku melihatnya sebahagia itu.

Surai kuda, selendang yang melilit pinggang, dan mahkota kami melambai-lambai eksotis karena kami melonjak-lonjak tak terkendali. Kami menari seperti orang dirasuki iblis yang paling jahat, seperti ditiup Lucifer sang raja hantu. Arena semakin membara dan gairah tarian mendidih ketika dua puluh prajurit Masai menyerbu masuk untuk menyelamatkan kami, yang terjadi adalah pertarungan dahsyat antara sapi dan prajurit Masai melawan dua puluh ekor *cheetah*. Ada enam puluh penari termasuk pemain *tabla* yang sekarang saling menyerang dalam hentakan musik Masai. Penonton riuh rendah dalam kekaguman. Para fotografer sampai kehabisan film.

Pasir-pasir halus yang bertaburan di atas arena membubung menjadi debu tebal yang mengaburkan pandangan. Debu itu mengelilingi kami yang berputar seperti pusaran angin. Di tengah pusaran itu kami bertempur habis-habisan dalam sebuah ritual liar alam Afrika yang kami tarikan seperti binatang buas yang terluka. Dalam kekacaubalauan terdengar teriakan-teriakan histeris, auman binatang, dan suara *tabla* berdentum-dentum. Keseluruhan koreografi yang menampilkan fragmen pertempuran manusia melawan binatang dalam gerakan spontan di depan podium kehormatan itu ternyata menghasilkan karya seni yang sulit dilukiskan dengan kata-kata. Sebuah formasi gerakan *chaos* orisinal yang tercipta secara tidak sengaja. Para penonton tersihir melihat kami *trance* secara kolektif, mereka tersentak dalam histeria menyaksikan pemandangan magis yang menakjubkan. Sebuah pemandangan eksotis dari totalitas tarian yang menciptakan efek seni yang luar biasa. Sebuah efek seni yang memang diharapkan Mahar, efek seni yang akan membawa kami menjadi Penampil Seni Terbaik tahun ini, tak diragukan, tak ada bandingnya.

Pak Harfan, Bu Mus, dan guru-guru kami sangat bangga dan seolah tak percaya melihat murid-muridnya memiliki kemampuan seperti itu. Mereka tak sadar bahwa kami menderita berat karena gatal dan gerakan kami tak ada hubungannya dengan Moran, *cheetah*, dan bunyi-bunyian *tabla* yang memecah gendang telinga.

Tiga puluh menit kami tampil serasa tiga puluh jam. Kami, para sapi, memang dirancang untuk meninggalkan arena pertama kali. Pemain *tabla*, *cheetah*, dan prajurit Masai masih harus melanjutkan fragmen. Segera setelah meninggalkan arena kami berlari pontang-panting mencari air.

Sayangnya air terdekat adalah sebuah kolam kangkung butek di belakang sebuah toko kelontong. Kolam itu adalah tempat pembuangan akhir ikan-ikan busuk yang tak laku dijual. Apa boleh buat, kami ramai-ramai menceburkan diri di sana.

Kami tak melihat ketika penonton memberikan *standing applause* selama tujuh menit. Kami tak menyaksikan guru-guru kami menangis karena bangga. Aku kagum kepada Mahar, ia berhasil memompa kepercayaan diri kami dan dengan kepercayaan diri ternyata siapa pun dapat membuat prestasi yang mencengangkan. Hal itu dibuktikan oleh sekolah Muhammadiyah yang mampu mematahkan mitos bahwa sekolah kampung tidak mungkin menang melawan sekolah PN dalam karnaval. Sayangnya saat itu kami tak dapat bergembira seperti warga Muhammadiyah di podium dan kami juga tak mendengar ketika ketua dewan juri, Mbah Suro, naik mimbar. Beliau mengucapkan pidato panjang puji-pujian untuk kami:

"Sekolah Muhammadiyah telah menciptakan daripada suatu arwah baru dalam karnaval ini. Maka dari itu mereka telah mencanangkan suatu daripada standar baru yang semakin kompetitif daripada mutu festival seni ini. Mereka mendobrak dengan ide kreatif, tampil *all out*, dan berhasil menginterpretasikan dengan sempurna daripada sebuah tarian dan musik dari negeri yang jauh. Para penarinya tampil penuh penghayatan, dengan spontanitas dan totalitas yang mengagumkan sebagai suatu manifestasi daripada penghargaan daripada mereka terhadap seni pertunjukan itu sendiri. Penampilan Muhammadiyah tahun ini adalah daripada suatu puncak pencapaian seni yang gilang-gemilang dan oleh karena itu dewan juri tak punya daripada pilihan lain selain daripada menganugerahkan penghargaan daripada penampil seni terbaik tahun ini kepada sekolah Muhammadiyah!"

Wahai dewan juri yang terhormat, mari kuberitahukan pada bapak-bapak sekalian, tahu apa bapak-bapak soal seni? Interpretasi seni kami adalah interpretasi getah buah aren yang gatalnya membakar lingkaran leher kami sampai ke pangkal-pangkal paha dengan perasaan seperti memakan api. Itulah yang membuat kami menari seperti orang yang tidak waras, dan itulah interpretasi seni kami.

Mendengar pidato itu para penonton kembali bergemuruh dan seluruh warga Muhammadiyah bersorak-sorai senang karena sebuah kemenangan yang fenomenal.

Sebaliknya kami, delapan ekor ternak dalam koreografi hebat itu, tetap tak tahu semua kejadian yang menggemparkan itu, dan kami juga masih tak tahu ketika Mahar diarak warga Muhammadiyah setelah sekolah menerima trofi bergengsi Penampil Seni Terbaik tahun ini. Trofi yang telah dua puluh tahun kami idamkan dan selama itu pula bercokol di sekolah PN. Baru pertama kali ini trofi itu dibawa pulang oleh sekolah kampung. Trofi yang tak 'kan membuat sekolah kami dihina lagi.

Kami tak tahu semua itu karena ketika itu kami sedang berkubang di dalam lumpur kolam kangkung, menggosok-gosok leher dengan daun genjer. Yang kami tahu hanyalah bahwa Mahar telah membalas kami dengan setimpal karena pelecehan kami padanya selama ini. Buah-buah aren itu sungguh merupakan sebuah rancangan kalung etnik properti adibusana koreografi yang bernilai seni, hasil perenungan Mahar berjam-jam sambil memandangi langit di bawah pohon *filicium*. Itulah sebuah perenungan kreatif tingkat tinggi yang membuat hatinya bergejolak sepanjang malam karena girang akan memberi kami pelajaran, sebuah perenungan pembalasan dendam yang telah ia rencanakan dengan rapi selama bertahun-tahun.

Wajah manisnya pasti sedang tersenyum sekarang dan senyumnya tak berhenti mengembang jika ia ingat penderitaan kami. Di kolam busuk luar biasa sehingga merontokkan bulu hidung ini kami membayangkan Mahar melonjak-lonjak girang disirami sinar agung prestasi dan kata-kata pujian setinggi langit. Sedangkan kami agaknya memang patut dihukum di kolam perut ikan ini. Mahar membalas kami sekaligus merebut penghargaan terbaik—sekali tepuk dua nyamuk tumbang. Pria muda yang *nyeni* itu memang genius luar biasa, dan baginya pembalasan ini maniiiiis sekali, semanis buah bintang.

Bab 20
Miang Sui

AWAN-AWAN kapas berwarna biru lembut turun. Mengapung rendah ingin menyentuh permukaan laut yang surut jauh, beratus-ratus hektare luasnya, hanya setinggi lutut, meninggalkan pohon-pohon kelapa yang membujur di sepanjang Pantai Tanjong Kelayang. Aku tahu bahwa awan-awan kapas biru muda itu dapat menjadi penghibur bagi mataku, tapi dia tak kan pernah menjadi sahabat bagi jiwaku, karena sejak minggu lalu aku telah menjadi sekuntum *daffodil* yang gelisah, sejak kukenal sebuah kosakata baru dalam hidupku: rindu.

Kini setiap hari aku dilanda rindu pada nona kuku cantik itu. Aku rindu pada wajahnya, rindu pada paras ku-ku-kukunya, dan rindu pada senyumnya ketika memandangku. Aku juga rindu pada sandal kayunya, rindu pada rambut-rambut liar di dahinya, rindu pada caranya meng-ucapkan huruf "r", serta rindu pada caranya merapikan lipatan-lipatan lengan bajunya.

Kadang-kadang aku bersembunyi di bawah pohon *filicium*, melamun sendiri, dadaku sesak sepanjang waktu. Aku segera mengerti bahwa aku adalah tipe laki-laki yang tak kuat menahankan rindu. Lalu aku berpikir keras mencari jalan untuk meringankan beban itu. Setelah melalui peng-kajian berbagai taktik, akhirnya aku sampai pada kesim-pulan bahwa rinduku hanya bisa diobati dengan cara sering-sering membeli kapur dan untuk itu Bu Mus adalah satu-satunya peluangku.

Maka aku mengerahkan segala daya upaya, memohon sepenuh hati, agar tugas membeli kapur tulis diserahkan padaku, kalau perlu kapur tulis untuk seluruh kelas SD dan SMP Muhammadiyah, sepanjang tahun ini.

"Bukankah kau paling benci tugas itu, Ikal?"

Aku tersipu. Ironis, aku telah menemukan definisi ironi yang sebenarnya. Penyebabnya tentu bukan karena Toko Sinar Harapan telah menjadi wangi, tapi semata-mata karena ada Putri Gurun Gobi menungguku di sana. Maka ironi bukanlah persoalan substansi, ia tak lain hanyalah soal kompensasi. Itulah definisi ironi, tak kurang tak lebih.

Bu Mus tak berminat mendebatku dan kulihat per-ubahan wajahnya. Pastilah instingnya selama bertahun-tahun menjadi guru secara naluriah telah membunyikan lonceng di kepalanya bahwa hal ini sedikit banyak berhubungan dengan urusan cinta monyet. Dengan jiwa penuh pengertian dan sebuah senyum jengkel beliau mengiyakan sambil menggeleng-gelengkan kepala.

"Asal jangan kauhilangkan lagi kapur-kapur itu, perlu kau tahu, kapur itu dibeli dari uang sumbangan umat!"

Kemudian aku dan Syahdan menjadi tim yang solid dalam pengadaan kapur. Aku menjadi semacam manajer pembelian, Syahdan tak perlu mengayuh sepeda, cukup duduk di belakang, memegang kotak-kotak kapur kuat-kuat dan menjaga mulutnya rapat-rapat, karena *hubungan antar-ras* adalah isu yang sensitif ketika itu. Kami menik-mati ketegangan perjanjian rahasia ini dan selama beberapa bulan setelah itu aku telah menjadi tukang kapur yang berdedikasi tinggi. Sebaliknya Syahdan, tentu saja melalui rekomendasiku pada Bu Mus, selalu ikut denganku. Ia gem-bira karena dapat semakin lama meninggalkan kelas sekali-gus leluasa mendekati putri tukang *hok lo pan*.

Sesampainya di toko biasanya aku langsung cepat-cepat masuk dan berdiri tegak dengan saksama di tengah-tengah lautan barang kelontong. Minyak kayu putih ku-kipas-kipaskan di bawah hidung untuk melawan bau tengik. Aku menyeka keringat dan tak sabar menunggu menit-menit ajaib, yaitu ketika A Miauw memberi perintah kepada bu-rung murai batu di balik tirai yang terbuat dari keong-keong kecil itu.

Aku menghampiri kotak merpati saat ia menjulurkan kapur. Setiap kali ini terjadi jantungku berdebar. Ia masih tetap tak berkata apa pun, diam seribu bahasa, demikian juga aku. Tapi aku tahu ia sekarang tak lagi cepat-cepat menarik tangannya. Ia memberiku kesempatan lebih lama memandangi kuku-kukunya. Hal itu cukup membuatku demikian bahagia sampai seminggu berikutnya.

Demikianlah berlangsung selama beberapa bulan. Setiap Senin pagi aku dapat menjumpai belahan jiwaku, walaupun hanya kuku-kukunya saja. Hanya sampai di situ saja kemajuan hubungan kami, tak ada sapa, tak ada kata, hanya hati yang bicara melalui kuku-kuku yang cantik. Tak ada perkenalan, tak ada tatap muka, tak ada rayuan, dan tak ada pertemuan. Cinta kami adalah cinta yang bisu, cinta yang sederhana, dan cinta yang sangat malu, tapi indah, indah sekali tak terperikan.

Kadang-kadang ia menjentikkan jarinya atau meng-godaku dengan terus memegang kotak kapur ketika akan kuambil sehingga kami saling tarik. Kadang kala ia menge-palkan tinjunya, mungkin maksudnya: kenapa kamu ter-lambat? Sering telah kusiapkan diri berminggu-minggu untuk sedikit saja memegang tangannya atau untuk menga-takan betapa aku rindu padanya. Tapi setiap kali aku me-lihat kuku-kukunya, semua kata yang telah ditulis rapi pun sirna, menguap bersama aroma keringat orang Sawang dan seluruh keberanian lenyap tertimbun tumpukan lobak asin. Tirai yang terbuat dari keong-keong kecil itu demikian kukuh untuk ditembus oleh mental laki-laki sekecil aku.

Sudah dua musim berlalu, sudah dua kali orang-orang bersarung turun dari perahu, aku merasa sudah saatnya untuk tahu siapa namanya. Namun sekali lagi, walaupun

sudah berhari-hari mengumpulkan keberanian untuk ber-
tanya langsung ketika tangannya menjulur, aku menjadi
bisu dan tuli. Aku begitu kerdil di depannya. Maka kutugas-
kan Syahdan mencari informasi. Ia sangat girang mendapat
tugas itu. Lagaknya seperti intel Melayu, mengendap-en-
dap, berjingkat-jingkat penuh rahasia.

"Namanya A Ling ...!" bisiknya ketika kami sedang
khatam Al-Qur'an di Masjid Al Hikmah. Jantungku ber-
detak kencang.

"Seangkatan dengan kita, di sekolah nasional!" Dan
pyarrr!! Kopiah resaman Taikong Razak menghantam
rihalan Syahdan.

"Jaga adatmu di muka kitab Allah, Anak Muda!!"

Syahdan meringis dan kembali menekuri Khatamul
Qur'an. Sekolah nasional adalah sekolah khusus anak-anak
Tionghoa. Aku menatap Syahdan dengan serius. Sekolah
nasional ...?

"Jangan sampai tahu ibuku," kataku cemas. "Bisa-bisa
aku kena rajam."

Syahdan tak mau menanggapi peringatanku yang ti-
dak kontekstual dengan infonya yang berharga tadi. Wajah-
nya mengisyaratkan bahwa ia punya kejutan lain.

"A Ling adalah sepupu A Kiong ...!"

Aku terkejut, rasanya seperti tertelan biji rambutan
yang macet di tenggorokanku. A Kiong, pria kaleng kerupuk
itu! Mana mungkin dia punya sepupu bidadari?

Syahdan membaca pikiranku, ia mengangguk-angguk
yakin memastikan, "Iya, betul sekali, Kawan, A Kiong kita

itu, tapi aku tak pasti, apakah A Kiong seperti itu karena tumbal ilmu sesat, titisan yang keliru, atau anomali genetika?"

Syahdan vulgar dan sok tahu. Aku segera teringat pada A Kiong. Beberapa hari ini ia belajar di kelas sambil berdiri karena lima biji bisul padi bermunculan di pantatnya sehingga ia tak bisa duduk. Tapi ia berkeras ingin tetap sekolah.

Aku tak dapat menggambarkan perasaanku atas semua info ini. Kenyataan bahwa A Ling adalah sepupu A Kiong membuatku bersemangat sekaligus waswas. Aku dan Syahdan berunding serius membahas perkembangan ini dan kami putuskan untuk menceritakan situasinya pada A Kiong. Kami menganggap dialah satu-satunya peluang untuk menembus tirai keong itu.

Kami giring A Kiong menuju kebun bunga sekolah dan kami dudukkan di bangku kecil dekat kelompok perdu kamar *Beloperone*, *Pittosporum*, dan kembang sepatu yang saat itu sedang bersemi, tempat yang sempurna untuk bermusyawarah soal cinta.

A Kiong menyimak dengan saksama ceritaku tapi ia tak bereaksi apa pun, tak ada sedikit pun perubahan air mukanya, ia tidak mengerti apa maksud pembicaraan kami. Pandangannya kosong dan bingung. Aku duga keras A Kiong tak paham sama sekali konsep cinta.

"Mudahnya begini saja, Kiong," kataku tak sabar. "Aku akan menitipkan padamu surat dan puisi untuk A Ling, maukah kau memberikan padanya? Serahkan pada

nya kalau kalian sembahyang di kelenteng, pahamkah
engkau?"

Ia mengernyitkan dahinya, rambut landaknya berdiri
tegak, wajahnya yang bulat gemuk tampak semakin jenaka.
Ketika ia melepaskan kembali kernyitannya itu pipinya yang
tembem jatuh berayun-ayun lucu. Dia adalah pria berwajah
mengerikan tapi lucu.

"Mengapa tak kauberikan langsung padahal setiap
Senin pagi kau bertemu dengannya? Tidak masuk akal!" A
Kiong tak mengucapkan kata-kata itu tapi inilah arti ker-
nyitannya itu. Aku juga menjawabnya dari dalam hati, se-
macam telepati. "Hei, anak Hokian, sejak kapan cinta
masuk akal?"

Aku menarik napas panjang, membalikkan badanku,
memandang jauh ke lapangan hijau pekarangan sekolah
kami. Seperti sedang berakting dalam sebuah teater, aku
merenggut daun-daun *Dracaena*, meremas-remasnya lalu
melemparkannya ke udara.

"Aku malu, A Kiong. Nyaliku lumpuh kalau berada
satu meter darinya. Aku adalah seorang pria yang kompulsif,
jika ceroboh aku takut ketahuan bapaknya. Kalau itu ter-
jadi, tak terbayangkan akibatnya!"

Kudapat kata-kata itu dari majalah *Aktuil* langganan
abangku, barangkali agak kurang tepat, tapi apa peduliku.
Demi mendengar kata-kata seperti naskah sandiwara radio
itu Syahdan memeluk erat-erat pohon petai cina di sam-
pingnya. Aku kehabisan kata untuk menjelaskan pada A
Kiong bahwa titip-menitip dalam dunia percintaan mengan-

dung nilai romansa yang tinggi karena ada unsur-unsur kejutan di sana.

Rupanya A Kiong menangkap keputusasaan dalam nada suaraku. Ia adalah siswa yang tak terlalu pintar tapi ia setia kawan. Sepanjang masih bisa diusahakan ia tak 'kan pernah membiarkan sahabatnya patah harapan. Luluh hatinya melihat aktingku. Sekarang ia tersenyum dan aku menyembahnya seperti murid shaolin berpamitan pada suhunya untuk memberantas kejahatan. Namun karena turunan darah wiraswasta leluhurnya, A Kiong tentu menuntut kompensasi yang rasional. Aku tak keberatan menggarap PR tata buku hitung dagangnya.

Lalu, tak terbendung, melalui A Kiong, puisi-puisi cintaku mengalir deras menyerbu pasar ikan. Baginya itu hanyalah tugas mudah. Sebaliknya, ia mulai merasakan kenikmatan eskalasi gengsi akibat nilai-nilai tata buku hitung dagang yang membaik. Hubungan A Kiong, aku, dan Syahdan adalah simbiosis mutualisme, seperti burung cako dengan kerbau. Ia sama sekali tak menyadari bahwa persoalan titip-menitip ini dapat membawa risiko ia pecah kongsi dengan pamannya A Miauw.

Aku selalu mendesak A Kiong untuk menceritakan bagaimana wajah A Ling ketika menerima puisi dariku.

"Seperti bebek ketemu kolam," kata A Kiong penuh godaan persahabatan.

Dan pada suatu sore yang indah, di bulan Juli yang juga indah, di tempat duduk bulat, sendirian di kebun bunga kami, aku menulis puisi ini untuk A Ling:

Bunga Krisan

A Ling, lihatlah ke langit
Jauh tinggi di angkasa
Awan-awan putih yang berarak itu
Aku mengirim bunga-bunga krisan untukmu

Ketika memasukkan puisi ke dalam sampul surat, aku tersenyum, tak percaya aku bisa menulis puisi seperti itu. Cinta barangkali dapat memunculkan sesuatu, kemampuan atau sifat-sifat rahasia, yang tak kita sadari sedang bersembunyi di dalam tubuh kita. Namun ketika itu aku selalu merasa heran mengapa A Ling selalu mengembalikan puisiku? Barangkali di tokonya yang sesak tak ada lagi tempat untuk menyimpan kertas. Demikianlah pikiranku, bukankah anak kecil selalu berpikir positif? Aku tak ambil pusing soal itu. Lagi pula saat ini pikiranku sedang tak keruan karena pada kotak kapur yang kuambil pagi ini ada tulisan:

Jumpai aku di acara sembahyang rebut

Tulisan tangan A Ling! Ini adalah lompatan raksasa dalam hubungan kami. Bagiku catatan kecil ini sangat penting seperti *katebelece* presiden untuk menaikkan gaji seluruh pegawai negeri. Keinginanku melihat kembali wajah Michelle Yeoh-ku setelah insiden tirai dulu adalah tabungan rindu dalam celengan tanah liat yang setiap saat hampir meledak. Dan dalam waktu 92 jam, 15 menit, 10 detik

dari sekarang aku akan menjumpainya langsung! Di hala-
man kelenteng.

Hari-hari menjelang pertemuan adalah hari-hari tak
bisa tidur. Klasik sekali memang, tapi apa boleh buat karena
memang itu kenyataannya maka harus kuceritakan. Berkali-
kali kubaca pesan di atas kotak kapur itu tapi masih tetap
isinya tentang janji ketemu. Dibaca dari arah mana pun,
dari belakang seperti membaca huruf Arab, dari depan, dari
atas, dari jauh, dari dekat, dipantulkan di cermin, digerus
dengan lilin, dibaca dengan kaca pembesar, dibaca di balik
api, ditaburi tepung terigu, diawasi lama-lama seperti me-
lihat gambar tiga dimensi yang tersamar, isinya tetap sama
yaitu "jumpai aku di acara sembahyang rebut". Itu adalah
kalimat bahasa Indonesia yang jelas, bukan idiom, bukan
isyarat atau simbol. Aku seolah tak percaya dengan pesan
itu tapi aku, si Ikal ini, akan segera berjumpa dengan cinta
pertamanya! Tak diragukan lagi, dunia boleh iri.

Kotak kapur yang ada tulisan pesan A Ling itu kusim-
pan di kamarku seperti benda koleksi yang bernilai tinggi.
Syahdan dan A Kiong sampai bosan terus-menerus mende-
ngar kisahku tentang pesan itu. Mereka muak. Satu pel-
ajaran berharga, orang yang sedang jatuh cinta adalah orang
yang egois. Aku seolah tak percaya pada apa yang akan
terjadi, mimpikah ini?

"Bukan, Kawan, bukan mimpi, mandilah bersih-
bersih dan tunggu dia pukul empat sore di halaman
kelenteng, saat persiapan sembahyang rebut. Dia wanita
yang baik, dia akan datang untuk janjinya," nasihat A Kiong,

event organizer pertemuan penting ini, yang tiba-tiba menjadi amat bijaksana.

Chiong Si Ku atau sembahyang rebut diadakan setiap tahun. Sebuah acara semarak di mana seluruh warga Tionghoa berkumpul. Tak jarang anak-anaknya yang merantau pulang kampung untuk acara ini. Banyak hiburan lain ditempelkan pada ritual keagamaan ini, misalnya panjat pinang, komidi putar, dan orkes Melayu, sehingga menarik minat setiap orang untuk berkunjung. Dengan demikian ajang ini dapat disebut sebagai media tempat empat komponen utama kelompok subetnik di kampung kami—orang Tionghoa, orang Melayu, orang pulau bersarung, dan orang Sawang—berkumpul.

Orang Sawang tak terlalu tertarik dengan hiburan-hiburan tadi tapi mata mereka tak lepas dari tiga buah meja berukuran besar dengan panjang kira-kira 12 meter, lebar dan tingginya kira-kira 2 meter. Di atas meja itu ditimbun berlimpah ruah barang-barang keperluan rumah tangga, mainan, dan berjenis-jenis makanan. Barang-barang ini adalah sumbangan dari setiap warga Tionghoa. Tak kurang dari 150 jenis barang mulai dari wajan, radio transistor, bahkan televisi, berbagai jenis kue, biskuit, gula, kopi, beras, rokok, bahan tekstil, berbagai botol dan kaleng minuman ringan, gayung, pasta gigi, sirop, ban sepeda, tikar, tas, sabun, payung, jaket, ubi jalar, baju, ember, celana, buah mangga, kursi plastik, batu baterai, sampai beragam produk kecantikan disusun bertumpuk-tumpuk laksana gunung di atas meja-meja besar tadi. Daya tarik terkuat dari sembahyang rebut adalah sebuah benda kecil yang disebut *fung pu*, yakni secarik kain merah yang disembunyikan di sela-sela barang-barang tadi. Benda ini merupakan incaran setiap orang karena ia perlambang hoki dan yang mendapatkannya dapat menjualnya kembali pada warga Tionghoa dengan harga jutaan rupiah.

Meja itu diletakkan di depan sebuah Thai Tse Ya, yaitu patung raja hantu yang dibuat dari bambu dan kertas-kertas berwarna-warni. Tinggi Thai Tse Ya mencapai 5 meter dengan diameter perut 2 meter. Ia adalah sesosok hantu raksasa yang menyeramkan. Matanya sebesar semangka dan lidahnya panjang menjuntai seperti ingin menjilati jejeran babi berminyak-minyak yang dipanggang berayun di bawahnya. Thai Tse Ya tak lain adalah representasi sifat-sifat buruk dan kesialan manusia. Sepanjang sore dan malam hari, warga Tionghoa yang Kong Hu Cu tentu saja melakukan sembahyang di depan Thai Tse Ya ini.

Tepat tengah malam salah seorang paderi akan memukul sebuah tempayan besar pertanda seluruh hadirin dapat mengambil—lebih tepatnya merebut—semua barang yang ada di tiga meja besar tadi. Oleh karena itu, Chiong Si Ku disebut juga acara sembahyang rebut.

Ketika tempayan itu dipukul bertalu-talu tanda mulai berebut aku menyaksikan salah satu peristiwa paling dahsyat yang pernah dilakukan manusia. Gunungan beratus-ratus jenis barang tersebut lenyap dalam waktu tak lebih dari satu menit, 25 detik lebih tepatnya, dan tempat itu berubah menjadi kekacaubalauan yang tak terlukiskan kata-kata. Debu tebal mengepul ketika ratusan orang dengan garang menyerbu meja-meja tinggi itu dengan semangat seperti orang kesetanan. Tak jarang meja-meja itu hancur berantakan dan para perebut cedera berat.

Mereka yang berhasil naik ke atas meja dengan gerakan secepat kilat melemparkan barang-barang secara sistematis kepada rekan-rekannya yang menunggu di bawah. Mereka yang bertindak sendiri naik ke atas meja dan memasukkan apa saja yang ada di dekatnya ke dalam sebuah karung—juga dengan kecepatan kilat—sampai kadang kala tak bisa menurunkan karungnya itu karena sudah di luar batas tenaganya.

Kadang kala belasan orang berebut sebuah barang sehingga terjadi semacam perkelahian di tengah tumpukan barang dan beberapa di antaranya terjengkang, jatuh menabrak barang-barang rebutan, lalu terjerembap ke tanah. Para penonton tak sempat bertepuk tangan tapi hanya terpana menyaksikan pemandangan sekilas yang mahadahsyat sekaligus ngeri membayangkan bagaimana manusia bisa begitu serakah dan beringas.

Mereka yang tidak membawa karung memasukkan apa saja ke dalam seluruh saku baju dan celana bahkan ke dalam bajunya sehingga tampak seperti badut. Dalam situasi berebutan yang sangat cepat otak sudah tidak bisa menalar, kadang kala butir-butir beras dan gula juga dimasukkan ke dalam saku celana. Mereka yang saku baju dan celananya—bahkan bagian dalam bajunya—telah penuh memasukkan apa saja ke dalam mulutnya, mereka makan apa saja, sebanyak mungkin, ketika masih berada di atas meja, jika perlu mereka akan menyimpan barang di dalam lubang-lubang hidung dan telinga, luar biasa!

Jika berhasil merebut radio transistor jangan harap akan membawanya pulang dengan utuh karena ketika masih di atas meja radio itu akan direbut oleh lima belas orang sekaligus sehingga yang tersisa hanya tombol-tombol atau antenanya saja. Prinsipnya tak mengapa mendapatkan tombolnya saja asalkan orang lain juga tak mendapatkan radio seutuhnya. Perkara radio itu menjadi hancur tak bisa dipakai adalah urusan lain yang tak penting. Inilah manifestasi dasar keserakahan manusia. Chiong Si Ku adalah bukti nyata tak terbantah terhadap teori yang dipercaya para antropolog tentang kecenderungan egois, tamak, merusak, dan agresif sebagai sifat-sifat dasar homo sapiens.

Superstar dalam Chiong Si Ku tentu saja orang-orang Sawang. Tanpa mereka bisa-bisa acara ini kehilangan sensasinya. Mereka sukses setiap tahun karena pengorganisasian yang solid. Sejak sore mereka telah melakukan riset di mana posisi barang-barang berharga, dari sudut mana harus menyerbu, berapa tenaga yang diperlukan, dan mengkalkulasi perkiraan perolehan. Berhari-hari sebelum sembahyang rebut mereka telah menyusun strategi. Pembagian tugasnya jelas, yaitu mereka yang berbadan besar bertugas menjegal kelompok perebut lain, yang kecil menyerbu naik ke atas meja seperti gerakan monyet—cepat, jeli, dan tangkas—dan sisanya menunggu di bawah, siaga menangkap apa saja yang dilemparkan dari atas meja. Kelompok ini beranggotakan sampai dua puluh orang. Seorang pria Sawang kurus bermata liar ditugaskan khusus selama bertahun-tahun untuk menjarah *fung pu*. Ketika ia beraksi, ekspresinya datar seolah ia tak punya urusan dengan perebut-perebut serakah lainnya. Tingkah lakunya persis budak yang dijanjikan merdeka oleh Siti Hindun jika berhasil membunuh Hamzah sang panglima pada Perang Uhud. Sang budak tak ada urusan dengan Perang Uhud, perang itu bukan perangnya, setelah menombak dada Hamzah ia bergegas pulang. Demikian pula pria bermata liar ini. Ketika padri memukul tempayan pertama kali ia langsung memanjat meja seperti manusia laba-laba, lalu dengan cekatan ia berjingkat-jingkat di antara lautan barang-barang. Matanya yang tajam nanar jelalatan melacak ke sana kemari dan dalam waktu singkat ia mampu menemukan *fung pu*. Ia selalu sukses meskipun padri telah menyembunyikan benda kecil keramat itu dengan amat rapi di antara tumpukan terdalam lipatan daster, di dalam salah satu dari puluhan kaleng biskuit Khong Guan yang paling sulit dijangkau, di dalam karung kemiri, di sela-sela dedaunan tebu, bahkan di dalam buah jeruk kelapa. Setelah mendapatkan *fung pu* ia menyelipkan carikan merah itu di pinggangnya dan melompat turun seperti pemilik ilmu peringan tubuh. Ia tak sedikit pun peduli dengan barang-barang berharga lainnya serta kecamuk ratusan pria kasar yang berebut dengan brutal. Sang legenda hidup Chiong Si Ku itu mendarat ke bumi tanpa menimbulkan suara lalu sedetik kemudian ia menghilang di tengah kerumunan massa membawa lari lambang supremasi Chiong Si Ku. Ia lenyap di telan gelap, asap gaharu, dan aroma dupa.

Orang-orang Melayu, sebagaimana biasa, susah berorganisasi. Bukannya fokus pada ikhtiar untuk mencapai tujuan dan memenangkan persaingan tapi sebaliknya mereka gemar sekali berpolitik sesama mereka sendiri. Tak terima jika dikoreksi dan jarang ada yang mau berintrospeksi. Di antara mereka selalu saja berbeda pendapat dan mereka senang bukan main dengan pertengkaran yang tak konstruktif. Tak mengapa tujuan tak tercapai asal tak jatuh nama dalam debat kusir. Dan selalu terjadi suatu gejala yang paling umum yaitu: yang paling bodoh dan paling tak berpendidikan adalah paling lantang dan paling pintar kalau bicara. Jika orang Melayu membentuk sebuah tim maka setiap orang ingin menjadi pemimpin. Akhirnya tim yang solid tak pernah terbentuk. Akibatnya dalam sembahyang rebut mereka beroperasi secara individu dan berjuang secara soliter maka yang berhasil dibawa pulang hanya tubuh yang remuk redam, sebatang tebu, beberapa bungkus sagon, sebelah kaus kaki Mundo, beberapa butir kepala boneka, bibit kelapa yang tak dipedulikan orang Sawang, dan pompa air—itu pun hanya sumbatnya saja.

Chiong Si Ku diakhiri dengan membakar Thai Tse Ya, dengan harapan tak ada sifat-sifat buruk dan kesialan melanda sepanjang tahun ini. Sebuah acara keagamaan tua yang sarat makna, berseni, dan sangat memesona.

Pukul 3.30 selesai shalat asar.

Pesan di kotak kapur! Seperti *message in a bottle*. Aku berdiri tegak di bawah pohon seri di halaman kelenteng sambil memegangi sepedaku, menunggu. Anak-anak muda Tionghoa hilir mudik. Mereka sibuk mendirikan Thai Tse Ya setinggi lima meter. Ada A Kiong di antara mereka, ia berulang kali mengacungkan jempolnya menyemangatiku.

"Tabahlah, Kawan, ambil semua risiko, begitulah hidup," demikian barangkali maksudnya.

Aku membalas dengan senyum kecut karena aku gelisah. Aku gelisah membayangkan apa yang ada di pikiran seorang wanita muda Tionghoa tentang laki-laki Melayu kampung seperti aku. Dan berada di tengah lingkungan mereka membuat aku semakin ragu. Apa aku pulang saja? Tapi aku rindu. Dan rinduku telanjur berdarah-darah.

Seperti terjadi setiap hari, pukul 3.30 sore matahari masih terasa sangat panas dan dengan berdiri di sini sebagian tubuhku tersiram cahayanya. Aku dapat merasakan keringatku mengalir pelan di leher baju takwa putih berlengan panjang, baju terbaik yang aku miliki, hadiah hiburan lomba azan. Jantungku berdetak kacau, aku gugup luar biasa. Burung matahari kawanan tujuh ekor yang berkicau-kicau di dahan-dahan rendah seri jelas-jelas menggodaku. Mereka berjingkat-jingkat dan ribut sekali. Kumbang juga menerorku, seperti suara ambulans mereka sibuk melubangi kayu-kayu besar bercat merah mencolok yang menyangga atap kelenteng. Suaranya merisaukanku. Aku tak sabar menunggu.

Pukul 3.55.

Sudah 25 menit aku mematung di sini, tak ada tanda-tanda kehadiran A Ling. Wajah A Kiong menaruh belas kasihan padaku. Barangkali tadi aku tiba terlalu awal, harusnya aku datang terlambat saja, atau tak datang sama sekali. Berbagai pikiran aneh mulai merasukiku. Aku merasa lelah karena tegang. Kakiku kesemutan.

Mataku tak lepas-lepas memandang ke arah satu-satunya jalan yang menghubungkan kelenteng dengan pasar ikan. Di sepanjang kiri kanan jalan ini tumbuh berderet-deret pohon saga. Cabang-cabang atasnya bertemu meneduhi jalan di bawahnya sehingga jalan ini tampak seperti gua. Setelah deretan pohon-pohon saga, jalan ini berbelok ke kanan. Pinggir jalan ini dipagari bekas-bekas tulang bangunan yang telantar.

Tulang-tulang bangunan itu dirambati dengan lebat tak beraturan ke sana kemari oleh *Bougainvillea spectabilis* liar atau kembang kertas dan berakhir pada ujung sebuah jalan buntu. Di ujung jalan ini berdiri toko Sinar Harapan, rumah A Ling. Maka berdiri dua puluh meter persis di depan Thak Si Ya adalah posisi yang telah kuperhitungkan dengan matang. Jika ia muncul di belokan itu, maka dari posisi ini aku dapat melihatnya langsung berjalan anggun seperti burung sekretaris menuju ke arahku. Pasti ia akan menunduk tersenyum-senyum, atau, seperti film India, ia akan berlari kecil membawa seikat bunga, lalu merentangkan tangannya untuk memelukku. Ah, aku bermimpi.

Tapi ia tak muncul-muncul dan aku berulang kali mengusap mataku yang kelelahan memelototi belokan itu. Kakiku penat dan aku mulai merasa pusing karena ketegangan berkepanjangan. Sekarang Thak Si Ya telah berdiri, para pemuda Tionghoa bertepuk tangan, sementara aku semakin gelisah. Aku melirik Thak Si Ya yang berdiri tinggi tegak, matanya seram sekali mengawasi gerak gerikku.

Sekarang sudah pukul 3.57, tiga menit menjelang tenggat waktu.

Aku menghitung dengan jariku, jika sampai hitungan keenam puluh ia tak muncul maka aku akan pergi saja. Aku kepanasan dan merasa mual. Karena tegang, perutku naik membuat ngilu ulu hatiku. Kalau tadi pikiran yang bukan-bukan merasukiku, kini pikiranku dilanda keraguan.

Apakah ia benar-benar seperti persepsiku selama ini? Apakah yang kubayangkan tentang dirinya akan sama sekali berbeda kenyataannya? Mungkinkah sekarang ia sedang menyiangi tauge, lupa akan janjinya? Tahukah ia betapa berarti pesannya itu untukku? Dan sekarang ia tak datang, betapa hancur hatiku. Ingin segera kukayuh sepeda ini, lari sekencang-kencangnya menceburkan diri ke Sungai Lenggang.

Pukul 4.02, lewat sudah batas janji.

Tik! Tok! Tik! Tok! Tik! Tok!

Sudah 60! Hitunganku sampai. Ia ingkar!

Aku berada di puncak kegelisahan. Tanganku dingin, jantungku berdetak makin cepat. Suara kumbang-kumbang semakin riuh merubung aku, menerorku tanpa ampun. Ngiung! Ngiung! Ngiung ....

Dadaku sesak karena rindu dan marah, aku naiki sadel sepeda, sudah tak tahan ingin berlalu dari neraka ini. Namun ketika aku akan mengayuh sepeda, aku mendengar persis di belakangku suara itu. Suara yang lembut seperti tofu. Suara yang membuat kumbang-kumbang terdiam bungkam. Inilah suara yang sejuk seperti angin selatan, suara terindah yang pernah kudengar seumur hidupku, laksana denting harpa dari surga.

"Siapa namamu?"

Aku berbalik cepat dan terkejut.

Aku tak mampu mengucapkan sepatah kata pun. Karena di situ, persis di situ, tiga meter di depanku, berdirilah ia, *the distinguished Miss A Ling herself!* Michelle Yeoh-ku. Ia datang dari arah yang sama sekali tak kuduga karena sebenarnya dari tadi ia sudah berada di dalam kelenteng memerhatikanku, dan pada detik-detik terakhir aku akan kecewa, ia hadir, memberiku kejutan listrik voltase tinggi, menghancurkan setiap butiran-butiran darah merah di tubuhku. Setelah lima tahun mengenalnya, baru tujuh bulan yang lalu pertama melihat wajahnya, setelah puluhan puisi kutulis untuknya, setelah berton-ton rindu untuknya, baru sore ini dia akan tahu namaku.

Aku tergagap-gagap seperti orang Melayu belajar mengaji.

Ia mengulum senyum, manis sekali tak terperikan. Hadir dalam balutan *chong kiun*, baju acara penting yang memesona, di suatu bulan Juli yang meriah, ia turun ke bumi bagai venus dari Laut Cina Selatan. Baju itu mengikuti lekuk tubuhnya dari atas mata kaki sampai ke leher dan dikunci dengan kancing tinggi berbentuk seperti paku. Tubuhnya yang ramping bertumpu di atas sepasang sandal kayu berwarna biru. Cantik rupawan melebihi mayoret mana pun. Tingginya tak kurang dari 175 cm, jelas lebih tinggi dariku.

Serasi dengan rumpun genayun yang tumbuh kurus menjulang di sampingnya ia mengikat rambutnya menjadi satu ikatan besar dan ikatan itu ditegakkan tinggi-tinggi. Beberapa helai rambut yang disatukan jatuh di atas pundak *chong kiun* berwarna *lam set*, biru muda, dengan motif bunga ros besar-besar. Beberapa helai rambut lainnya dibiarkan jatuh melintasi wajahnya yang teduh jelita. Kuku-kukunya yang cantik memegang hio untuk sembahyang.

Ada sedikit kilasan kedewasaan pada pancaran matanya dibanding terakhir kami bertemu. Teori yang memaksakan pendapat bahwa wanita bermata besar kelihatan lebih cantik akan runtuh berantakan jika melihat A Ling. Matanya yang sipit sedikit tertarik ke atas, senada dengan bentuk alis yang dibiarkan alami. Dalam lukisan wajah yang tirus bentuk mata seperti itu menciptakan rasa kecantikan dengan karakter yang kuat. Inilah pusat gravitasi pesona wajah A Ling.

Sejujurnya aku tak sanggup mengatasi keanggunan pada level seperti ini. Ini bukan untukku. Aku merasa tak pantas. Bagiku ia seperti seseorang yang akan selalu menjadi milik orang lain. Dan aku, tak lebih dari pengisi data nama dan alamat pada buku simfoninya yang akan terlupakan sebulan setelah ini. Aku tak mungkin berada di dalam liga ini. Aku rasanya ingin pulang saja. Ia membaca itu. Lalu memegang mata *kiang lian*, seuntai kalung yang menggantung panjang di lehernya. Mata kalung itu batu giok dan bertulisan Tionghoa. Aku tak paham makna tulisan itu.

"*Miang sui,*" kata A Ling. Nasib, itulah artinya.

Dan lilin besar merah pun dinyalakan, cahayanya berkibar-kibar, ratusan jumlahnya. Mata Thai Tse Ya berkilat-kilat karena lilin menyinari wajahnya dari bawah. Ia tampak makin seram tapi aura A Ling membuatnya tak lebih dari boneka kertas yang jenaka dan kumbang-kumbang yang nakal tadi tak berani muncul lagi.

A Ling menarik tanganku, kami berlari meninggalkan halaman kelenteng, terus berlari melintasi kebun kosong tak terurus, menyibak-nyibakkan rumput apit-apit setinggi dada, tertawa kecil menuju lapangan rumput halaman sekolah nasional. Kami merebahkan diri kelelahan, memandangi awan senja berarakan.

"Aku membaca puisimu, Bunga Krisan, di depan kelas!" katanya serius. "Puisi yang indah …."

Aku melambung.

Wajah A Ling yang cantik berair karena keringat, seperti embun di permukaan kaca. Ia bangkit, lalu berjalan hilir mudik di depanku yang memandanginya seperti bayi melihat kelereng. Lalu dengan gaya seperti dosen ia menggenggam jemarinya, bercerita penuh semangat tentang minatnya pada sketsa dan cita-citanya menjadi perancang busana. Sebaliknya, aku menceritakan minatku pada seni. Di dekatnya aku merasa berarti, merasa menjadi seseorang, di dekatnya aku merasa ingin menjadi seorang pria yang lebih baik. Di dekatnya aku merasa seperti sedang berada dalam sebuah adegan dalam film.

Dari lapangan itu kami kemudian berlari-lari menuju komidi putar. Bukankah komidi putar adalah sebuah benda yang menakjubkan? Setelah seorang pria kumal mengangkat sebuah tuas lalu benda itu secara mekanik memutar insan-insan yang dimabuk cinta yang duduk berimpitan di dalam sebuah tempat seperti mentudung. Lalu tiba-tiba semuanya menjadi mudah karena semua hal disaksikan dari suatu jarak. Bagiku mentudung-mentudung itu seumpama pelaminan di mana orang berusaha menikmati keindahan cinta dalam kesederhanaan sensasi yang ditawarkan sebuah komidi putar. Keindahan yang sederhana ini membuatku belajar menghargai cinta yang sekarang duduk di sampingku. Inilah sore terindah dalam hidupku. Aku bertanya-tanya pada diri sendiri: ke manakah nasib akan membawaku setelah ini? Dari putaran tertinggi komidi aku dapat melihat lapangan tempat tadi kami memandangi awan.

Bab 21
Rindu

DI sebuah buku aku melihatnya mengendarai kuda dengan cara memeluk erat perut hewan itu seperti prajurit Kubilai Khan. Matanya berkilat-kilat karena dewa mata tombak telah melukai hatinya. Darahku menggelegak ketika ia mengendap-endap mendekati seekor *moose* jantan. Dan aku tak kuasa membalik satu lembar terakhir saat ia mengatakan bahwa ia akan mencampakkan cinta wanita-wanita berdarah campuran Tututni dan Chimakuan. Semua itu karena ia tak mau mencemari darah Indian Pequot yang mengalir deras di tubuhnya, dan yang paling memilukan, karena ia adalah pria terakhir dalam sukunya.

Maka air kelaki-lakiannya bersimbah di punggung-punggung kuda tak berpelana dan ia mengembara sendirian di lautan padang rumput Yellowstone yang tak bertepi. Ia menjerit sepanjang hari dan menari menantang matahari sehingga pandangan matanya gelap gulita. Ia merangkak-rangkak, berdoa agar salah satu wanita dari sukunya akan muncul di antara kawanan *coyote* seperti para dewa telah menghadirkan wanita-wanita Squamish. Tapi waktu yang mengutus angin juga telah tega mengkhianatinya, sehingga ia menjadi tua, dan saat maut menagih janjinya, ia mati masih perjaka. Pagi itu langit melapangkan kedua tangan, menyambut darah asli Pequot.

Chinookcuk, yang terakhir dari kaumnya itu adalah prajurit yang memutuskan untuk mengucilkan diri karena ingin menjaga kesucian darah Pequot. Sama seperti suatu suku terasing di Sepahua Amazon. Mereka melarikan diri jauh ke rimba yang dalam karena ingin menghindarkan diri dari wabah kolera. Sejak tahun 1500 tak seorang pun pernah melihat mereka. *Isolated by choice,* demikian para ahli menyebutnya, yaitu sikap sengaja mengasingkan diri. Sedangkan yang mengumbar keberadaan dirinya seperti suku-suku Osage, Huron, Lakmiut, Cherokee, Sawang, atau Melayu Belitong umumnya mengalami hambatan-hambatan geografis sehingga terisolasi. Meskipun dalam kasus tertentu isolasi sengaja itu juga terjadi karena pertimbangan komersial, misalnya Sheffield yang tiga tahun lalu memutuskan untuk mengucilkan diri dengan menutup bandaranya karena tidak menghasilkan keuntungan. Adapun suku-suku Perupian itu memang terasing karena rimba belantara yang sulit ditembus, sungai-sungai yang liar, dan gunung-gemu-nung yang terjal.

Pada suatu ketika Melayu Belitong sempat terisolasi karena mereka tinggal di sebuah pulau kecil yang dikelilingi samudra, sementara tidak semua peta memuat pulau ini. Waktu itu di sana belum berdiri BTS-BTS atau antena gelombang mikro untuk telekomunikasi. Satu-satunya akses suku ini kepada dunia luar adalah melalui sebuah pintu baja setebal 30 sentimeter. Bagi orang Belitong, pintu baja itu adalah tabir pemisah kehidupan jahiliah dan dunia modern, sekaligus laksana teropong kapal selam yang timbul untuk melongok-longok dunia luar.

Pintu baja tulen itu menutup sebuah ruangan sempit rahasia yang menyimpan benda-benda keramat berwarna-warni. Ruangan ini disebut *kluis* dan merupakan bagian utama dari sebuah kantor peninggalan Belanda. Jika pintu ini ditutup maka orang Melayu Belitong merasa bahwa di dunia ini Tuhan hanya menciptakan mereka dan bumi berbentuk lonjong. *Kluis* adalah jendela alam semesta bagi suku Melayu Belitong.

Oleh karena itu, *kluis* sangat penting dan kuncennya bukan orang sembarangan. Di dunia ini hanya ia dan Tuhan yang tahu kombinasi sebelas digit nomor benteng pertama *kluis*. Setelah memutar kombinasi itu ia harus melalui tiga tahap lagi untuk membukanya. Pertama, ia harus memasukkan dua buah anak kunci tembaga kurus panjang ke dalam dua lubang kunci dan memutarnya setengah lingkaran secara bersamaan. Kedua, ia kembali memasukkan sebuah anak kunci besar yang harus diputar dengan kedua tangan karena harus cukup tenaga untuk membalik enam buah batangan baja murni sebesar lengan manusia dewasa dari penyekatnya, inilah tuas kunci utama *kluis*. Dan ketiga, setelah pintu besi 30 sentimeter itu terbuka ternyata masih ada lagi pintu besi jeruji yang dikunci dengan gembok tembaga selebar telapak tangan.

Ruangan *kluis* ini tahan api dan jika diledakkan dengan dinamit 100 kilogram ia masih tak akan bergerak. Di dalamnya gelap pekat tak ada udara, apabila terperangkap di sana dipastikan akan mati lemas dalam waktu singkat. Jika pintu itu rusak, hanya seorang pria tua bernama Hans Ritsema Van Horn dari Utrecht yang bisa membetulkannya. Pengamanan dibuat demikian ketat berlapis-lapis karena dalam *kluis* itu terdapat benda-benda keramat berwarna-warni, benda inilah sang penguasa waktu. Ia bukan semacam lorong waktu yang dapat membalik tempo tapi ia lebih seperti *time slider* pada DVD *player*, dan ia disimpan dalam portepel-portepel. Dengan Rp200, prangko kilat, tujuh hari insya Allah sampai kepada alamat penerima, menuju tujuan kota mana pun di Pulau Jawa, dan Rp75 adalah prangko biasa, jika ingin sampai saat Hari Raya Idul Adha maka kirimlah sebelum Hari Raya Idul Fitri.

Pria pemegang kunci *kluis* itu merupakan orang terpilih dan Tuhan diam-diam telah menciptakan untuknya sebuah pekerjaan yang bukan hanya bergaji rendah tapi juga unik dan bisa memacu otak sekaligus jantungnya. Dan kepada pemangku pekerjaan inilah seharusnya kita, khususnya kami, orang-orang Melayu Belitong, menghaturkan terima kasih yang tak terperikan. Meskipun The Beatles telah menunjukkan sedikit respek kepadanya dengan menulis lagu "Mr. Postman", tapi masih jarang sekali pujangga-pujangga Melayu yang tersohor merangkai gurindam, mengarang puisi, atau sekadar menulis cerpen tentang kiprahnya.

Pekerjaan kuncen *kluis* yang memacu otak dan jantung kumaksud di atas adalah pekerjaan Pak Pos yang sekaligus menjadi kepala kantor pos di kecamatan-kecamatan. Dalam susunan organisasi, mereka menamainya Pengurus Kantor Pos Pembantu, tapi di kampung kami beliau disebut Tuan Pos. Beliaulah yang memungkinkan kami berkomunikasi dengan budaya luar melalui benda keramat berwarna-warni, yaitu prangko-prangko itu, dan beliau pula yang menyampaikan koran-koran terlambat sebulan dari Jakarta sehingga kami tahu rupa kepala suku republik ini. Pada suatu kurun waktu pernah angin barat berkepanjangan berembus demikian kencang, akibatnya kapal-kapal harus memilih muatan secara selektif dan orang-orang Belitong juga terpaksa memilih: mau makan beras atau makan kertas?

Karena di kampung kami tidak ada sawah maka kapal-kapal itu memutuskan untuk membawa barang-barang penting saja, dan koran dianggap kurang penting. Maka koran-koran itu terlambat selama tiga puluh dua tahun. Kami tak tahu apa yang terjadi di Jakarta. Tapi setelah koran-koran itu tiba kami tak kecewa meskipun telah terlambat selama itu karena ternyata sang kepala suku masih orang yang sama.

Tuan Pos memacu otak karena ia menguras pikirannya untuk membuat perencanaan *cash flow* dan benda pos guna keperluan bulan depan. Ia harus memperkirakan berapa orang yang akan menarik tabanas, menguangkan wesel, menerima pensiun, dan mengirim surat, kartu, dan paket. Lalu setelah sepanjang hari melayani pelanggan di loket, menjelang sore Tuan Pos mengeluarkan sepeda untuk berkeliling kampung mengantar surat, ia pun memacu jantungnya.

Tuan Pos kami adalah tuan sekaligus anak buah bagi dirinya sendiri karena semua pekerjaan ia kerjakan sendiri. Beliau bekerja sejak subuh: memasak sagu untuk lem, mengangkat karung paket, menjual prangko, menerima dan membayar tabanas dan wesel, mencap surat. Kadang-kadang beliau membantu pelanggan menulis dan malah membacakan surat cinta untuk para kekasih yang buta huruf. Ketika BUMN yang sok progresif sekarang ribut soal *Good Corporate Citizenship*, Tuan Pos kami telah jauh-jauh hari mempraktikkannya. Beliau menyortir surat sejak subuh dan mengantarnya di bawah hujan dan panas. Sudah begitu, tak jarang pula beliau menerima keluhan yang pedas dari pelanggan. Sekilas dalam hati aku berdoa:

"Ya, Allah, cita-citaku adalah menjadi seorang penulis atau pemain bulu tangkis, tapi jika gagal jadikan aku apa saja kalau besar nanti, asal jangan jadikan aku pegawai pos. Dan jangan beri aku pekerjaan sejak subuh."

"APA anak-anak muda di kelas ini sudah boleh menerima surat cinta, Ibunda Guru?" Itulah kata-kata dari sepotong kepala yang melongok dari balik daun pintu kelas kami. Bu Mus tersenyum ramah pada Tuan Pos yang tiba-tiba muncul. Beliau biasa menerima kiriman majalah syiar Islam *Panji Masyarakat* dari sebuah kantor Muhammadiyah di Jawa Tengah. Tapi kali ini Tuan Pos membawa surat untukku.

Istimewa sekali! Inilah surat pertama yang kuterima dari Perum Pos. Dulu aku sering mengantar nenekku ke kantor pos untuk mengambil pensiun. Tapi secara pribadi, baru kali ini aku menerima layanan dari perusahaan umum yang sangat bersahaja ini, sahabat orang kecil, pos giro. Aku bangga dan sekilas merasa menjadi orang yang agak sedikit penting.

Apakah surat ini dari redaksi majalah *Kawanku* atau majalah *Hai* untuk puisi-puisi yang tak pernah kukirimkan? Tentu saja tak mungkin. Surat ini dialamatkan ke sekolah, tak ada nama dan alamat pengirimnya, sampulnya biru muda, indah, dan harum pula baunya.

Apakah salah alamat? Mungkin untuk Samson atau Sahara dari sahabat pena mereka di Kuala Tungkal, Sungai Penuh, Lubuk Sikaping, atau Gunung Sitoli. Mengapa para sahabat pena selalu berasal dari tempat-tempat yang namanya aneh? Atau mungkin untuk Trapani yang tampan dari seorang pengagum rahasia?

Pak Pos tersenyum menggoda. Beliau mengeluarkan *form* x13. Tanda terima kiriman penting.

"Surat ini untukmu, rambut ikal, cepat tanda tangan di sini, tak 'kan kuhabiskan waktuku di sekolahmu ini, masih banyak kerjaan, sekarang musim bayar pajak, masih ratusan SPT pajak harus diantar, cepatlah ...."

Pak Pos belum puas dengan godaannya.

"Ada gadis kecil datang ke kantor pos pagi-pagi. Mengirimimu kilat khusus dalam kota! Mungkin asap hio membuatnya sedikit linglung, pakai prangko biasa pun pasti kuantar hari ini. Ia berkeras dengan kilat khusus, begitu pentingkah urusanmu belakangan ini, ikal mayang?"

Aha, asap hio! Sekarang aku paham, kurampas surat itu. Dadaku berdebar-debar.

Menunggu waktu pulang untuk membuka isi surat itu rasanya seperti menunggu rakaat terakhir shalat tarawih hari ketiga puluh. Saat itu imam membaca hampir setengah Surah Al-Baqarah sementara ketupat sudah menari-nari di depan mata.

Aku duduk sendiri di bawah *filicium* ketika seluruh siswa sudah pulang. Surat bersampul biru itu berisi puisi.

Rindu

Cinta benar-benar telah menyusahkanku
Ketika kita saling memandang saat sembahyang rebut
Malamnya aku tak bisa tidur karena wajahmu tak mau
    pergi dari kamarku
Kepalaku pusing sejak itu...

Siapa dirimu?

Yang berani merusak tidur dan selera makanku?
Yang membuatku melamun sepanjang waktu?
Kamu tak lebih dari seorang anak muda pengganggu!
Namun ingin kukatakan padamu
Setiap malam aku bersyukur kita telah bertemu
Karena hanya padamu, aku akan merasa rindu ....

A Ling

Aku terpaku memandangi kertas itu. Tanganku gemetar. Aku membaca puisi itu dengan menanggung firasat sepi tak tertahankan yang diam-diam menyelinap. Aku bahagia tapi dilanda kesedihan yang gelap, ada rasa kehilangan yang mengharu biru. Tak lama kemudian aku melihat pagar-pagar sekolahku perlahan-lahan berubah menjadi kaki-kaki manusia yang rapat berselang-seling. Ada seseorang duduk bersimpuh di tengah lapangan dikelilingi kaki-kaki itu. Dan ada bangkai seekor buaya terbujur kaku di sampingnya. Ia tampak samar-samar dan terlihat sangat putus asa. Lalu wajah samar laki-laki itu tampak mendekat, ia menoleh ke arahku, air mata mengalir di pipinya yang carut marut berbintik-bintik hitam. Hari itu aku paham bahwa kepedihan Bodenga yang kusaksikan bertahun-tahun lampau di lapangan basket sekolah nasional telah melekat dalam benakku sebagai sebuah trauma, dan hari itu, setelah sekian tahun berlalu, untuk pertama kalinya Bodenga mengunjungiku.

281

Bab 22
Early Morning Blue

TEKANAN darahku terlalu rendah. Penderita hipotensi tidak bisa bangun tidur dengan tergesa-gesa. Jika langsung berdiri maka pandangan mata akan berkunang-kunang lalu bisa-bisa ambruk dan kembali tidur dalam bentuk yang lain. Sebuah konsekuensi yang mengerikan.

Namun, Samson sungguh tak punya perasaan. Ia membabat kakiku tanpa ampun dengan gulungan tikar lais saat aku sedang tertidur lelap.

"Bangun!" hardiknya. "Wak Haji sudah datang, sebentar lagi azan, disiramnya kau nanti!" Dan aku terbangkit mendadak, meracau tak keruan antara tidur dan terjaga, tergagap-gagap. Kurasakan dunia berputar-putar, pandanganku gelap. Aku merangkak berlindung di balik

Andrea Hirata

pilar agar tak ketahuan Wak Haji yang sedang membuka jendela-jendela masjid. Sempat kulihat Lintang, Trapani, Mahar, Syahdan, dan Harun terbirit-birit menyerbu tempat wudhu.

Tidur di ruang utama masjid adalah pelanggaran. Kami seharusnya tidur di belakang, di ruangan beduk dan usungan jenazah. Aku tersandar tanpa daya pada pilar yang beku, berusaha meregang-regangkan mataku, jantungku terengah-engah, aku bersusah payah mengumpul-ngumpulkan nyawa.

Angin dingin menyerbu lewat jendela. Mataku terpicing mengintip keluar jendela. Sisa cahaya bulan yang telah pudar jatuh di halaman rumput, sepi dan murung. Inilah *early morning blue*, semacam hipokondria, perasaan malas, sakit, pesimis, dan kelabu tanpa alasan jelas yang selalu melandaku jika bangun terlalu dini. Teringat puisi A Ling untukku, aku ingin tidur lagi dan baru bangun minggu depan.

Setelah Wak Haji selesai mengumandangkan azan baru kurasakan jiwa dan ragaku bersatu. Kucai yang telah mengambil wudhu dengan sengaja melewatiku, jaraknya dekat sekali, bahkan hampir melangkahiku. Ia menjentik-jentikkan air ke wajahku. Kibasan sarung panjangnya menampar mukaku.

"Pemalas!" katanya.

Malam Minggu ini kami menginap di Masjid Al Hikmah karena setelah shalat subuh nanti kami punya acara seru, yaitu naik gunung!

284

Gunung Selumar tidak terlalu tinggi tapi puncaknya merupakan tempat tertinggi di Belitong Timur. Jika memasuki kampung kami dari arah utara maka harus melewati bahu kiri gunung ini. Dari kejauhan, gunung ini tampak seperti perahu yang terbalik, kukuh, biru, dan samar-samar. Di sepanjang tanjakan dan turunan menyusuri bahu kiri Gunung Selumar berderet-deret rumah-rumah penduduk Selinsing dan Selumar. Mereka memagari pekarangannya dengan bambu tali yang ditanam rapat-rapat dan dipangkas rendah-rendah. Kampung kembar ini dipisahkan oleh sebuah lembah yang digenangi air yang tenang. Danau Merantik, demikian namanya.

Jika mengendarai sepeda maka stamina tubuh akan diuji oleh sebuah tanjakan pendek namun curam menjelang Desa Selinsing. Pemuda-pemuda Melayu yang berusaha membuat kekasihnya terkesan tak 'kan membiarkannya turun dari sepeda. Mereka nekat mengayuh sampai ke puncak, mengerahkan segenap tenaga, tertatih-tatih sehingga sepeda tak lurus lagi jalannya. Setelah tanjakan Selinsing ini ditaklukkan maka sepeda akan menukik turun. Sang pemuda akan tersenyum puas, meminta kekasihnya memeluk pinggangnya erat-erat dan meyakinkannya bahwa ia kurang lebih tidak akan terlalu memalukan nanti kalau dijadikan suami.

Pada tukikan ini sepeda akan meluncur turun dengan deras, menikung sedikit, sebanyak dua kali, menelusuri lembah Danau Merantik, lalu disambut lagi oleh tanjakan kampung Selumar. Kekasih mana pun akan maklum kalau di-

minta turun, karena tanjakan Selumar meskipun tak secu-
ram tanjakan Selinsing, jarak tanjaknya sangat panjang.

Baru seperempat saja menempuh tanjakan Selumar
maka sepeda yang dituntun akan terasa berat. Pagar bambu
tali yang dibentuk laksana anak-anak tangga tampak ber-
bayang-bayang karena mata berkunang-kunang akibat ke-
lelahan. Semakin ke puncak langkah semakin berat seperti
dibebani batu. Keringat bercucuran mengalir deras melalui
celah-celah leher baju, daun telinga, dan mata, sampai
membasahi celana. Tapi saat mencapai puncaknya, yaitu
puncak bahu kiri Gunung Selumar, semua kelelahan itu
akan terbayar. Di hadapan mata terhampar luas Belitong
Timur yang indah, dibatasi pesisir pantai yang panjang
membiru, dinaungi awan-awan putih yang mengapung
rendah, dan barisan rapi pohon-pohon cemara angin.

Dari puncak bahu ini tampak rumah-rumah penduduk
terurai-urai mengikuti pola anak-anak Sungai Langkang yang
berkelak-kelok seperti ular. Kelompok rumah ini tak lagi
dipagari oleh bambu tali namun berselang-seling di antara
padang ilalang liar tak bertuan. Semakin jauh, jalur pemu-
kiman penduduk semakin menyebar membentuk dua arah.

Permukiman yang berbelok ke arah barat daya terlihat
sayup-sayup mengikuti alur jalan raya satu-satunya menuju
Tanjong Pandan. Dan yang terdesak terus ke utara terputus
oleh aliran sebuah sungai lebar bergelombang yang tersam-
bung ke laut lepas—Sungai Lenggang yang melegenda. Di
seberang Sungai Lenggang rumah-rumah penduduk semakin
rapat mengitari pasar tua kami yang kusam.

Jangan terburu-buru menuruni lembah. Berhentilah untuk beristirahat. Sandarkan tubuh berlama-lama di salah satu pokok pohon angsana tempat anak-anak tupai ekor kuning rajin bermain. Dengarkan orkestra daun-daun pohon jarum dan jeritan histeris burung-burung kecil matahari yang berebut sari bunga jambu mawar dengan kumbang hitam. Nikmati komposisi lanskap yang manis antara gunung, lembah, sungai, dan laut. Longgarkan kancing baju dan hirup sejuk angin selatan yang membawa aroma daun *Anthurium andraeanum,* yaitu bunga hati yang tumbuh semakin subur beranak pinak mengikuti ketinggian. Dinamakan bunga hati karena daunnya berbentuk hati.

Aku sendiri tak pasti, apakah aroma harum alami yang melapangkan dada itu berasal *andraeanum* sendiri atau dari simbiosisnya, sebangsa fungi *Clitocybe gibba* yaitu jamur daun tak bertangkai yang rajin merambati akar-akar familia keladi itu. Jamur ini bersemi dalam suhu yang semakin lembap saat memasuki musim angin barat pada bulan-bulan yang berakhiran -*ber*. Bentuknya tegap, rendah, dan gemuk-gemuk.

Kami sudah sangat sering piknik ke Gunung Selumar dan agak sedikit bosan dengan sensasinya. Biasanya kami tidak sampai ke puncak, sudah cukup puas dengan pemandangan dari 75% ketinggiannya. Lagi pula komposisi batu granit di atas lereng gunung ini membuat jalur pendakian ke puncak menjadi licin. Namun, kali ini aku amat bergairah dan bertekad untuk mendaki sampai ke puncak. Laskar Pelangi menyambut baik semangatku. Belum apa-

apa mereka telah sibuk bercerita tentang pemandangan hebat yang akan kami saksikan nanti dari puncak, yaitu seluruh jembatan di kampung kami, kapal-kapal ikan, dan tongkang pasir gelas yang bersandar di dermaga.

Tapi aku tak peduli dengan semua pemandangan itu karena aku punya misi rahasia. Rahasia ini menyangkut sebuah pemandangan menakjubkan yang hanya bisa disaksikan dari puncak tertinggi Gunung Selumar. Rahasia ini juga berhubungan dengan bunga-bunga kecil nan rupawan yang hanya tumbuh di puncak tertinggi. Mereka adalah bunga liar *Callistemon laevis* atau bunga jarum merah, atau kalau beruntung, bunga kecil kuning kelopak empat semacam *Diplotaxis muralis*.

Aku menyebutnya bunga rumput gunung, istilahku sendiri, karena ia senang menyelinap, enam atau tujuh tangkai seperanakan, di antara rerumputan zebra liar di puncak-puncak gunung dekat laut. Kelopaknya selebar ibu jari, berwarna kuning redup dan tangkai yang menopangnya berwarna hijau muda dengan ukuran tak sepadan, natural, spontan, lucu, dan cantik. Daun-daunnya tak dapat dikatakan indah karena bentuk dan warnanya, bukan ukurannya, lebih seperti daun *Vitex trifolia* biasa. Namun jika kita siangi daunnya dan berhasil mengumpulkan paling tidak 15 kuntum lalu disatukan dengan jumlah yang lebih sedikit dari kuntum bunga jarum merah maka satu kata untuk mereka: fantastik!

Bunga jarum merah berbentuk jarum yang lebat dengan ujung bulat kecil-kecil berwarna kuning. Ketika bunga jarum digabungkan dengan bunga rumput gunung tanpa diatur maka mereka seolah berebutan tampil. Ikatlah mereka dengan pita rambut berwarna biru muda dan tulislah sebuah puisi, maka Anda akan mampu mendinginkan hati wanita mana pun.

Setelah tiga jam mendaki kami tiba di puncak. Lelah, haus, dan berkeringat, tapi tampak jelas rasa puas pada setiap orang, sebuah ekspresi "telah mampu menaklukkan". Aku yakin perasaan inilah yang memicu sikap obsesif setiap pendaki gunung profesional untuk menaklukkan atap-atap dunia. Kiranya daya tarik mendaki gunung berkaitan langsung dengan fitrah manusia.

Lalu dengan hiruk pikuk sahut-menyahut teman-temanku, para Laskar Pelangi, berkomentar tentang pemandangan yang terhampar luas di bawah mereka.

"Lihatlah sekolah kita," pekik Sahara. Bangunan itu tampak menyedihkan dari jauh. Rupanya dilihat dari sudut dan jarak bagaimanapun, sekolah kami tetap seperti gudang kopra!

Lalu Kucai menunjuk sebuah bangunan, "Hai! Tengoklah! Itu masjid kita".

Seluruh khalayak meneriakinya, tak terima.

"Itu kelenteng, bodoh!" Dan mereka pun terbelah dalam dua kelompok debat kusir.

Sebagaimana biasa Mahar mulai berdongeng, menurutnya Gunung Selumar adalah seekor ular naga yang sedang menggulung diri dan telah tidur panjang selama berabad-abad.

"Ular ini akan bangun nanti kalau hari kiamat. Kepalanya ada di puncak gunung ini. Berarti tepat berada di bawah kaki-kaki kita sekarang! Dan ekornya melingkar di muara Sungai Lenggang," katanya absurd.

"Maka jangan terlalu ribut di sini, nanti kalian kualat," tambahnya lagi belum puas membodohi diri sendiri. Teman-temanku riuh rendah mendengar cerita itu dalam pro dan kontra.

Tapi seperti biasa pula, A Kiong-lah yang selalu termakan dongeng Mahar, ia tampak serius dan percaya seratus persen. Mungkin sebagai ungkapan rasa kagum atas cerita yang sangat bermanfaat itu, dengan takzim ia memberikan bekal pisang rebusnya kepada Mahar. Sikapnya seperti seorang anggota suku primitif menyerahkan upeti kepada dukun yang telah menyembuhkannya dari penyakit kudis. Mahar menyambar upeti itu dan secara kilat memasukkannya ke dalam sistem pencernaannya tanpa peduli bahwa dia sedang dianggap sangat berwibawa oleh A Kiong. Meledaklah tawa Laskar Pelangi melihat pemandangan itu. Namun A Kiong tetap serius, ia sama sekali tidak tertawa, baginya kejadian itu tidak lucu.

Demikian pula aku. Aku juga tidak tertawa. Karena aku sedang merasa sepi di keramaian. Mataku tak lepas memandang sebuah kotak persegi empat berwarna merah nun jauh di bawah sana, atap sebuah rumah. Rumah A Ling.

Aku menyingkir dari kegirangan teman-temanku, sendirian menelusuri padang ilalang rendah di puncak gunung, memetik bunga-bunga liar. Kupandangi lagi atap rumah A

Ling dan segenggam bunga liar nan cantik di dalam geng-
gaman. Untuk inikah aku mendaki gunung setinggi ini?

Panorama dari puncak ini seperti musik. Intronya ada-
lah gumpalan awan putih yang mengapung rendah seolah
aku dapat menjangkaunya. Lalu mengalir vokal dari suitan-
suitan panjang burung-burung prigantil yang kadang-kadang
begitu dekat dan nyaring, sampai terdengar jauh samar-
samar bersahut-sahutan dengan lengkingan-lengkingan
kecil kawanan murai batu. *Reffrain*-nya adalah ribuan bu-
rung punai yang menyerbu hamparan buah bakung yang
masak menghitam seperti permadani raksasa. Musik di-
akhiri secara *fade out* oleh jajaran panjang hutan bakau
tangkapan hujan yang memagari anak-anak Sungai Leng-
gang, berkelok-kelok sampai tak tampak oleh pandangan
mata, ditelan muara-muara di sepanjang Pantai Manggar
sampai ke Tanjong Kelumpang.

Angin sejuk yang bertiup dari lembah menampar-
nampar wajahku. Aku merasa tenang dan akan kutulis puisi
demi seseorang di balik tirai keong itu. Puisi inilah misi
rahasiaku.

Jauh Tinggi

A Ling, hari ini aku mendaki Gunung Selumar
Tinggi, tinggi sekali, sampai ke puncaknya
Hanya untuk melihat atap rumahmu
Hatiku damai rasanya

Bab 23
Billitonite

SENIN pagi yang cerah. Sepucuk puisi dibungkus kertas ungu bermotif kembang api. Bunga-bunga kuning kelopak empat dan kembang jarum merah primadona puncak gunung diikat pita rambut biru muda. Tak juga hilang kesegarannya karena semalam telah kurendam di dalam vas keramik. Tak sabar rasanya ingin segera kuberikan pada A Ling.

Benda-benda ajaib ini adalah properti sekuel cinta pagi ini, dan skenarionya adalah: ketika A Ling menyodorkan kotak kapur, aku serta-merta meletakkan bunga dan puisiku ini ke tangannya yang terbuka. Tak perlu ada kata-kata. Biarlah ia menghapus air matanya karena keindahan bunga-bunga liar dari puncak gunung. Biarlah ia membaca puisiku dan merasakan kue keranjang tahun ini lebih enak daripada tahun-tahun lalu.

Aku gugup dan bergegas menghampiri lubang kotak kapur segera setelah A Miauw memberi perintah. Namun ketika tinggal dua langkah sampai ke kotak itu aku terkejut tak alang kepalang. Aku terjajar mundur ke belakang dan nyaris terantuk pada kaleng-kaleng minyak sayur. Aku terperanjat hebat karena melihat tangan yang menjulurkan kotak kapur adalah sepotong tangan yang sangat kasar. Tangan itu bukan tangan A Ling!

Tangan itu sangat ganjil, seperti sebilah tembaga yang jahat. Bentuknya benar-benar kebalikan dari tangan Michelle Yeoh-ku. Tangan itu berotot, dekil, hitam legam, dan berminyak-minyak. Dari otot lengan atasnya menjalar urat-urat besar berwarna biru, timbul dan berkejaran.

Sebuah gelang akar bahar, tidak tanggung-tanggung, melingkar tiga kali pada lengan tembaga sepuhan tembaga itu. Ujung gelang diukir berbentuk kepala ular beracun kuat pinang barik yang menganga lapar siap menyambar. Sedangkan pada pergelangan siku, seperti dikenakan raksasa jahat dalam pewayangan, melekat gelang alumunium ketat dengan kedua ujung berbentuk gerigi kunci, biasa dipakai untuk tujuan-tujuan melanggar hukum. Memang tidak terdapat tato—pantangan bagi orang Melayu yang tahu agama—tapi pada tiga jari-jemarinya terdapat tiga mata cincin yang mengancam.

Jari telunjuknya dibalut cincin batu satam terbesar yang pernah kulihat. Batu satam adalah material meteorit yang unik karena di muka bumi ini hanya ada di Belitong. Warnanya hitam pekat karena komposisi *carbon acid* dan mangaan, dan kepadatannya lebih dari baja sehingga tidak mungkin bisa dibentuk. Batu-batu ini biasa bersembunyi di lubang bekas tambang timah dan tak 'kan dapat ditemukan jika sengaja dicari. Hanya nasib baik yang dapat mengeluarkan satam dari perut bumi. Tahun 1922 kompeni menyebut batu ini *billitonite* dan dari sinilah Pulau Belitong mendapatkan namanya. Tanpa sama sekali mempertimbangkan estetika, pemilik tangan itu mengikat benda keramat dari tata surya itu apa adanya dengan kuningan murahan. Namun, ia memakainya dengan bangga seolah dirinya penguasa langit.

Pada jari manisnya terpajang cincin bermata batu akik yang mengesankan seperti sebuah batu kecubung asli Kalimantan yang amat berharga. Tapi aku tak bisa dibohongi. Batu itu tak lebih dari sintetis hasil masakan plastik yang dipadatkan dengan kristal pada suhu yang sangat tinggi. Pemakainya adalah seorang penipu. Yang ditipunya tak lain dirinya sendiri.

Yang terakhir, di jari tengahnya, tampak pemimpin dari seluruh cincin yang mengintimidasi dan pernyataan kecenderungan licik pemiliknya. Di situ menyeringai angker sebuah mata cincin besar tengkorak manusia dengan mata berlubang. Cincin ini dibuat dari bahan mur baja putih yang didapat secara kongkalikong dengan orang bengkel alat berat PN Timah. Cara mengubah baja ini menjadi cincin membuat siapa pun bergidik. Setelah dibentuk secara kasar

dengan mesin bubut kemudian mur besar baja putih men-
tah yang sangat keras itu dikikir secara manual selama ber-
minggu-minggu. Kebiasaan membuat cincin seperti ini
sering dipraktikkan oleh karyawan PN Timah dalam ting-
katan kuli. Kerja keras rahasia berminggu-minggu itu hanya
akan menghasilkan sebuah cincin putih berkilauan yang
jelek sekali. Sebuah kebiasaan yang tak masuk akalku sam-
pai sekarang.

Lalu kuku-kuku pemilik tangan ini, aduh! Minta am-
pun, bentuknya seperti paras kuku-kuku yang terkena
kutukan. Berbeda seperti langit dan bumi dibanding kuku-
kuku A Ling yang bertahun-tahun menyihir pandanganku.
Kuku-kuku ini sangat tebal, kotor, panjang tak beraturan,
dan ujungnya pecah-pecah. Secara umum kuku-kuku ini
mirip sekali dengan sisik buaya.

Belum hilang rasa terkejutku, aku mendengar suara
ketukan keras kuku-kuku besi itu di permukaan papan de-
kat kotak kapur tanda tak sabar, maksudnya biar aku segera
mengambil kapur itu. Dari dalam terdengar suara gerutuan
tak bersahabat. Karena kuku-kuku itu sangat kasar maka
ketukan itu terdengar demikian keras, membuatku semakin
gelisah. Tapi yang paling merisaukanku adalah karena aku
tak menemukan A Ling. Ke manakah gerangan Michelle
Yeoh-ku?

"Apa yang terjadi?" Syahdan mendekatiku. "Ikal, ta-
ngan siapa seperti pentungan satpam itu?"

Aku tak menjawab, tenggorokanku tercekik.

Tangan itu tak asing bagiku. Itu adalah tangan Bang Sad. Aku ingat ketika ia mengukir kepala ular pinang barik pada akar bahar pemberian pria-pria berkerudung tempo hari. Pernah diceritakannya padaku bahwa dibutuhkan waktu tiga minggu untuk membentuk akar panjang dari dasar laut itu menjadi gelang tiga lingkar. Akar yang tadinya lurus kencang ditaklukkan dengan cara melumurinya dengan minyak rem dan mengasapinya dengan sabar di atas suhu tungku yang terkendali.

Ketukan-ketukan itu terus menerorku. Bang Sad sungguh tak punya perasaan. Ia tak tahu aku sedang panik, gugup, dan risau karena tak menjumpai A Ling seperti kebiasaan yang telah berlangsung selama tujuh tahun. Baru kali ini terjadi hal di luar kebiasaan itu. Situasi ini sangat membingungkan buatku. Otakku tak bisa berpikir.

Hanya Syahdan yang kiranya segera dapat mencerna keadaan, mengurai kebuntuan, memecah kebekuan. Ia berinisiatif mengambil kotak kapur itu. Bang Sad menarik tangannya seperti seekor binatang melata yang masuk kembali ke dalam sarangnya. Syahdan mendekatiku yang berdiri terpaku, wajahnya sendu. Ia ingin menunjukkan simpati tapi aku juga tahu bahwa ia sendiri merasa gentar. A Miauw yang dari tadi memerhatikan menghampiriku dengan tenang. Berdiri persis di sampingku ia menarik napas panjang dan mengatur dengan hati-hati apa yang ingin diucapkannya.

"A Ling sudah pigi Jakarta …. Nanti dia terbang naik pesawat pukul 9. Ia harus menemani bibinya yang sekarang hidup sendiri, ia juga bisa mendapat sekolah yang bagus di sana ...."

Aku tertegun putus asa. Rasanya tak percaya dengan apa yang kudengar. Terjawab sudah firasatku ketika Bodenga mengunjungiku. Semangatku terkulai lumpuh.

"Kalau ada nasib, lain hari kalian bisa bertemu lagi." A Miauw menepuk-nepuk pundakku.

Aku terdiam dan menunduk seperti orang sedang mengheningkan cipta. Tanganku mencengkeram kuat ikatan bunga-bunga liar dan selembar puisi.

"Ia titip salam buatmu dan ia ingin kamu menyimpan ini ...."

A Miauw menyerahkan sebuah kado yang dibungkus kertas berwarna ungu bermotif kembang api, persis sama dengan kertas sampul puisiku. Sebuah kebetulan yang hampir mustahil. Aku tahu, sejak awal Tuhan telah mengamati baik-baik cinta yang luar biasa indah ini.

Aku merasa seluruh barang dagangan yang ada di toko itu rubuh menimpaku. Dadaku sesak. Aku melihat sekeliling dan terpikir akan sesuatu. Aku menarik tangan Syahdan dan mengajaknya pulang.

Persis pukul 8.50 kami sampai di halaman sekolah, lalu berlari melintasi lapangan menuju pokok pohon gayam tempat kami sering duduk bersama-sama mengamati pesawat terbang yang datang dan pergi meninggalkan Tanjong Pandan. Kami mengambil posisi terbaik sambil bersandar di pokok pohon itu. Kami diam dan terus menengadahkan kepala, memicingkan mata, ke arah langit yang cerah biru menyilaukan.

Pukul 9.05.

Perlahan-lahan muncul sebuah pesawat Fokker 28 melintas pelan di atas lapangan sekolah kami. Aku tahu di dalam pesawat itu ada A Ling dan ia juga pasti sedang sedih meninggalkan aku sendiri. Aku mengamati pesawat yang pergi membawa cinta pertamaku menembus awan-awan putih nun jauh tinggi di angkasa tak terjangkau. Pesawat itu semakin lama semakin kecil dan pandanganku semakin kabur, bukan karena pesawat itu semakin jauh tapi karena air mata tergenang di pelupuk mataku. Selamat tinggal belahan jiwaku, cinta pertamaku.

Setelah pesawat itu sama sekali menghilang, Syahdan meninggalkanku sendirian. Tiba-tiba aku disergap oleh perasaan sunyi yang tak tertahankan. Rasanya di dunia ini hanya aku satu-satunya makhluk hidup. Daun-daun gayam yang rontok berbunyi seperti bilah-bilah seng yang berjatuhan di kesunyian malam.

Pohon gayam ini adalah satu-satunya pohon di tengah lapangan sekolahku yang sangat luas dan aku duduk sendiri di bawahnya, kesepian. Aku baru saja ditinggalkan oleh seseorang yang telah memenuhi hatiku sampai meluap-luap selama lima tahun terakhir ini. Lalu dengan tiba-tiba pagi ini, ia begitu saja tercabut dari kehidupanku.

Aku membuka kado yang dititipkan A Ling. Di dalamnya terdapat sebuah buku berjudul *Seandainya Mereka Bisa Bicara* karya Herriot dan sebuah *diary* yang memuat berbagai catatan harian dan lirik-lirik lagu. Aku membalik lembar demi lembar *diary* itu. Tak ada yang istimewa dan tak ada yang khusus ditujukan untukku. Namun pada suatu halaman aku membaca judul sebuah puisi yang rasanya aku kenal, judulnya "Bunga Krisan". Pada lembar-lembar berikutnya aku melihat seluruh puisi yang dulu pernah kukirimkan kepadanya dan selalu ia kembalikan. A Ling menyalin kembali seluruh puisiku dalam *diary*-nya.

Bab 24
Tuk Bayan Tula

ANGIN selatan, angin paling jinak, biasa berembus dengan kecepatan maksimum 10 mph. Angin lembut ini tiba-tiba mengamuk menjadi monster puting beliung dengan kecepatan seribu kali lipat, 10.000 mph. Pohon dan mobil-mobil beterbangan seperti bulu, aspal jalan terkelupas. Seluruh bangunan runtuh, bahkan fondasi rumah tercabut, yang tersisa hanya lubang-lubang WC. Tepung sari *Camellia* dan *Buxus* yang tumbuh di kebun liar peliharaan alam di puncak Gunung Samak terhambur ke udara, menimbulkan pemandangan menyedihkan seperti nyawa-nyawa muda yang dicabut paksa oleh malaikat maut dari jasad yang segar bugar. Semua itu gara-gara pembakaran minyak solar berlebihan selama ratusan tahun dalam eksploitasi timah sehingga menimbulkan gas rumah kaca. Gas itu tertumpuk di atas atmosfer Belitong dan segera menimbulkan efek rumah kaca, menunggu hari untuk menjadi mara bahaya. Lalu senyawa gas rumah kaca itu—karbondioksida—dan radiasi matahari memicu reaksi kimia yang mengubah tepung sari yang bergentayangan di udara menjadi semacam bubuk mesiu dengan daya ledak sangat tinggi seperti TNT. Karena kuantitasnya telah berakumulasi demikian lama maka pada suatu tengah hari saat orang-orang Melayu sedang mendengarkan musik pelepas lelah di RRI, tanpa firasat apa pun, terjadilah katastropi itu. Sebuah ledakan yang sangat dahsyat seperti ledakan nuklir menghantam Belitong. Orang-orang Belitong mengira kiamat telah datang maka tak perlu menyelamatkan diri. Mereka terduduk pasrah di tangga-tangga rumahnya, melongo melihat ekor ledakan yang kemudian membentuk cendawan raksasa yang menutupi tanah kuno pulau itu sehingga gelap gulita. Dalam waktu singkat ajal yang sebenarnya pun pelan-pelan menjemput, yakni ketika cendawan yang mengandung radioaktif, merkuri, dan amoniak hanyut turun mengejar orang-orang Belitong yang kocar-kacir mencari perlindungan. Mereka menyelinap ke gorong-gorong, menyelam di sungai, sembunyi di dalam karung goni, terjun ke sumur-sumur, dan tiarap di got-got. Tapi semua usaha itu sia-sia karena gas-gas kimia tadi larut dalam udara dan air. Sebagian orang Belitong tewas di tempat, tertungging seperti ekstremis dibedil kompeni, dan mereka yang selamat berubah menjadi makhluk-makhluk cebol berbau busuk.

Melihat penampilan orang Belitong seperti itu peme-
rintah pusat di Jakarta merasa malu kepada dunia inter-
nasional dan tak sudi mengakui orang Belitong sebagai
warga negara republik. Karena itu Kabupaten Belitong
dipaksa rela melakukan referendum. Walaupun hanya se-
dikit orang Melayu Belitong yang ingin memisahkan diri
dari NKRI, pemerintah menganggap keputusan manusia-
manusia cebol itu sebagai aklamasi sehingga Belitong
menjadi negara yang merdeka. Bisa dipastikan bahwa
Belitong tidak mampu menghidupi dirinya sendiri. Di sisi
lain, efek rumah kaca yang demikian tinggi mengakibatkan
ekologi di sana tidak seimbang, permukaan air laut naik,
dan suhu menjadi terlalu panas. Dan saat itulah kebenaran
yang hakiki datang. Bodenga yang telah lama menghilang
tiba-tiba muncul mengambil alih pemerintahan kabupaten,
ia menindas tandas orang-orang cebol yang telah memper-
lakukan ia dan ayahnya dengan tidak adil. Orang-orang
cebol itu digiring olehnya dan digelontor ke muara Sungai
Mirang agar dimangsa buaya. Orang-orang cebol itu mere-
gang nyawa dan dalam waktu singkat mereka tewas ter-
apung-apung seperti ikan kena tuba.

Itulah kira-kira isi kepala seorang pemimpi yang ham-
pir gila karena frustrasi putus cinta pertama.

Aku tak bisa berpikir jernih, bermimpi buruk, berha-
lusinasi, dan dihantui khayalan-khayalan aneh. Jika aku
melihat ke luar jendela dan ada pelangi melingkar maka
pelangi itu menjadi monokrom. Jika aku mendengar kicauan
prenjak maka ia berbunyi seperti burung mistik pengabar

kematian. Aku merasa setiap orang para penjaga toko, Tuan Pos, tukang parut kelapa, polisi pamong praja, dan para kuli panggul telah—berkonspirasi melawanku.

Meskipun selama lima tahun aku hanya dua kali berjumpa dengan Michelle Yeoh-ku tapi perasaanku padanya melebihi segalanya. A Ling adalah sosok yang dapat menimbulkan perasaan sayang demikian kuat bagi orang-orang yang secara emosional terhubung dengannya. Ia cantik, pintar, dan baik. Cintanya penuh imajinasi dan kejutan-kejutan kecil yang menyenangkan, mungkin itulah yang membuatku amat terkesan. Tapi rupanya ketika ia melepaskan genggaman tangannya minggu lalu, saat itu pula nasib memisahkan kami. Kini dirinya menjadi semakin berarti ketika ia sudah tak ada dan aku merasa getir. Kepergian A Ling meninggalkan sebuah ruangan kosong, rongga hampa yang luas, dan duka lara di dalam hatiku. Dadaku sesak karena rindu dan demi menyadari bahwa rindu itu tak 'kan pernah terobati, aku rasanya ingin meledak. Aku selalu ingin menghambur ke toko kelontong Sinar Harapan, tapi aku tahu tindakan dramatis seperti film India itu akan percuma saja karena di sana aku hanya akan disambut oleh botol-botol tauco dan tumpukan terasi busuk. Aku merana, merana sekali.

Aku merasa tak percaya, amat terkejut, dan tak sanggup menerima kenyataan bahwa sekarang aku sendiri. Sendiri di dunia yang tak peduli. Jiwaku lumpuh karena ditinggal kekasih tercinta, atau dalam bahasa puisi: aku mengharu biru tatkala kesepian melayap mencekam dermaga jiwa, atau: batinku nelangsa berdarah-darah tiada daya mana kala ia sirna terbang mencampak asmara.

Dan juga, laksana film India, perpisahan itu membuat-ku sakit. Seperti pertemuan pertama dalam insiden jatuh-nya kapur di hari yang bersejarah tempo hari, saat itu keba-hagiaanku tak terlukiskan kata-kata. Maka kini, saat per-pisahan, kepedihanku juga tak tergambarkan kalimat. Bebe-rapa waktu lalu aku pernah menertawakan Bang Jumari yang menderita diare hebat dan menggigil di siang bolong karena cintanya diputuskan oleh Kak Shita, kakak sepupu-ku. Ketika itu aku tak habis pikir bagaimana kekonyolan seperti itu bisa terjadi. Namun, kini hal serupa aku alami. Hukum karma pasti berlaku!

Selama dua hari aku sudah tidak masuk sekolah. Mau-nya hanya tergeletak saja di tempat tidur. Kepalaku berat, napasku cepat, dan mukaku memerah. Ibuku memberiku Naspro dan obat cacing Askomin. Tapi aku tak sembuh. Aku menderita panas tinggi.

Setelah Syahdan, Mahar dan pengikut setianya A Kiong-lah yang datang menjengukku. Mahar memakai jas panjang sampai ke lutut seperti seorang dokter hewan dari Eropa dan A Kiong tergopoh-gopoh di belakangnya menen-teng sebuah tas koper laksana siswa perawat yang sedang magang. Koper ini sangat istimewa karena di sana sini ditem-peli bekas *peneng* sepeda dan berbagai lambang peme-rintahan sehingga mengesankan Mahar seperti seorang pejabat penting kabupaten.

Syahdan sedang duduk di samping tempat tidurku ketika Mahar masuk ke kamar. A Kiong dan Mahar tak mengucapkan sepatah kata pun, ekspresi mereka datar. Dengan gerakan isyarat Mahar menyuruh Syahdan minggir.

Mahar berdiri persis di sampingku, memandangiku dengan cermat dari ujung kaki sampai ujung rambut. Ia masih tetap tak bicara. Wajahnya serius seperti seorang dokter profesional dan seolah dalam waktu singkat telah menyelesaikan diagnosisnya. Ia menggeleng-gelengkan kepalanya pertanda kasus yang dihadapi tidak sepele. Ia menarik napas prihatin dan menoleh ke arah A Kiong.

"Pisau!" pekiknya singkat.

A Kiong cepat-cepat memutar nomor kombinasi koper lalu mengeluarkan sebilah pisau dapur karatan. Aku dan Syahdan memerhatikan dengan khawatir. Pisau itu diberikan dengan takzim pada Mahar yang menerimanya seperti seorang ahli bedah.

"Kunir!" perintah Mahar lagi, tegas dan keras.

A Kiong kembali merogoh sesuatu dari dalam koper dan segera menyerahkan kunir seukuran ibu jari. Tanpa banyak cingcong Mahar memotong kunir dan dengan gerakan sangat cepat tak sempat kuhindari ia menggerus kunir itu di keningku, melukis tanda silang yang besar. Maka terpampanglah di keningku huruf X berwarna kuning. Lalu, seperti telah sama-sama paham prosedur berikutnya, tanpa dikomando, A Kiong mengambil dahan-dahan beluntas dari dalam koper, melemparkannya kepada Mahar yang menyambutnya dengan tangkas dan langsung menampar-namparkan daun-daun itu ke sekujur tubuhku tanpa ampun sambil komat-kamit.

Bukan hanya itu, sementara Mahar mengibas-ngibas-kan daun-daun beluntas dengan beringas, A Kiong serta-merta menyembur-nyemburkan air ke seluruh tubuhku—termasuk wajah—melalui alat penyemprot bunga, sehingga yang terjadi adalah sebuah kekacauan. Aku jadi berantakan dan basah seperti kucing kehujanan, namun aku tak ber-kutik karena mereka sangat kompak, cepat, terencana, dan sistematis.

Tak lama kemudian mereka berhenti. Mahar menarik napas lega dan A Kiong dengan wajah bloonnya ikut-ikutan bernapas lega sok tahu. Sebuah sikap gabungan antara ke-bodohan dan fanatisme. Aku dan Syahdan hanya melongo, terpana, pasrah total.

"Tiga anak jin tersinggung karena kau kencing sem-barangan di kerajaan mereka dekat sumur sekolah ...," Mahar menjelaskan dengan gaya seolah-olah kalau dia tidak segera datang nyawaku tak tertolong. Tak ada rasa bersalah dan niat menipu tecermin dari wajahnya. Mahar dan A Kiong tampil penuh koordinasi dengan ketenangan mutlak tanpa dosa. Mereka tak sedikit pun ragu atas ke-yakinannya pada metode penyembuhan dukun yang konyol tak tanggung-tanggung.

"Merekalah yang membuatmu demam panas," sam-bungnya lagi sambil memasukkan alat-alat kedokterannya tadi ke dalam koper, lalu dengan elegan menyerahkan koper itu pada A Kiong. A Kiong menyambut tas itu seperti anggota Paskibraka menerima bendera pusaka.

"Tapi jangan cemas, Kawan, barusan mereka sudah kuusir, besok sudah bisa masuk sekolah!"

Lalu tanpa basa-basi, tanpa pamit, mereka berdua langsung pulang. Hanya itu saja kata-katanya. Bahkan A Kiong tak mengucapkan sepatah kata pun. Aku terengah-engah. Syahdan menutup wajahnya dengan tangannya.

Mahar memang sudah edan. Ia semakin tak peduli dengan buku-buku dan pelajaran sekolah. Nilai-nilai ulangannya merosot tajam, bisa-bisa ia tidak lulus ujian nanti. Sebenarnya ia murid yang pandai, belum lagi menghitung bakat seninya, tapi nafsu ingin tahu yang terkekang terhadap dunia gaib membuatnya lebih senang memperdalam hal-hal yang subtil. Belakangan ini keanehannya semakin menjadi-jadi, dan semua itu gara-gara Flo si anak Gedong yang tomboi itu atau mungkin gara-gara seorang dukun siluman bernama Tuk Bayan Tula.

SEBULAN yang lalu seluruh kampung heboh karena Flo hilang. Anak bengal penduduk Gedong itu memisahkan diri dari rombongan teman-teman sekelasnya ketika *hiking* di Gunung Selumar. Polisi, tim SAR, anjing pelacak, anjing kampung, kelompok pecinta alam, para pendaki profesional dan amatir, para petualang, para penduduk yang berpeng-alaman di hutan, para pengangguran yang bosan tak melakukan apa-apa, dan ratusan orang kampung tumpah ruah mencarinya di tengah hutan lebat ribuan hektare yang melingkupi lereng gunung itu. Kami sekelas termasuk di dalamnya.

Sampai senja turun Flo masih belum ditemukan. Bapak, ibu, dan saudara-saudaranya berulang kali pingsan. Guru-guru dan teman-teman sekelasnya menangis cemas. Segenap daya upaya dikerahkan tapi belum ada tanda-tanda di mana ia berada. Susah memang, hutan di gunung ini sangat lebat, sebagian belum terjamah, dan hutan itu berujung di lembah-lembah liar yang dialiri anak-anak sungai berbahaya.

Salak anjing, teriakan orang memanggil-manggil, dan suara belasan megafon bertalu-talu di lereng gunung. Para dukun tak mampu memberi petunjuk apa pun, ada saja alasannya, tapi umumnya adalah bahwa para jin penunggu Gunung Selumar lebih sakti, sebuah alasan klasik. Dari lengkingan megafon itu kami tahu nama anak perempuan yang sedang hilang: Flo.

Menjelang sore sebuah lampu sorot besar yang biasa dipakai di kapal keruk dibawa ke lereng gunung untuk memudahkan tim penyelamat. Orang-orang dari kampung tetangga turut bergabung. Sekarang jumlah pencari mencapai ribuan. Hari beranjak gelap dan keadaan semakin mengkhawatirkan. Kabut tebal yang menyelimuti gunung sangat menyulitkan usaha pencarian. Wajah setiap orang mulai kelihatan cemas dan putus asa. Tahun lalu dua orang anak laki-laki juga tersesat, setelah tiga hari mereka ditemukan berpelukan di bawah sebatang pohon Medang, meninggal dunia karena kelaparan dan hipotermia. Sinar merah lampu sirine mobil ambulans yang berputar-putar menjilati sisi pohon-pohon besar, menciptakan suasana mencekam, seperti ada kematian yang dekat.

Sudah delapan jam berlalu tapi Flo masih tak diketahui keberadaanya di tengah hutan rimba gunung ini. Orang-tua Flo dan para pencari mulai panik. Malam pun turun.

Kami merasa kasihan pada Flo. Kini ia seorang diri dalam gelap gulita rimba. Ia bisa saja terjatuh, mengalami patah kaki atau pingsan. Atau mungkin saat ini ia sedang terisak-isak, ketakutan, lapar dan kedinginan di bawah sebatang pohon besar, dan suaranya telah parau memanggil-manggil minta tolong. Anak perempuan yang seperti anak laki-laki itu tentu tadi pagi tak menyadari konsekuensi keisengannya. Mungkin awalnya ia hanya ingin menggoda teman-temannya. Tapi sekarang, keadaan bisa fatal.

Kontur gunung ini sangat unik. Jika berada di dalam hutannya banyak sekali komposisi pohon dan permukaan tanah yang tampak sama. Maka jika melewati jalur itu seolah seseorang merasa berada di tempat yang telah ia kenal, padahal tanpa disadari langkahnya semakin menjauh tersasar ke dalam rimba. Jika Flo mengalami ini ia akan tersasar jauh ke selatan menuju aliran anak-anak Sungai Lenggang yang sangat deras berjeram-jeram menuju ke muara. Tak sedikit orang yang telah menjadi korban di sana. Pada beberapa bagian di wilayah selatan ini juga terhampar dataran tanah luas yang mengandung jebakan mematikan, yaitu *kiumi*, semacam pasir hidup yang kelihatan solid tapi jika diinjak langsung menelan tubuh.

Namun, ia akan sial sekali jika tersasar ke utara. Di sana jauh lebih berbahaya. Ia memasuki semacam pintu mati. Ia tak 'kan bisa kembali, sebuah *point of no return*, karena lereng gunung di bagian itu terhalang oleh ujung aliran sungai jahat yang disebut Sungai Buta. Sungai Buta adalah anak Sungai Lenggang tapi alirannya putus hanya sampai di lereng utara Gunung Selumar. Sungai itu seperti sebuah gang sempit yang buntu atau seperti jalan yang berakhir di jurang. Orang kampung menamainya Sungai Buta sebagai representasi keangkerannya. Buta lebih berarti gelap, tak ada petunjuk, terperangkap tanpa jalan keluar, dan mati.

Sungai Buta demikian ditakuti karena permukaannya sangat tenang seperti danau, seperti kaca yang diam. Tapi tersembunyi di bawah air yang tenang itu adalah maut yang sesungguhnya, yaitu buaya-buaya besar dan ular-ular dasar air yang aneh-aneh. Buaya sungai ini berperangai lain dan amat agresif. Mereka mengincar kera-kera yang bergelan- tungan di dahan rendah, bahkan menyambar orang di atas perahu. Pohon-pohon tua ru' yang tinggi tumbuh dengan akar tertanam di dasar sungai ini, sebagian telah mati meng- hitam, membentuk pemandangan yang sangat menyeram- kan seperti sosok-sosok hantu raksasa yang merenungi permukaan sungai dan menunggu mangsa melintas.

Sungai Buta berbentuk melingkar, mengurung sisi utara Gunung Selumar. Jika Flo tersesat ke sini, ia tak mungkin dapat kembali mundur karena tenaganya pasti tak akan cukup untuk kembali mendaki punggung granit yang curam. Jika ia memaksa, sangat mungkin ia akan terpeleset jatuh dan terhempas di atas batu-batu karang. Pilihan satu-satunya hanya berenang melintasi Sungai Buta yang horor dengan kelebaran hampir seratus meter. Untuk menyeberangi sungai itu ia terlebih dahulu harus menyibak-nyibakkan hamparan bakung setinggi dada dan hampir dapat dipastikan pada langkah-langkah pertama di area bakung itu riwayatnya akan tamat. Di sanalah habitat terbesar buaya-buaya ganas di Belitong.

Di tengah kepanikan tersiar kabar bahwa ada seorang sakti mandraguna yang mampu menerawang, tapi beliau tinggal jauh di sebuah Pulau Lanun yang terpencil. Ialah seorang dukun yang telah menjadi legenda, Tuk Bayan Tula, demikian namanya. Tokoh ini dianggap raja ilmu gaib dan orang paling sakti di atas yang tersakti, biang semua keganjilan, muara semua ilmu aneh.

Banyak orang beranggapan Tuk Bayan Tula tak lebih dari sekadar dongeng, bahwa ia sebenarnya tak pernah ada, dan tak lebih dari mitos untuk menakuti anak kecil agar cepat-cepat tidur. Tapi banyak juga yang berani bersaksi bahwa ia benar-benar ada. Bahkan diyakini beliau dulu pernah tinggal di kampung dan sempat menjadi penjaga hutan larangan suruhan Belanda, pernah menjadi carik, dan pernah menjadi nakhoda kapal yang berulang kali memimpin armada melanglang Selat Malaka. Menjadi perompak barangkali.

Konon beliau memang memiliki bakat khusus di bidang ilmu antah berantah, karena dalam usia muda beliau sudah menguasai budi suci. Ilmu ini sangat potensial membuat penganutnya senang memanjat tiang bendera di tengah malam sebab menderita sakit saraf. Jika tak kuat menahankan ilmu gaib budi suci, dalam waktu singkat seseorang bisa menjadi gila. Tapi jika sukses, pemegangnya bisa membunuh orang bahkan tanpa menyentuhnya. Tuk sudah khatam budi suci sejak usia belasan. Dalam usia itu beliau juga sudah bisa mempraktikkan ilmu sekuntak, maka beliau mampu memadamkan bohlam hanya dengan memandangnya sepintas. Namun, seiring tinggi ilmunya ia semakin menjauhkan diri dari masyarakat dan telah berpantang kata untuk menjaga kesaktiannya. Maka Tuk Bayan Tula tak 'kan pernah berucap lagi.

Kini Tuk menyepi di pulau tak berpenghuni. Nama Tuk Bayan Tula sendiri adalah nama yang menciutkan nyali. Tuk adalah nama julukan lama, dari kata datuk untuk menyebut orang sakti di Belitong. Bayan juga panggilan bagi orang berilmu hebat yang selalu memakai nama binatang, dalam hal ini burung bayan. Tula, bahasa Belitong asli, artinya kualat, mungkin jika kurang ajar dengan beliau orang bisa langsung kualat. Sedangkan nama Pulau Lanun tempat tinggal Tuk sekarang juga tak kalah angker. Lanun berarti perompak. Pulau itu tak berani didekati para nelayan karena di sanalah para perompak yang kejam sering merapat. Namun, kabarnya para perompak itu kabur tunggang langgang ketika Tuk Bayan Tula menguasai pulau itu. Banyak yang mengatakan para perompak itu dipenggal Tuk dengan sadis. Kini Tuk tinggal sendirian di sana.

Berbagai cerita yang mendirikan bulu kuduk selalu dikait-kaitkan dengan tokoh siluman ini. Ada yang mengatakan beliau sengaja mengasingkan diri di pulau kecil sebelah barat sebagai tameng yang melindungi Pulau Belitong dari amukan badai. Ada yang percaya ia bisa melayang-layang ringan seperti kabut dan bersembunyi di balik sehelai ilalang. Dan yang paling menyeramkan adalah bahwa dikatakan Tuk telah menjadi manusia separuh peri.

Anehnya, di balik keangkeran cerita yang berbau mistis itu semua orang menganggap Tuk Bayan Tula adalah wakil dari alam bawah tanah dunia putih. Di beberapa wilayah di Belitong beliau dianggap sebagai pahlawan yang telah membasmi para dukun hitam nekromansi yang mengambil keuntungan melalui komunikasi dengan orang-orang yang telah mati. Beliau dianggap ahli menyembuhkan penyakit yang disebabkan oleh praktik klenik jahat untuk mencelakakan orang. Maka Tuk tak ubahnya Robin Hood, pahlawan yang mencuri untuk menolong kaum papa, atau orang yang berbuat baik dengan cara yang salah. Ada pula sebagian orang Belitong yang menganggap beliau bukan dukun, tapi sekadar seorang eksentrik yang dianugerahi indra keenam.

Apakah Tuk Bayan Tula seseorang yang mengkhianati ajaran tauhid? Mungkinkah ia sekadar seorang pahlawan pemusnah santet yang ingin mati sebagai martir? Ataukah ia hanya seorang tua yang memutuskan hidup sendiri karena bermasalah dengan perangkat syahwat? Tak ada yang tahu pasti. Kisah kesaktian, gaya hidup, biografi, dan paradoks kepahlawanan Tuk ketika dikonfrontasikan dengan keyakinan orang awam akan menjadi sebuah misteri. Misteri ini mengandung daya tarik dunia bawah tanah, metafisika, paranormal, fenomena-fenomena janggal, dan ilmu pengetahuan yang membakar rasa ingin tahu sebagian orang. Sebagian dari orang itu adalah Mahar.

Dalam kasus Flo, keadaan paniklah yang menyebabkan orang-orang sudah tidak lagi mengandalkan akal sehat sehingga berunding untuk minta bantuan Tuk Bayan Tula. Kekalutan memuncak karena saat itu sudah tengah malam dan Flo tak juga diketahui nasibnya. Maka diutuslah beberapa orang untuk menemui Tuk Bayan Tula. Utusan ini bukan sembarangan, paling tidak terdiri atas orang-orang yang telah cukup berpengalaman dalam urusan mistik sehingga cukup teguh hatinya jika digertak Tuk. Mereka adalah seorang pawang hujan, seorang dukun angin, kepala suku Sawang, dan seorang polisi senior. Utusan ini berangkat menggunakan *speedboat* milik PN Timah yang berkecepatan sangat tinggi. Kami waswas menunggu mereka kembali, terutama cemas kalau-kalau keempat orang utusan itu disembelih oleh sang manusia siluman setengah peri.

Ketika matahari pagi mulai merekah, utusan tadi kembali. Kami senang menyambut mereka dengan mengharapkan keajaiban yang tak masuk akal, tapi itu lebih baik daripada patah harapan sama sekali. Namun utusan ini tak membawa kabar apa-apa kecuali sepucuk kertas dari Tuk

Bayan Tula. Puluhan orang mengerumuni cerita mereka yang mencengangkan. Mahar duduk paling depan.

"Ketika perahu merapat, anjing-anjing hutan me-lolong-lolong seolah melihat iblis beterbangan," kata ketua utusan, seorang pawang hujan. Ia termasuk orang berilmu dan dunia bawah tanah bukan hal baru baginya, tapi terlihat jelas ia takut dan merasa Tuk tidak ada di liganya. Sama sekali bukan tandingannya.

"Tuk Bayan Tula tinggal di sebuah gua yang gelap, di jantung Pulau Lanun. Pulau itu berbelok menyimpang dari jalur nelayan, jadi tak seorang pun akan ke sana. Perahu-perahu perompak yang telah beliau bakar berserakan di tepi pantai. Tak ada siapa-siapa di pulau itu kecuali beliau sendiri dan tak terlihat ada tanaman kebun atau sumur air tawar, tak tahulah Datuk itu makan minum apa."

Kemudian para anggota utusan yang lain sambung-menyambung, "Melihat wajahnya dada rasanya berdetak, sungguh seseorang yang tampak sangat sakti dan berilmu tinggi. Ketika beliau keluar ke mulut gua seakan seluruh alam menunduk. Di sana kami merasakan udara yang pe-nuh daya magis."

Cerita ini dikonfirmasikan oleh hampir seluruh ang-gota utusan, bahwa ketika Tuk Bayan Tula berdiri kira-kira lima meter di depan mereka, mereka melihat kaki-kaki da-tuk itu tak menyentuh bumi. Ia seperti kabut yang me-layang.

"Tubuhnya tinggi besar, rambut, kumis, dan jenggot-nya lebat dan panjang, matanya berkilat-kilat seperti burung bayan. Pakaiannya hanya selembar kain panjang yang dililit-lilitkan. Ia bertelanjang dada, dan sebilah parang yang sangat panjang terselip di pinggangnya. Aku ketakutan melihatnya."

Kami mendengarkan dengan saksama, terutama Mahar yang tampak terpesona bukan main. Mulutnya ternganga dan raut wajahnya memperlihatkan kekaguman yang amat sangat pada Tuk Bayan Tula. Ia tampak begitu terpengaruh dan siap mengabdi pada *superstar* dunia gaib itu. Inilah fanatisme buta. Dalam imajinasinya mungkin Tuk Bayan Tula sedang duduk di atas singgasana yang dibuat dari tulang belulang musuh-musuhnya. Lalu beberapa ekor dedemit yang telah ditaklukkannya patuh melayaninya dengan limpahan anggur-anggur putih. Ketika itu tak sedikit pun terlintas dalam pikirannya kalau nanti Tuk Bayan Tula akan memutar jalan hidupnya dan jalan hidup perempuan kecil yang sedang tersesat di rimba ini dengan sebuah kisah antiklimaks.

"Di depan mulut gua kami melihat empat lembar pelepah pinang raja tempat duduk telah tergelar, seolah beliau telah tahu jauh sebelumnya kalau kami akan datang. Beliau menemui kami, sedikit pun tidak tersenyum, sepatah pun tidak berkata."

Sang ketua utusan mengusap wajahnya yang masih kelihatan terkesiap karena pertemuan langsungnya dengan tokoh sakti mandraguna Tuk Bayan Tula. Meskipun sudah beberapa jam yang lalu ia masih belum bisa menghilangkan perasaan terkejutnya.

"Kami menceritakan maksud kedatangan kami. Beliau mendengarkan dengan memalingkan muka. Belum selesai kami berkisah beliau langsung memberi isyarat meminta sepucuk kertas dan pena, lalu beliau menuliskan sesuatu. Juga diisyaratkan agar kami segera pulang dan hanya membuka tulisan beliau setelah tiba di sini. Di kertas inilah beliau menulis."

Ketua utusan memperlihatkan gulungan kertas, semua orang merubungnya. Mahar melihat gulungan itu dengan tatapan seperti melihat benda ajaib peninggalan makhluk angkasa luar. Dengan gemetar sang ketua utusan membuka gulungan kertas itu dan di sana tertulis:

INILAH PESAN TUK BAYAN TULA:
JIKA INGIN MENEMUKAN ANAK PEREMPUAN ITU MAKA CARILAH DIA DI DEKAT GUBUK LADANG YANG DITINGGALKAN. TEMUKAN SEGERA ATAU DIA AKAN TENGGELAM DI BAWAH AKAR BAKAU.

Sebuah pesan yang mendirikan bulu tengkuk, lugas, dan mengancam—atau lebih tepatnya menakut-nakuti. Tapi harus diakui bahwa pesan ini mengandung sebuah tenaga. Pilihan katanya teliti dan menunjukkan sebuah kualitas keparanormalan tingkat tinggi. Jika Tuk Bayan Tula seorang penipu maka ia pasti penipu ulung, tapi jika ia memang dukun maka ia pasti bukan dukun palsu yang oportunistik. Bagaimanapun pesan ini mengandung pertaruhan reputasi yang pasti. Tidak ada kata tersembunyi, tak ada kata bersayap. Intinya jelas: jika Flo tidak ditemukan di dekat gubuk ladang yang telah ditinggalkan pemiliknya atau jika ia tidak ditemukan tewas hari ini di sela-sela akar bakau, maka sang legenda Tuk Bayan Tula tak lebih dari seorang tukang dadu cangkir di pinggir jalan. Semua makhluk yang senang memain-mainkan dadu adalah kaum penipu. Kalau itu sampai terjadi rasanya aku ingin berangkat sendiri ke Pulau Lanun untuk menyita satu-satunya kain yang melilit tubuh Tuk. Tapi selain semua kemungkinan itu, pesan tadi juga harus diakui telah memberi harapan dan batas waktu, apa yang akan terjadi jika semuanya terlambat?

Kebiasaan berladang berpindah-pindah masih berlangsung hingga saat ini. Namun potensi kesulitan sangat mungkin muncul. Tak mudah menentukan yang mana yang merupakan gubuk ladang. Gubuk telantar banyak terdapat di lereng gunung, yaitu gubuk rahasia para pencuri timah. Para pendulang liar menggali timah nun jauh di lereng gunung secara ilegal dan menjualnya pada para penyelundup yang menyamar sebagai nelayan di perairan Bangka Belitong. Pencuri dan penyelundup timah adalah profesi yang sangat tua. Aktivitas kriminal ini—kriminal dari kacamata PN Timah tentu saja—telah ada sejak orang-orang Kek datang dari daratan Tiongkok untuk menggali timah secara resmi di Belitong dalam rangka mengerjakan konsesi dari kompeni, hari-hari itu adalah abad ke-17.

PN Timah memperlakukan pelaku eksploitasi timah ilegal dan penyelundup dengan sangat keras, tanpa perikemanusiaan. Pelakunya diperlakukan seolah pelaku tindak pidana subversif. Di gunung-gunung yang sepi tempat para pendulang timah dianggap pencuri dan di laut tempat penyelundup dianggap perompak, hukum seolah tak berlaku. Jika tertangkap tak jarang kepala mereka diledakkan di tempat dengan AKA 47 oleh manusia-manusia tengik bernama Polsus Timah.

Tim kami berangkat sejak pagi benar di bawah pimpinan Mahar. Kami bergerak ke utara, ke arah jalur maut Sungai Buta. Belasan ladang—terutama yang dekat sungai—telah kami kunjungi dan gubuknya telah kami obrak-abrik, kami juga mencari-cari di sela-sela akar bakau, tapi hasilnya nihil. Flo raib seperti ditelan bumi. Suara kami sampai parau memanggil-manggil namanya dan satu-satunya megafon yang dibekali posko telah habis baterainya.

Dan pagi pun tiba, pencarian berlangsung terus. Dari *walkie talkie* kami pantau bahwa Flo masih tetap misteri. Sekarang baterai *walkie talkie* mulai lemah dan hanya dapat memonitor saja. Tidak hanya batu-batu baterai itu, semangat kami pun melemah. Kami mulai dihinggapi perasaan putus asa.

Dari setiap gubuk yang kami kunjungi dan tidak ditemukan Flo di dalamnya maka satu kredit minus mengurangi reputasi Tuk. Sesudah hampir dua puluh gubuk yang nihil, saat itu menjelang tengah hari, reputasi beliau pun makin pudar—kalau bukan disebut hancur. Kami mulai meragukan kesaktian dukun siluman itu. Mahar tampak agak tersinggung setiap kali kami mengeluh jika menemukan gubuk yang kosong, apa lagi ada celetukan yang melecehkan Tuk Bayan Tula.

"Kalau dia bisa berubah menjadi burung bayan, tak perlu susah-susah kita mencari-cari seperti ini," desah Kucai sambil terengah-engah.

Berbagai pikiran buruk menghantui kepala yang penat dan tubuh yang lelah.

Ke manakah engkau, Gadis Kecil? Mungkinkah anak gedongan itu telah tewas?

Parameter pencarian demikian luas. Flo bisa saja tidak menuruni lereng menuju ke lembah melainkan naik terus ke puncak, atau berjalan berputar-putar mengelilingi lereng, tersesat dalam fatamorgana sampai habis tenaganya. Mungkin juga ia telah tembus di sisi barat daya dan memasuki perkampungan Tionghoa kebun di sana. Atau ia sedang dililit ular untuk dibusukkan dan ditelan besok malam.

Mungkinkah ia telah berenang melintasi Sungai Buta? Bukankah ia anak tomboi yang terkenal nekat tak kenal takut? Selamat atau sudah tamatkah riwayatnya? Perbekalan air dan makanan kami yang seadanya telah habis. Harun, Trapani, dan Samson sudah ingin menyerah dan menyarankan kami kembali ke posko, tapi Mahar tak setuju, ia yakin sekali pada kebenaran pesan Tuk Bayan Tula. Sebaliknya, bagi kami hanya bayangan penderitaan Flo yang masih menguatkan hati untuk terus mencari. Jika ingat betapa ia ketakutan, kelaparan, dan kedinginan, kelelahan kami rasanya dapat ditahankan.

Menjelang pukul 10 pagi, berarti telah 27 jam Flo lenyap. Kami sudah tak memedulikan pesan Tuk. Bagi kami—kecuali Mahar—datuk itu tak lebih dari semua dukun-dukun lainnya, palsu dan oportunistik. Kami memperlebar parameter pencarian sampai agak naik ke atas ladang. Di setiap gubuk kami menemukan pemandangan yang sama, yaitu babi-babi hutan yang kawin berpesta pora atau tikus-tikus pengerat bercengkerama di antara dengungan kumbang yang bersarang di tiang-tiang gubuk yang lapuk.

Pukul 11, siang sudah, kami tiba di sebuah batu cadas besar yang menjorok. Kami berkumpul di sana untuk mengistirahatkan sisa-sisa tenaga terakhir. Inilah ujung akhir lereng utara karena setelah ini, nun setengah kilometer di bawah kami adalah wilayah bahaya maut Sungai Buta. Kami tak 'kan turun ke wilayah yang dihindari setiap orang itu, bahkan penjelajah profesional tak berani ke sana. Kami sudah putus asa dan setelah beristirahat ini kami akan segera kembali ke posko. Kami telah gagal, Flo tetap nihil, dan paling tidak di lereng utara Tuk Bayan Tula telah berdusta. Dari *walkie talkie* kami memonitor bahwa di barat, timur, dan selatan Flo juga tak ditemukan, berarti Tuk Bayan Tula telah berdusta di empat penjuru angin.

Kami diam terpaku menerima berita itu. Wajah Mahar sembap seperti ingin menangis. Ia seumpama kekasih yang dikhianati orang tersayang. Tuk telah melukai hatinya meskipun ia sedikit pun tak kenal tokoh pujaannya itu. Ini risiko keyakinan yang rabun. Dan aku sedih, bukan karena membayangkan kehancuran integritas Tuk atau perasaan

Mahar yang kecewa, tapi karena memikirkan nasib buruk yang menimpa Flo. Bisa saja ia tak 'kan pernah ditemukan, hilang, raib. Bisa juga ia ditemukan tapi cuma tinggal berupa kerangka yang dipatuki burung gagak. Ia juga mungkin ditemukan dalam keadaan menyedihkan telah tercabik-cabik hewan buas. Dan yang paling tak tertahankan adalah jika ia mati sia-sia secara memilukan karena pertolongan terlambat beberapa jam saja. Sulit untuk bertahan hidup dalam suhu sedingin malam tadi tanpa makanan sama sekali. Dan saat-saat sekarang ini sudah memasuki keadaan yang mulai terlambat itu. Mengapa anak cantik kaya raya yang hidup di rumah seperti istana, dari keluarga terhormat, tanpa trauma masa kecil, dan yang memiliki limpahan kasih sayang semua orang, serta lingkungan seperti taman eden, harus berakhir di tempat ganas ini? Aku tak sanggup membayangkan lebih jauh perasaan orangtuanya.

Aku terbaring kelelahan memandangi keseluruhan Gunung Selumar yang biru, agung, dan samar-samar. Aku pernah menulis puisi cinta di puncaknya dan gunung ini pernah memberiku inspirasi keindahan yang lembut. Bahkan di sabana di atas sana tumbuh bunga-bunga liar kuning kecil yang dapat membuat siapa pun jatuh cinta, bukan hanya kepada bunganya, tapi juga kepada orang yang mempersembahkannya. Namun kelembutan gunung ini, seperti kelembutan unsur-unsur alam lainnya, air, angin, api, dan bumi, ternyata menyembunyikan kekejaman tak kenal ampun. Betapa teganya, toh bagaimanapun nakalnya, Flo hanyalah seorang gadis kecil, permata hati keluarganya.

Kucai menepuk-nepuk bahu Mahar dan menghibur-nya. Mahar memalingkan muka. Ia menunduk diam. Mata-nya jauh menyapu pandangan ke Sungai Buta dan rawa-rawa bakung di bawah sana. Kami bangkit, membereskan perlengkapan, dan mempersiapkan diri untuk pulang. Sebelum kami melangkah pergi Syahdan yang mengalung-kan teropong kecil di lehernya mencoba-coba benda plastik mainan itu. Ia meneropong tepian Sungai Buta. Saat kami ingin menuruni batu cadas itu tiba-tiba Syahdan berteriak, sebuah teriakan nasib.

"Lihatlah itu, ada pohon kuini di pinggir Sungai Buta."

Kami membalikkan badan terkejut dan Mahar serta-merta merampas teropong Syahdan. Ia berlari ke bibir cadas dan meneropong ke bawah dengan saksama, "Dan ada gu-buk!" katanya penuh semangat.

"Kita harus turun ke sana!" katanya lagi tanpa ber-pikir panjang.

Kami semua terperanjat dengan usul sinting itu. Kucai yang dari tadi membisu menganggap kekonyolan Mahar telah melampaui batas. Sebagai ketua kelas ia merasa ber-tanggung jawab.

"Apa kau sudah gila?" Ia menyalak dengan galak. Sorot matanya tajam, merah, dan marah, walaupun yang ditatap-nya adalah Harun yang berdiri melongo di samping Mahar.

"Mari aku jelaskan ke kepalamu yang dikaburkan asap kemenyan sehingga tak bisa berpikir waras. Pertama-tama di bawah sana tak mungkin sebuah ladang. Tak ada orang sinting yang mau berladang di pinggir Sungai Buta kecuali ia ingin mati konyol. Tak tahukah kau cerita pengalaman orang lain, di situ buaya tidak menunggu tapi mengejar. Dan ular-ular sebesar pohon kelapa melingkar-lingkar di sembarang tempat. Kalaupun itu memang gubuk, itu gubuk pencuri timah. Berdasarkan pesan datuk setengah iblis anak gedongan itu hanya ada di gubuk ladang yang ditinggalkan!"

Mahar menatap Kucai dengan dingin, Kucai semakin geram.

"Kalau kita turun ke sana, aku pastikan kita bisa menjadi Flo-Flo baru yang malah akan dicari orang, menambah persoalan, merepotkan semuanya nanti. Tempat itu sangat berbahaya, Har, pakai otakmu! Ayo pulang!!"

Mahar tetap sedingin es, ekspresinya datar.

"Lagi pula mana mungkin anak perempuan kecil itu dapat mencapai tempat ini. Batu ini adalah dinding utara terakhir. Kita telah mendatangi puluhan gubuk ladang yang ditinggalkan, hasilnya nol, mendatangi satu gubuk pencuri timah hasilnya akan tetap sama, ayolah pulang, Kawan, terimalah kenyataan bahwa Tuk telah menipu kita, ayolah pulang, Kawan ...," Kucai merendahkan suaranya, mungkin ia sadar membujuk orang setengah gila tidak bisa dengan marah-marah. Tapi Mahar tetap membatu, ia seperti menhir, masih belum bisa diyakinkan. Ia tak 'kan menyerah semudah ini. Syahdan ikut menasihati dengan kata-kata pesimis.

"Sudah hampir tiga puluh jam Flo hilang, kita harus belajar realistis, mungkin ia memang ditakdirkan menemui ajal di gunung ini. Tuhan telah memanggilnya dan gunung ini pun mengambilnya."

Mahar tak bergerak. Kami beranjak meninggalkan tempat itu. Lalu dengan dingin Mahar mengatakan ini, "Kalian boleh pulang, aku akan turun sendiri …."

Maka turunlah kami semua walaupun kami tahu tak 'kan menemukan Flo di pinggir Sungai Buta. Hal itu sangat muskil, sangat mustahil. Semuanya menggerutu dan kami mengutuki Syahdan yang tadi iseng-iseng meneropong dengan teropong plastik jelek mainan anak-anak itu. Dia menyesal. Tapi semuanya telah telanjur, sekarang kami pontang panting menuruni punggung lereng yang curam, berkelak-kelok di antara batu-batu besar dan menerabas kerimbunan gulma yang sering menusuk mata.

Kami menuju ke sebuah gubuk pencuri timah di wilayah maut pinggiran Sungai Buta hanya untuk menemani Mahar, menemani ia memuaskan egonya, membuktikan padanya bahwa insting tidak harus selalu benar, dan melindunginya dari ketololannya sendiri. Walaupun kami benci pada kefanatikannya, ia tetap teman kami, anggota Laskar Pelangi, kami tak ingin kehilangan dia. Kadang-kadang persahabatan sangat menuntut dan menyebalkan. Pelajaran moral nomor lima: jangan bersahabat dengan orang yang gila perdukunan.

Kira-kira satu jam kemudian, tepat tengah hari, kami telah berada di lembah Sungai Buta. Wilayah ini merupakan *blank spot* untuk frekuensi *walkie talkie* sehingga suara kemerosok yang sedikit menghibur dari alat itu sekarang mati dan tempat ini segera jadi mencekam. Untuk pertama kalinya aku ke sini dan rasa angkernya memang tidak dibesar-besarkan orang. Kenyataannya malah terasa lebih ngeri dari bayanganku sebelumnya. Kami memasuki wilayah yang jelas-jelas menunjukkan permusuhan pada pendatang. Wilayah ini seperti dikuasai oleh suatu makhluk teritorial yang buas, asing, dan sangat jahat. *Kerasak-kerasak* gelap di pokok pohon nipah yang digenangi air seperti kerajaan jin dan tempat sarang berkembang biaknya semua jenis bangsa-bangsa hantu. Biawak berbagai ukuran melingkar-lingkar di situ, sama sekali tak takut pada kehadiran kami, beberapa ekor di antaranya malah bersikap ingin menyerang.

Hanya sedikit orang pernah ke sini dan di antara yang sedikit itu—dan yang paling tolol—adalah kami. Kami berjalan dalam langkah senyap berhati-hati. Semuanya mengeluarkan parang dari sarungnya dan terus-menerus menoleh ke kiri dan kanan serta membentuk formasi untuk melindungi punggung orang terdekat. Kami mendengar suara sesuatu ditangkupkan dengan sangat keras dan mengerikan disertai suara kibasan air yang besar. Kami diam tak membahas itu, kami tahu suara itu tangkupan mulut buaya yang besarnya tak terkira. Ada juga suara bayi-bayi buaya yang berkeciak dan pemandangan beberapa ekor ular bergelantungan di dahan-dahan pohon. Kami terus merangsek maju seperti sedang mengintai musuh.

Pondok itu kira-kira seratus meter di depan kami. Semakin dekat, semakin jelas dan mencengangkan karena tempat itu agaknya memang bekas sebuah ladang yang ditinggalkan. Kami menemukan kawat-kawat bekas pagar dan dari kejauhan melihat pohon-pohon kuini, jambu bol, dan sawo. Siapa orang luar biasa yang berani berladang di sini?

Jarak ladang ini dekat sekali dengan pinggiran Sungai Buta, bisa dipastikan sangat berbahaya. Pemiliknya pasti ingin mendekati air tanpa mempertimbangkan keselamatan. Sebuah tindakan bodoh. Atau mungkinkah karena ketololannya itulah maka riwayat sang pemilik telah berakhir di tepi sungai ini sehingga ladangnya sekarang tak bertuan? Tapi ada hal lain, yaitu siapa pun pemilik tersebut—terutama jika ia masih hidup—maka ia pasti tak sanggup memelihara ladang ini karena hama perompak tanaman juga luar biasa di sini. Kawanan kera sampai mencapai lima kelompok, saling berebutan lahan dengan serakah. Belum lagi tupai, lutung, babi hutan, musang, luak, dan tikus pengerat, hewan-hewan ini sudah keterlaluan.

Kami berjingkat-jingkat tangkas di atas akar-akar bakau yang cembung berselang-seling. Akar-akar ini seperti menopang pohonnya yang rendah. Tak kami temukan Flo tersangkut di bawah akar-akar itu, satu lagi konfirmasi penipuan Tuk Bayan Tula. Setelah yakin Flo tak ada di bawah akar bakau, kami pelan-pelan mendekati ladang.

Semakin dekat ke lokasi ladang kami dapat melihat dengan jelas sebuah gubuk beratap daun nipah. Lalu ada suatu pemandangan yang agak menarik, yaitu salah satu dahan pohon jambu mawar yang berdaun amat lebat bergoyang-goyang hebat seperti ingin dirubuhkan. Jambu mawar itu tumbuh persis di samping gubuk. Pastilah itu ulah lutung besar yang sepanjang waktu selalu lapar.

Kami mendekati pohon jambu mawar itu dengan was-pada. Kami menyusun semacam strategi penyergapan un-tuk memberi pelajaran pada lutung rakus itu. Kami meng-endap-endap seperti pasukan katak baru keluar dari rawa untuk merebut sebuah gudang senjata. Di ladang telantar ini tumbuh subur ilalang setinggi dada dan pohon-pohon singkong yang sudah centang perenang dirampok hewan-hewan liar. Buah-buah sawo yang masih muda, putik-putik jambu bol, dan buah kuini muda juga berserakan di tanah karena dijarah secara sembrono oleh hama hewan-hewan itu. Bahkan buah-buahan ini tak sempat masak. Binatang-binatang tak tahu diri!

Lutung besar yang sedang berpesta pora di dahan jambu mawar itu tak menyadari kehadiran kami. Ia semakin menjadi-jadi, mengguncang-guncang dahan jambu itu hingga daun dan bakal buahnya berjatuhan, kurang ajar sekali. Kami semakin dekat dan berjinjit-jinjit tak menim-bulkan suara. Kami ingin menangkapnya basah sehingga ia semaput ketakutan, inilah hiburan kecil di tengah kete-gangan menyelamatkan nyawa manusia.

Setelah tiba saatnya kami bersama-sama menghitung hingga tiga dan melompat serentak, menghambur ke bawah dahan itu sambil bertepuk tangan dan berteriak sekeras-kerasnya untuk mengejutkan sang lutung. Tapi tak sedikit pun diduga situasi berbalik seratus delapan puluh derajat, karena sebaliknya, ketika kami menyerbu justru kami yang terkejut setengah mati tak alang kepalang, rasanya ingin terkencing-kencing. Kami tak percaya dengan penglihatan kami dan terkaget-kaget hebat karena persis di atas kami, di sela-sela dedaunan yang sangat rimbun, bertengger santai seekor kera besar putih yang tampak riang gembira menunggangi sebatang dahan seperti anak kecil kegirangan main kuda-kudaan, wajahnya seperti baru saja bangun tidur dan belum sempat cuci muka. Ia tertawa terbahak-bahak sampai keluar air matanya melihat wajah kami yang terbengong-bengong pucat pasi. Flo yang berandal telah ditemukan!

Bab 25
Rencana B

AKU terengah-engah basah kuyup. Syahdan memandangi aku dengan prihatin. Kami saling berpandangan lalu tertawa. Tawaku semakin keras seiring tangis di dalam hati tentu saja. Tangis karena mendapati diri sampai sakit karena dera putus cinta. Mahar telah habis-habisan menjadikanku kelinci percobaan. "Anak-anak jin yang tersinggung?" Ke mana perginya akal sehatnya? Dia patut mendapat nomor 7 dalam teori gila versi ibuku. Tapi aku tahu dia sesungguhnya bermaksud baik.

Setelah Mahar, A Kiong dan daun-daun beluntasnya pergi tanpa pamit lalu datang Bu Mus dan teman-teman sekolahku yang lain. Syahdan mengadukan kelakuan Mahar, tapi Bu Mus menunjukkan wajah tak peduli. Beliau

sudah cukup lama dibuat pusing oleh Mahar dan tak ber-
minat menambah beban berat hidupnya dengan memikir-
kan dukun palsu itu.

Beliau mengeluarkan pil ajaib APC. Besoknya aku su-
dah bisa berangkat ke sekolah dan aku tahu persis yang
menyembuhkanku adalah pil APC. Begitu melihatku me-
masuki kelas A Kiong langsung menyalami Mahar. Mahar
menaikkan alisnya, mengangkat bahunya, dan meng-
angguk-angguk seperti burung penguin selesai kawin. Itulah
gerakan khas Mahar yang sangat menyebalkan.

"Apa kubilang!" barangkali itulah maknanya.

Mahar mengelus-elus koper bututnya dan A Kiong
semakin fanatik padanya. Mereka berdua tenggelam dalam
kesesatan memersepsikan diri sendiri.

Rupanya fisikku memang telah sembuh tapi hatiku
tidak. Pulang dari sekolah aku kembali disergap perasaan
sedih. Tak mudah melupakan A Ling. Dadaku kosong karena
kehilangan sekaligus sesak karena rindu. Aku terbaring ku-
yu di atas dipan memandangi *diary* dan buku Herriot ke-
nang-kenangan darinya. Untuk mengalihkan kesedihan aku
mengambil buku *Seandainya Mereka Bisa Bicara* itu dan
dengan malas aku berusaha membacanya.

Sudah kuniatkan dalam hati bahwa jika buku itu
membosankan maka setelah halaman pertama ia akan lang-
sung kutangkupkan di wajahku karena aku ingin tidur. Lalu
kata demi kata berlalu. Setelah itu kalimat demi kalimat
dan dilanjutkan dengan paragraf demi paragraf. Aku tak
berhenti membaca dan beberapa kali membaca paragraf

yang sama berulang-ulang. Tanpa kusadari dalam waktu singkat aku telah berada di halaman 10 tanpa sedikit pun sanggup menggeser posisi tidurku. Seluruh perasaan gundah, putus asa, dan air mata rindu yang tadi sudah menggenang di pelupuk mataku diisap habis oleh lembar demi lembar buku itu.

Buku ajaib itu bercerita tentang perjuangan seorang dokter hewan muda di zaman susah tahun 30-an. Dokter muda itu, Herriot sendiri, bekerja nun jauh di sebuah desa terpencil di bagian antah berantah di Inggris sana. Desa kecil itu bernama Edensor.

Mulutku ternganga dan aku menahan napas ketika Herriot menggambarkan keindahan Edensor: "Lereng-lereng bukit yang tak teratur tampak seperti berjatuhan, puncaknya seperti berguling-guling tertelan oleh langit sebelah barat, yang bentuknya seperti pita kuning dan merah tua .... Pegunungan tinggi yang tak berbentuk itu mulai terurai menjadi bukit-bukit hijau dan lembah-lembah luas. Di dasar lembah tampak sungai yang berliku-liku di antara pepohonan. Rumah-rumah petani yang terbuat dari batu-batu yang kukuh dan berwarna kelabu tampak seperti pulau di tengah ladang yang diusahakan. Ladang itu terbentang ke atas seperti tanjung yang hijau cerah di atas lereng bukit .... Aku sampai di taman bunga mawar, kemudian ke taman asparagus, yang tumbuh jadi pohon yang tinggi. Lebih jauh ada pohon arbei dan tumbuhan frambos. Pohon buah terdapat di mana-mana. Buah persik, buah pir, buah ceri, buah prem, bergantungan di atas tembok selatan, berebut tempat dengan bunga-bunga mawar yang tumbuh liar."

Aku terkesima pada desa kecil Edensor. Aku segera menyadari bahwa ada keindahan lain yang memukau di dunia ini selain cinta. Herriot menggambarkan Edensor dengan begitu indah dan memengaruhiku sehingga ketika ia bercerita tentang jalan-jalan kecil beralaskan batu-batu bulat di luar rumah praktiknya rasanya aku dapat mencium harum bunga *daffodil* dan *astuaria* yang menjalar di sepanjang pagar peternakan di jalan itu. Ketika ia bercerita tentang padang sabana yang terhampar di Bukit Derbyshire yang mengelilingi Edensor rasanya aku terbaring mengistirahatkan hatiku yang lelah dan wajahku menjadi dingin ditiup angin dari desa tenang dan cantik itu. Aku telah jatuh hati dengan Edensor dan menemukannya sebagai sebuah tempat dalam khayalanku setiap kali aku ingin lari dari kesedihan.

Sebaliknya aku semakin mencintai A Ling. Ia dengan bijak telah mengganti kehadirannya dengan kehadiran Edensor yang mampu melipur laraku. A Ling meninggalkan buku Herriot untukku tentu karena sebuah alasan yang jelas. Selanjutnya, aku membaca buku Herriot berulang-ulang sehingga hampir hafal. Ke mana pun aku pergi buku itu selalu kubawa dalam tas sandang bututku. Buku itu adalah representasi A Ling dan pengobat jiwaku. Jika aku merasa risau dan sedih maka aku segera mengalihkan pikiranku dengan membayangkan aku sedang duduk di bangku rendah di tengah taman anggur di Edensor. Kumbang-kumbang berdengung riuh rendah, mataku menatap lembut Pegunungan Pennines yang biru di Derbyshire dan angin lembah yang sejuk mengembus wajahku, menguapkan semua kepedihan, resah, dan kesulitan hidupku di sudut kampung kumuh panas di Belitong ini. Aneh memang, jika Trapani seluruh hidupnya seolah dipengaruhi oleh lagu "Wajib Belajar" maka kini seluruh hidupku terinspirasi oleh buku *Seandainya Mereka Bisa Bicara,* terutama oleh Desa Edensor yang ada di buku itu. Jika beban hidup demikian memuncak rasanya aku ingin sekali berada di Edensor. Pungguk merindukan bulan tentu saja. Mana mungkin anak Melayu miskin nun di Pulau Belitong sana mengangankan berada di sebuah tempat di Inggris. Bermimpi pun tak pantas.

Sebaliknya, karena Edensor aku segera merasa pulih jiwa dan raga. Edensor memberiku alternatif guna memecah penghalang mental agar tak stres berkepanjangan karena terus-terusan terpaku pada perasaan patah hati. A Ling telah memberi racun cinta sekaligus penawarnya. Aku mulai tegar meskipun tak 'kan ada lagi Michelle Yeoh. Aku siap menyesuaikan diri dengan kenyataan baru. Aku sudah ikhlas meninggalkan cetak biru kehidupan indah asmara pertamaku yang bertaburan wangi bunga dalam ritual rutin pembelian kapur tulis.

Inilah asyiknya menjadi anak kecil. Patah hati karena cinta yang telah berlangsung sekian tahun—lima tahun!—bisa pulih dalam waktu tiga hari dan disembuhkan oleh sebuah desa bernama Edensor di tempat antah berantah di

Inggris sana dan hanya diceritakan melalui sebuah buku, ajaib.

Sedangkan orang dewasa bisa-bisa memerlukan waktu tiga tahun untuk mengobati frustrasi karena hancurnya cinta platonik tiga minggu. Apakah semakin dewasa manusia cenderung menjadi semakin tidak positif? Aku belajar berjiwa besar, berusaha memahami esensi konsep virtual dan fisik dalam hubungan emosional. Bukankah jika mencintai seseorang kita harus membiarkan ia bebas? Apabila hal semacam ini dialami oleh seorang dewasa mungkin ia tak mau lagi melihat kapur tulis seumur hidupnya.

Kini aku akan mengenang A Ling sebagai bagian terindah dalam hidupku. Aku tetap rajin, dengan naluri cinta yang sama, dengan semangat yang sama, berangkat dengan Syahdan setiap Senin pagi untuk membeli kapur, meskipun sekarang aku disambut oleh sebilah tangan beruang dan kuku-kuku burung nasar pemakan bangkai. Setiap membeli kapur aku tetap mengikuti prosedur yang sama dan menikmati kronologi perasaanku di tengah kepengapan Toko Sinar Harapan. Aku menyimulasikan urutan-urutan sensasi keindahan cinta pertama seolah A Ling masih menungguku di balik tirai-tirai rapat yang terbuat dari keong-keong kecil itu.

Sering kali sekarang aku bertanya pada diri sendiri: berapakah jumlah pasangan yang telah mengalami cinta pertama, lalu hanya memiliki satu cinta itu dalam hidupnya, menikah, dan kemudian hanya terpisahkan karena Tuhan memanggil salah satu dari mereka? Sedikit sekali! Atau malah mungkin tidak ada! Sepertinya kedua jawaban tersebut bisa menjadi hipotesis yang meyakinkan untuk pertanyaan dangkal semacam itu. Karena itulah yang umumnya terjadi dalam dunia nyata.

Maka aku memiliki pandangan sendiri mengenai per-kara cinta pertama ini, yaitu cinta pertama memang tak 'kan pernah mati, tapi ia juga tak 'kan pernah *survive*. Selain itu aku telah menarik pelajaran moral nomor enam dari pengalaman cinta pertamaku yaitu: jika Anda memiliki ke-sempatan mendapatkan cinta pertama di sebuah toko ke-lontong, meskipun toko itu bobrok dan bau tengik, maka rebutlah cepat-cepat kesempatan itu, karena cinta pertama semacam itu bisa menjadi demikian indah tak terperikan!

Aku melihat ke belakang, membuat evaluasi kemaju-an hidupku, dan bersyukur telah mengenal A Ling. Jika berpikir positif, ternyata mengenal seseorang secara emosi-onal memberikan akses pada sebuah bank data kepribadian tempat kita dapat belajar banyak hal baru. Hal-hal baru itu bagiku pada intinya satu: wanita adalah makhluk yang tak mudah diduga. Maka banyak orang berpikir keras mengurai sifat-sifat rahasia wanita, Paul I. Wellman misal-nya dengan tesis Dewi Aphrodite-nya. Ia menggambarkan wanita sebagai makhluk yang di dalam dirinya berkecamuk pertentangan-pertentangan, mengandung pergolakan abadi, sopan tapi berlagak, sentimental sekaligus bengis, beradab namun ganas.

Bagiku, aku masih tak mengerti wanita, namun seper-tinya ada semacam komposisi kimiawi tertentu di dalam tubuh mereka yang menyebabkan lelaki dengan komposisi kimiawi tertentu pula merasa betah di dekatnya. Maka cinta adalah reaksi kimia sehingga keanehan dapat terjadi, seorang pangeran tampan kaya raya bisa saja ditolak oleh seorang gadis penjaga pintu tol, dan seorang wanita *public relation officer* di sebuah BUMN yang sangat luas pergaulannya bisa saja tergila-gila setengah mati dengan seorang laki-laki penyendiri yang eksentrik. Itulah wanita, maka siapa pun ia, seorang dewi agung dalam mitologi Yunani atau sekadar seorang penjaga toko kelontong bobrok di Belitong, masing-masing menyimpan rahasia untuk dirinya sendiri, rahasia yang tak 'kan pernah diketahui siapa pun.

Wanita seperti apakah A Ling? Inilah yang paling menarik dari kisah cinta monyet ini. Setelah berpisah dengannya, aku baru mengerti tipe semacam ini. Ia bukanlah pribadi mekanis yang mengungkapkan perasaan secara eksplisit. Ia memiliki pendirian yang kuat dan amat percaya diri. Ia model wanita yang memegang pertanggungjawaban pada setiap gabungan huruf-huruf yang meluncur dari mulutnya. Dan ini menimbulkan respek karena aku tahu banyak orang harus berulang-ulang meyakinkan dirinya sendiri dan pasangannya dengan kata-kata basi berbusa-busa, bahwa mereka masih saling mencintai, sungguh mengibakan! A Ling tak ingin menghabiskan waktu berurusan dengan pola respons aksi reaksi cinta picisan yang klise, retoris, dan membosankan.

Aku belajar berjiwa besar atas seluruh kejadian dengan A Ling. Sekarang aku memiliki cinta yang baru dalam tas bututku: Edensor. Sudah selama 115 jam, 37 menit, 12 detik aku kehilangan A Ling dan saat ini kuputuskan untuk berhenti mengiba-iba mengenang cinta pertama itu.

Akhirnya, aku mampu melangkah menyeberangi garis ujian tabiat mengasihani diri dan sekarang aku berada di wilayah positif dalam menilai pengalamanku. Aku mulai bangkit untuk menata diri. Aku mempelajari metode-metode ilmiah modern agar dapat bangkit dari keterpurukan. Aku rajin membaca berbagai buku kiat-kiat sukses, pergaulan yang efektif, cara cepat menjadi kaya, langkah-langkah menjadi pribadi magnetik, dan bunga rampai manajemen pengembangan pribadi.

Aku berhenti membuat rencana-rencana yang tidak realistis. Filosofi *just do it,* itulah prinsipku sekarang, lagi pula bukankah John Lennon mengatakan *life is what happens to us while we are busy making plans*! Sesuai saran buku-buku psikologi praktis yang mutakhir itu aku mulai menginventarisasi bidang minat, bakat, dan kemampuanku. Dan aku tak pernah ragu akan jawabannya yaitu: aku paling piawai bermain bulu tangkis dan aku punya minat sangat besar dalam bidang tulis-menulis.

Kesimpulan itu kuperoleh karena aku selalu menjadi juara pertama pertandingan bulu tangkis kelurahan U-19 dan pialanya berderet-deret di rumahku. Piala itu demikian banyak sampai ada yang dipakai ibuku untuk pemberat tumpukan cucian, ganjal pintu, dan penahan dinding kandang ayam. Ada juga piala yang dipakai menjadi semacam palu untuk memecahkan buah kemiri, dan sebuah piala berbentuk panjang bergerigi dari pertandingan terakhir sering dimanfaatkan ayahku untuk menggaruk punggungnya yang gatal.

Lawan-lawanku selalu kukalahkan dengan skor di bawah setengah. Kasihan mereka, meskipun telah berlatih mati-matian berbulan-bulan dan setiap pagi makan telur setengah masak dicampur jadam dan madu pahit, tapi mereka selalu tak berkutik di depanku. Kadang-kadang aku beraksi dengan melakukan *drop shot* sambil salto dua kali atau menangkis sebuah *smash* sambil koprol. Jika aku sedang ingin, aku juga biasa melakukan semacam pukulan *straight* dari celah-celah kedua selangkangku dengan posisi membelakangi lawan, tak jarang aku melakukan itu dengan tangan kiri!

Lawan yang tak kuat mentalnya melihat ulahku akan emosi dan jika ia terpancing marah maka pada detik itulah ia telah kalah. Para penonton bergemuruh melihat hiburan di lapangan bulu tangkis. Jika aku bertanding maka pasar menjadi sepi, warung-warung kopi tutup, sekolah-sekolah memulangkan murid-muridnya lebih awal, dan kuli-kuli PN membolos. "Si kancil keriting", demikianlah mereka menjulukiku. Lapangan bulu tangkis di samping kantor desa membludak. Mereka yang tak kebagian tempat berdiri di pinggir lapangan sampai naik ke pohon-pohon kelapa di sekitarnya.

Kukira semua fakta itu lebih dari cukup bagiku untuk menyebut bulu tangkis sebagai potensi seperti dinyatakan dalam buku-buku pengembangan diri itu. Dan minat besar lainnya adalah menulis. Tapi memang tak banyak bukti yang mengonfirmasi potensiku di bidang ini, kecuali komentar A Kiong bahwa surat dan puisiku untuk A Ling sering membuatnya tertawa geli. Tak tahu apa artinya, bagus atau sebaliknya.

Maka aku mulai mengonsentrasikan diri untuk mengasah kemampuan kedua bidang ini. Seperti juga disarankan oleh buku-buku ilmiah itu maka aku membuat program yang jelas, terfokus, dan memantau dengan teliti kemajuanku. Buku itu juga menyarankan agar setiap individu membuat semacam rencana A dan rencana B.

Rencana A adalah mengerahkan segenap sumber daya untuk mengembangkan minat dan kemampuan pada kemampuan utama atau dalam bahasa bukunya *core competency*, dalam kasusku berarti bulu tangkis dan menulis. Setelah tahap pengembangan itu selesai lalu bergerak pelan tapi pasti menuju tahap profesionalisme dan tahap aktualisasi diri, yaitu muncul menggebrak secara memesona di hadapan publik sebagai yang terbaik. Kemudian akhir dari semua usaha sistematis ilmiah dan terencana itu adalah mendapat pengakuan kejayaan prestasi, menjadi orang tenar atau selebriti, hidup tenang, sehat walafiat, bahagia, dan kaya raya. Sebuah rencana yang sangat indah. Setiap kali membaca rencana A-ku aku mengalami kesulitan untuk tidur.

Demikianlah, rencana A sesungguhnya adalah apa yang orang sebut sebagai kata-kata ajaib mandraguna: cita-cita. Dan aku senang sekali memiliki cita-cita atau arah masa depan yang sangat jelas, yaitu: menjadi pemain bulu tangkis yang berprestasi dan menjadi penulis berbobot. Jika mungkin sekaligus kedua-duanya, jika tidak mungkin salah satunya saja, dan jika tidak tercapai kedua-duanya, jadi apa saja asal jangan jadi pegawai pos.

Cita-cita ini adalah kutub magnet yang menggerakkan jarum kompas di dalam kepalaku dan membimbing hidup-ku secara meyakinkan. Setelah selesai merumuskan masa depanku itu sejenak aku merasa menjadi manusia yang agak berguna.

JIKA aku menengok sahabat sekelasku mereka juga ternyata memiliki cita-cita yang istimewa. Sahara misalnya, ia ingin mejadi pejuang hak-hak asasi wanita. Dia mendapat inspirasi cita-citanya itu dari penindasan luar biasa terhadap wanita yang dilihatnya di film-film India. A Kiong ingin menjadi kapten kapal, mungkin karena ia senang bepergian atau mungkin topi kapten kapal yang besar dapat menutupi sebagian kepala kalengnya itu. Kucai menyadari bahwa diri-nya memiliki sedikit banyak kualitas sebagai seorang poli-tisi yaitu bermulut besar, berotak tumpul, pendebat yang kompulsif, populis, sedikit licik, dan tak tahu malu, maka cita-citanya sangat jelas: ia ingin jadi seorang wakil rakyat, anggota dewan.

Tak ada angin tak ada hujan, tanpa ragu dan malu-malu, Syahdan ingin menjadi aktor. Ia sedikit pun tidak menunjukkan kapasitas atau bakat akting, bahkan dalam pertunjukan teater kelas kami Syahdan tidak bisa membawakan peran apa pun yang mengandung dialog karena ia selalu membuat kesalahan. Karena itu Mahar memberinya peran sederhana sebagai tukang kipas putri raja yang selama pertunjukan tidak mengucapkan sepatah kata pun. Tugasnya hanya mengipas-ngipasi sang putri dengan benda semacam ekor burung merak, itu pun masih sering tak becus ia lakukan. Semua orang menyarankan agar Syahdan meninjau kembali cita-citanya tapi ia bergeming. Ia tak peduli dengan segala cemoohan, ia ingin menjadi aktor, tak bisa diganggu gugat.

"Cita-cita adalah doa, Dan," begitulah nasihat bijak dari Sahara. "Kalau Tuhan mengabulkan doamu, dapatkah kaubayangkan apa jadinya dunia perfilman Indonesia?"

Sedangkan Mahar sendiri mengaku bahwa ia mampu menerawang masa depannya. Dan dalam terawangannya itu ia dengan yakin mengatakan bahwa setelah dewasa ia akan menjadi seorang sutradara sekaligus seorang penasihat spiritual dan *hypnotherapist* ternama.

Cita-cita yang paling sederhana adalah milik Samson. Ia memang sangat pesimis dan hanya ingin menjadi tukang sobek karcis sekaligus sekuriti di Bioskop Kicong karena ia bisa dengan gratis menonton film. Ia memang hobi menonton film. Selain itu profesi tersebut dapat memelihara citra machonya. Adapun Trapani yang baik dan tampan ingin menjadi guru. Ketika kami tanyakan kepada Harun apa cita-citanya ia menjawab kalau besar nanti ia ingin menjadi Trapani.

Semua ini gara-gara Lintang. Kalau tak ada Lintang mungkin kami tak 'kan berani bercita-cita. Yang ada di kepala kami, dan di kepala setiap anak kampung di Belitong adalah jika selesai sekolah lanjutan pertama atau menengah atas kami akan mendaftar menjadi tenaga langkong (calon karyawan rendahan di PN Timah) dan akan bekerja bertahun-tahun sebagai buruh tambang lalu pensiun sebagai kuli. Namun, Lintang memperlihatkan sebuah kemampuan luar biasa yang menyihir kepercayaan diri kami. Ia membuka wawasan kami untuk melihat kemungkinan menjadi orang lain meskipun kami dipenuhi keterbatasan. Lintang sendiri bercita-cita menjadi seorang matematikawan. Jika ini tercapai, ia akan menjadi orang Melayu pertama yang menjadi matematikawan, indah sekali.

Pribadi yang positif, menurut buku, tidak boleh hanya memiliki satu rencana, tapi harus memiliki rencana alternatif yang disebut dengan istilah yang sangat susah diucapkan, yaitu *contingency plan*! Rencana alternatif itu disebut juga rencana B. Rencana B tentu saja dibuat jika rencana A gagal. Prosedurnya sederhana yakni: lupakan, tinggalkan, dan buang jauh-jauh rencana A dan mulailah mencari minat dan kemampuan baru, setelah ditemukan maka ikuti lagi prosedur seperti rencana A. Inilah buku resep kehidupan yang bukan main hebatnya hasil karya para pakar psikologi praktis yang bersekongkol dengan para praktisi sumber daya manusia—dan penerbit buku tentu saja.

Seorang pribadi yang efektif dan efisien harus sudah memiliki rencana A dan rencana B sebelum ia keluar dari pekarangan rumahnya. Tapi aku tak tahan membayangkan rencana B dalam hidupku karena selain bulu tangkis dan menulis aku tak punya kemampuan lain. Sebenarnya ada tapi sungguh tak bisa dipertanggungjawabkan, yaitu kemampuan mengkhayal dan bermimpi, aku agak malu mengakui ini. Aku tak punya kecerdasan seperti Lintang dan tak punya bakat seni seperti Mahar. Aku berpikir keras untuk memformulasikan rencana B. Namun sangat beruntung, setelah berminggu-minggu melakukan perenungan akhirnya tanpa disengaja aku mendapat inspirasi untuk merumuskan sebuah rencana B yang hebat luar biasa.

Rencana B-ku ini sangat istimewa karena aku tidak perlu meninggalkan rencana A. Para pakar sendiri mungkin belum pernah berpikir sejauh ini. Rencana B-ku sifatnya menggabungkan minat dan kemampuan yang ada pada rencana A. Intinya jika aku gagal meniti karier di bidang bulu tangkis dan tak berhasil sebagai penulis sehingga semua penerbit hanya sudi menerima tulisanku untuk dijual menjadi kertas kiloan, maka aku akan menempuh rencana B yaitu: aku akan menulis tentang bulu tangkis!

Aku menghabiskan sekian banyak waktu untuk membuat rencana B ini agar sebaik rencana A, yaitu sampai tahap-tahap yang paling teknis dan operasional. Oleh ka-

Andrea Hirata

rena itu, aku telah punya ancang-ancang judul bukuku, seluruhnya ada tiga yaitu **TATA CARA BERMAIN BULU TANGKIS, FAEDAH BULU TANGKIS,** atau **BULU TANGKIS UNTUK PERGAULAN.**

Rencana B ini kuanggap sangat rasional karena aku telah melihat bagaimana pengaruh bulu tangkis pada orang-orang Melayu pedalaman. Jika musim Thomas Cup atau All England maka di kampung kami bulu tangkis bukan hanya sekadar olahraga tapi ia menjadi semacam budaya, semacam jalan hidup, seperti sepak bola bagi rakyat Brasil. Pada musim itu ilalang tanah-tanah kosong dibabat, pohon-pohon pinang ditumbangkan untuk dibelah dan dijadikan garis lapangan bulu tangkis, dan gengsi kampung diper-taruhkan habis-habisan dalam pertandingan antardusun. Jika malam tiba kampung menjelma menjadi semarak ka-rena lampu petromaks menerangi arena-arena bulu tangkis dan teriakan para penonton yang gegap gempita. Di sisi lain aku percaya bahwa ratusan kaum pria yang tergila-gila pada bulu tangkis lalu pulang ke rumah kelelahan akan mengalihkan mereka dari rutinitas malam sehingga dapat menekan angka kelahiran anak-anak Melayu. Sungguh be-sar manfaat bulu tangkis bagi kampung kami yang minim hiburan. Fenomena ini meyakinkanku bahwa tulisanku tentang bulu tangkis akan mencapai suatu kedalaman dan kategori yang disebut para sastrawan pintar zaman sekarang sebagai buku dalam genre humaniora!

Buku itu akan ditulis setelah melalui riset yang serius dan melibatkan studi literatur serta wawancara yang luas.

Jika beruntung aku akan mengusahakan agar mendapat semacam kata pengantar sekapur sirih dari Ferry Sonneville dan dengan sedikit kerja sama dengan penerbit aku sudah mengkhayalkan akan mendapat banyak komentar berisi pujian dari para pakar di sampul belakang buku itu.

Misalnya Liem Swie King, ia akan berkomentar, "Ini adalah sebuah buku yang sangat bermanfaat untuk meningkatkan kepercayaan diri, membangun *network*, dan menambah kawan."

Komentar Lius Pongoh agak lebih singkat: "Sebuah buku yang memberi pencerahan."

Seorang birokrat dari komite olah raga menyumbangkan pujian yang filosofis: "Belum pernah ada buku olahraga ditulis seperti ini, penulisnya sangat memahami makna *men sana in corpore sano.*"

Demikian pula pujian seorang seksolog yang gemar bermain bulu tangkis: "Buku wajib bagi Anda yang memiliki kelebihan berat badan dan kesulitan membina hubungan."

Rudy Hartono memuji habis-habisan: "Sebuah buku yang menggetarkan!"

Sedangkan komentar dari Ivana Lie adalah: "Membaca buku ini rasanya aku ingin memeluk penulisnya."

Bab 26
Be There or Be Damned!

"APAKAH Ananda sudah memiliki rencana A dan rencana B?"

Itulah pertanyaan pertama Bu Mus kepada Mahar sekaligus awal pidato panjang untuk menasihati tindakannya yang sudah keterlaluan. Ia sudah berbelok ke jalan gelap dunia hitam, ia harus segera disadarkan. Pelajaran praktik olahraga yang sangat kami sukai dibatalkan. Semuanya harus masuk kelas dalam rangka menghakimi Mahar dan mengembalikannya ke jalan yang lurus. Layar pun turun, rol-rol film drama diputar.

Mahar menunduk. Ia pemuda yang tampan, pintar, berseni, tapi keras pendiriannya.

"Ibunda, masa depan milik Tuhan ...."

Aku melihat cobaan yang dihadapi seorang guru. Wajah Bu Mus redup. Seorang sahabat pernah mengatakan bahwa guru yang pertama kali membuka mata kita akan huruf dan angka-angka sehingga kita pandai membaca dan menghitung tak 'kan putus-putus pahalanya hingga akhir hayatnya. Aku setuju dengan pendapat itu. Dan tak hanya itu yang dilakukan seorang guru. Ia juga membuka hati kita yang gelap gulita.

"Artinya Ananda tidak punya sebuah rencana yang positif, tak pernah lagi mau membaca buku dan mengerjakan PR karena menghabiskan waktu untuk kegiatan perdukunan yang membelakangi ayat-ayat Allah."

Bu Mus mulai terdengar seperti warta berita RRI pukul 7. Lintasan berita: "Nilai-nilai ulanganmu merosot tajam. Kita akan segera menghadapi ulangan caturwulan ke tiga, setelah itu caturwulan terakhir menghadapi Ebtanas. Nilaimu bahkan tak memenuhi syarat untuk melalui caturwulan tiga ini. Jika nanti ujian antara-mu masih seperti ini, Ibunda tidak akan mengizinkanmu ikut kelas caturwulan terakhir. Itu artinya kamu tidak boleh ikut Ebtanas."

Ini mulai serius, Mahar tertunduk makin dalam. Kami diam mendengarkan dan khotbah berlanjut. Berita utama: "Hiduplah hanya dari ajaran Al-Qur'an, hadist, dan sunatullah, itulah pokok-pokok tuntunan Muhammadiyah. Insya Allah nanti setelah besar engkau akan dilimpahi rezeki yang halal dan pendamping hidup yang sakinah."

Disambung berita penting: "Klenik, ilmu gaib, takhayul, paranormal, semuanya sangat dekat dengan pemberhalaan. Syirik adalah larangan tertinggi dalam Islam. Ke mana semua kebajikan dari pelajaran aqidah setiap Selasa? Ke mana semua hikmah dari pengalaman jahiliah masa lampau dalam pelajaran tarikh Islam? Ke mana etika kemuhammadiyahan?"

Suasana kelas menjadi tegang. Kami harap Mahar segera minta maaf dan menyatakan pertobatan tapi sungguh sial, ia malah menjawab dengan nada bantahan.

"Aku mencari hikmah dari dunia gelap Ibunda dan penasaran karena keingintahuan. Tuhan akan memberiku pendamping dengan cara yang misterius ...."

Kurang ajar betul, Bu Mus bersusah payah menahan emosinya. Aku tahu beliau sebenarnya ingin langsung melabrak Mahar. Air mukanya yang sabar menjadi merah. Beliau segera keluar ruangan menenangkan dirinya.

Kami serentak menatap Mahar dengan tajam. Alis Sahara bertemu, tatapan matanya kejam sekali.

"Minta maaf sana! Tak tahu diuntung!" hardik Sahara.

Kucai selaku ketua kelas ambil bagian, suaranya menggelegar, "Melawan guru sama hukumnya dengan melawan orangtua, durhaka! Siksa dunia yang segera kauterima adalah burut! Pangkal pahamu akan membesar seperti timun suri hingga langkahmu ngangkang!" Keras sekali Kucai menghardik Mahar tapi yang dipelototinya Harun.

Wajah Mahar aneh. Ia seperti sangat menyesal dan merasa bersalah tapi di sisi lain tampak yakin bahwa ia sedang mempertahankan sebuah argumen yang benar, menurut versinya sendiri tentu saja. Persis ketika kami ingin memprotes Mahar secara besar-besaran tiba-tiba Bu Mus masuk lagi ke dalam ruangan dan menyemprotkan pokok berita, "Camkan ini, Anak Muda, tidak ada hikmah apa pun dari kemusyrikan, yang akan kau dapat dari praktik-praktik klenik itu adalah kesesatan yang semakin lama semakin dalam karena sifat syirik yang berlapis-lapis. Iblis mengipas-ngipasimu setiap kali kaukipasi bara api kemenyan-kemenyan itu."

Mahar mengerut. Ia tampak sangat bersalah telah membuat ibunda gurunya muntab. Bu Mus ternyata bisa juga emosi dan tak berhenti sampai di situ, "Sekarang kau harus mengambil sikap karena ...."

Belum selesai ultimatum itu tiba-tiba terdengar *assalamu'alaikum*. Bu Mus menjawab dan mempersilakan masuk kepala sekolah kami, seorang bapak berwajah penting, dan seorang anak perempuan tapi seperti laki-laki. Anak perempuan ini berpostur tinggi, dadanya rata, pantatnya juga rata. Ia seperti sekeping papan. Sepatunya bot *Wrangler navigator* yang mahal dan itu adalah sepatu laki-laki. Kaus kakinya lucu, berwarna-warni meriah berlapis-lapis seperti sarang lebah dan menutupi tempurung lutut. Ia jelas bukan orang Muhammadiyah karena semua wanita Muhammadiyah berjilbab. Ia memakai rok besar dari bahan wol bermotif kotak-kotak besar merah seperti *kilt* orang-orang Skotlandia. *Kilt* itu menutupi ujung atas kaus kakinya tadi sehingga tak ada sedikit pun celah kulit kakinya yang terbuka. Rambutnya pendek, kulitnya putih bersih sangat halus, dan wajahnya cantik. Secara umum ia tampak seperti seorang pemuda Skotlandia yang imut.

Bapak berwajah orang penting tadi berusaha tersenyum ramah.

"Ini anak saya, Flo," katanya pelan-pelan.

"Dia sudah tidak ingin lagi sekolah di sekolah PN dan sudah membolos dua minggu. Dia bersikeras hanya ingin sekolah di sini."

Orang penting ini menggaruk-garuk kepalanya. Setiap kata-katanya adalah batu berat puluhan kilo yang ia seret satu per satu. Nada bicaranya jelas sekali seperti orang yang sudah kehabisan akal mengatasi anaknya itu. Kami semua termasuk kepala sekolah tersipu menahan tawa. Bu Mus yang baru saja marah juga tersenyum. Sebuah senyum terpaksa karena kami semua sudah tahu reputasi Flo. Beliau sudah pusing tujuh keliling menghadapi Mahar dan sekarang harus ditambah lagi satu anak setengah laki-laki setengah perempuan yang sudah pasti tak bisa diatur! Hari ini adalah hari yang sial dalam hidup Bu Mus.

Flo sendiri acuh tak acuh, ia tak tersenyum dan hanya menatap bapaknya. Anak cantik ini berkarakter tegas, pasti, tahu persis apa yang ia inginkan, dan tak pernah ragu-ragu, sebuah gambaran sikap yang mengesankan. Bapaknya juga menatap anaknya, suatu tatapan penuh kekalahan yang pedih. Lalu bapaknya melihat sekeliling ruangan kelas kami yang seperti ruang interogasi tentara Jepang, tatapannya semakin pedih. Dengan pasrah ia menyampaikan ini.

"Maka saya serahkan anak saya pada Ibu, jika ia me-nyulitkan, Bapak Kepala Sekolah sudah tahu di mana harus menemui saya. Menyesal harus saya sampaikan bahwa ia pasti akan menyulitkan."

Kami tertawa dan bapaknya tersenyum pahit. Flo masih cuek seolah semua kata-kata itu tak ada maknanya, laksana angin lewat saja. Kepala Sekolah dan orang penting itu mohon diri. Kepala Sekolah kami tersenyum simpul sambil memandang Bu Mus penuh arti.

Bu Mus memandangi Flo dari samping Mahar yang baru saja dimarahinya habis-habisan dan Flo yang berandal berdiri tegak di depan kelas seperti orang mengambil pose untuk peragaan kaus kaki Italia model terbaru. Meskipun seperti laki-laki tapi ia sesungguhnya gadis remaja yang menawan, dan kulitnya indah luar biasa. Di kelas ini ia laksana Winona Ryder yang diutus UNICEF untuk membesarkan hati para penderita lepra di sebuah kampung kumuh di Sudan.

Flo menyilangkan kakinya, bahunya yang kurus bidang mekar seperti memiliki bantalan di pundak-pundaknya. Ia sangat memesona. Semua mata menghunjam ke arahnya. Sebuah pemandangan yang tak biasa. Jika diamati dengan saksama, di balik kedua bola matanya yang gelap cokelat seperti buah hamlam tersembunyi kebaikan yang sangat besar.

Semuanya diam, Flo juga diam. Kami berharap Flo akan memecah kekakuan dengan memperkenalkan dirinya. Tapi ia tak melakukan itu dan Bu Mus juga tak memintanya mengenalkan diri karena dua alasan: Flo jelas tak senang dengan formalitas, kedua: siapa yang tak kenal Flo? Namanya melambung gara-gara hilang di Gunung Selumar tempo hari dan reputasinya semakin top karena baru-baru ini menjuarai pertarungan *kick boxing*. Ia meng-KO hampir seluruh lawannya padahal ia satu-satunya petarung wanita. Maka Bu Mus mengambil inisiatif sambil tersenyum bersahabat.

"Baiklah, selamat datang di kelas kami, setelah ini pelajaran kemuhammadiyahan, silakan Ananda duduk di sana dengan Sahara "

Sahara senang bukan main karena selama sembilan tahun hanya ia satu-satunya wanita di kelas kami. Selama ini ia duduk sendirian dan sekarang ia akan punya teman sesama jenis. Ia mengusap-usap kursi kosong di sampingnya dan menampilkan bahasa tubuh selamat datang. Tapi di luar dugaan ternyata Flo tak beranjak. Wajahnya tak menunjukkan minat sama sekali. Dia membatu dan memandang jauh ke luar jendela. Kami bingung, lalu Flo kembali memandang kami dan kami terkejut ketika dengan pasti ia menunjuk Trapani sambil bersabda:

"Aku hanya ingin duduk di samping Mahar!"

Luar biasa! Kalimat pertama yang meluncur dari mulut kecil makmurnya itu setelah baru saja beberapa menit menginjakkan kaki di sekolah Muhammadiyah adalah sebuah pembangkangan! Pembangkangan bukanlah hal yang biasa di perguruan kami. Kami tak pernah sekali pun dengan sengaja menyatakan pembangkangan, kami bahkan memanggil guru kami ibunda guru.

Kami terperanjat, demikian pula Bu Mus. Air muka sabarnya menjadi keruh. Baru saja beliau memikirkan kemungkinan kerusakan etika Muhammadiyah yang akan dibuat Mahar dan murid baru separuh pria ini, tiba-tiba sekarang dua ekor angin tornado ini ingin bersekutu. Berat sekali cobaan hidup Bu Mus. Wajah Bu Mus sembap. Flo menunjukkan wajah tak mau berkompromi dan Bu Mus sudah tahu bahwa percuma melawan dia. Lagi pula bagi Flo dirinya bukanlah wanita, maka ia tak mau duduk dengan Sahara. Di sisi lain ia menganggap Trapani harus mengalah karena ia adalah seorang wanita. Transeksual memang sering membingungkan.

Trapani kebingungan karena dia sudah sembilan tahun terbiasa duduk sebangku dengan Mahar dan Bu Mus harus mengambil keputusan yang sulit. Beliau memberi isyarat pada Trapani agar lungsur. Flo menghambur ke kursi bekas Trapani di samping Mahar. Mahar serta-merta mengeluarkan tiga macam sikap khasnya yang menyebalkan: menaikkan alis, mengangkat bahu, dan mengangguk-angguk. Kami muak melihatnya tapi ia tampak senang bukan main. Seperti dugaannya, Tuhan telah memberinya pendamping secara misterius. Sebuah doa yang langsung dikabulkan di tempat. Bajingan kecil itu memang selalu beruntung. Sebaliknya, Trapani kehilangan teman sebangku dan ia sekarang harus duduk dengan Sahara yang temperamental. Sahara sendiri sangat tidak suka menerima Trapani. Ia mengaum, alisnya bertemu.

Flo tampak kaku duduk di kelas kami dan seluruh ruangan itu sama sekali tidak merepresentasikan setiap jenis sandang yang dikenakannya. Kelas rombeng ini juga tak cocok dengan kulit putih dan raut mukanya yang penuh sinar kekayaan. Apa yang dicari anak kaya ini di sekolah miskin yang tak punya apa-apa? Mengapa ia ingin menukar gemerlap sekolah PN dengan sekolah gudang kopra? Buah khuldi di pekarangan siapa yang telah dimakannya sehingga dia terusir dari taman eden Gedong?

Tidak, ia tidak dicampakkan oleh sekolah PN tapi ia sengaja ingin pindah ke sekolah Muhammadiyah atas ke-mauan sendiri, tanpa tekanan dari pihak mana pun dan dalam keadaan sehat walafiat jasmani dan rohani, hanya pikirannya saja yang sedikit kacau.

PADA hari-hari pertama kami terkagum-kagum dengan berbagai perlengkapan sekolahnya yang menurut ia biasa saja. Ia memiliki enam macam tas yang dipakai berbeda-beda setiap hari. Tas hari Jumat paling menarik karena berumbai-rumbai seperti tas Indian. Ia juga memiliki banyak kotak. Kotak khusus untuk beragam penggaris: ada penggaris busur, penggaris segitiga, penggaris siku, dan beragam ukuran penggaris segi empat. Kotak lainnya berisi jangka-jangka kecil, berbagai jenis pensil, pulpen, dan penghapus seperti kue lapis yang dapat menimbulkan rasa lapar. Lalu ada serutan yang lucu serta sapu tangan handuk kecil di dalam tas rajutan ibunya.

Di dalam tas rajutan kecil itu ada berjejal-jejal uang kertas yang dimasukkan dengan sembrono oleh Flo. Jika ia membuka tas itu sering kali uang tadi berjatuhan ke lantai. Jumlah uang itu semakin hari semakin banyak dan membuat tasnya menjadi gendut. Flo tidak bisa membelanjakan uang itu di sekolah Muhammadiyah karena tak ada yang bisa dibeli. Uang itu memiliki nama yang sangat asing bagi kami: uang saku. Sesuatu yang seumur-umur tak pernah kami dapatkan dari orangtua kami.

Sebagian besar benda-benda itu belum pernah kami lihat. Ia amat berbeda dengan kami dalam semua hal. Ia seumpama bangau Hokkaïdo yang anggun tersasar ke kandang itik. Setiap pagi ia diantar sopirnya—dengan sebuah mobil mewah tentu saja—setelah ia sarapan dari semacam benda yang dapat membuat roti meloncat.

Sejak kami menjadi pahlawan kesiangan yang menemukan Flo ketika ia hilang di Gunung Selumar tempo hari ia memang telah mengenal kami, terutama Mahar dan reputasinya. Flo hengkang dari sekolah PN karena didorong oleh kepribadiannya yang pembosan, cenderung antikemapanan, tergila-gila dengan pemberontakan, dan keinginannya menjadi anggota Laskar Pelangi yang unik. Tapi ada alasan lain yang tak banyak orang tahu, dan ini agak berbahaya, yaitu ia tergila-gila pada Mahar. Ia mengagumi Mahar bukan sebagai pribadi tapi sebagai seorang profesional muda perdukunan.

Karena orangnya memang ekstrover dan berpikiran terbuka maka kami segera akrab dengan Flo. Pada sebuah sore yang dingin setelah hujan lebat Flo kami inisiasi di dahan tertinggi *filicium* dan sejak sore itu ia resmi kami bai'at sebagai anggota Laskar Pelangi. Saat pelangi melingkar dan guruh bersahut-sahutan membahana di atas langit Belitong Timur, ia mengucapkan janji setia persaudaraan.

Ternyata Flo adalah pribadi yang sangat menyenangkan. Ia memiliki kemampuan beradaptasi yang luar biasa. Ia cantik dan sangat rendah hati, sehingga kami betah di dekatnya. Ia tak pernah segan menolong dan selalu rela berkorban. Terbukti bahwa di balik sifatnya keras kepala tersimpan kebaikan hati yang besar.

Aneh, di sekolah Muhammadiyah yang tak punya fasilitas apa pun Flo sangat bersemangat. Ada sesuatu yang menggerakkannya. Ia tak pernah sehari pun bolos dan bersikap sangat santun kepada para pengajar. Konon bapaknya sampai mengucapkan terima kasih kepada kepala sekolah kami dan Bu Mus. Ia datang lebih pagi dari siapa pun, menyapu seluruh sekolah, menimba berember-ember air dan menyiram bunga tanpa diminta. Sekolah ini adalah jembatan jiwa baginya.

Flo sangat dekat dengan Mahar. Mereka saling tergantung dan saling melindungi. Hubungan mereka sangat unik. Dengan bersama Mahar dan berada di sekolah Muhammadiyah Flo seperti berada di dunia yang memang diidamkannya selama ini. Ia seperti orang yang telah menemukan identitas setelah bersusah payah mencarinya melalui pemberontakan-pemberontakan sinting. Demikian pula Mahar, ia merasa menemukan satu-satunya orang yang memahaminya, tak pernah melecehkannya, dan menghargai setiap kelakuan anehnya. Maka mereka seperti *Starsky and Hutch* atau *Harley Davidson and The Marlboro Man*, gandeng renteng ke sana kemari persis Trapani dan ibunya.

Mahar benar-benar telah mendapatkan pendamping. Mereka sering tampak berduaan, berbicara, bertukar pikiran sampai berjam-jam. Orang yang melihatnya akan menyangka mereka berpacaran. Seorang pemuda tampan dan seorang anak gadis cantik yang tomboi, siang malam tak terpisahkan. Saling tergila-gila, serasi sekali. Tapi kenyataannya mereka sama sekali tidak punya hubungan emosional semacam itu. Mereka memang tergila-gila tapi kekasih hati mereka adalah dunia gelap mistik dan klenik.

Dunia gelap itulah yang memicu adrenalin Flo dan itu jugalah salah satu tujuannya mendekati Mahar. Berbeda dengan A Kiong yang juga mengabdi kepada Mahar tapi memosisikan diri sebagai murid, Flo sebaliknya memosisikan diri sebagai rekan. Persekutuan mereka membawa kemajuan yang pesat dalam elaborasi dunia metafisik karena ditunjang oleh sumber daya yang dimiliki Flo. Mereka mempelajari dengan saksama fenomena-fenomena aneh melalui majalah-majalah luar negeri dan buku-buku ilmiah karangan *psychist* ternama. Kalau dulu Mahar berurusan dengan primbon atau prasasti dan istilah-istilah kuntilanak, jenglot, Dalbho anak genderuwo, dan pocong, sekarang referensinya meningkat menjadi *paranormal-*

phernalia, UFO codes, science fiction news, dan *The Anomalist,* dan bicaranya juga menjadi lebih maju dan keren, kalau dulu kemenyan, tuyul, kerasukan setan, dan santet, sekarang menjadi istilah-istilah paranormal asing seperti *exorcism, clairevoyance, sightings,* dan *poltergeist.*

Mahar tertarik pada mitologi, hubungan supranatural dengan antropologi, sejarah, cerita rakyat, arkeologi, kekuatan penyembuhan, ilmu-ilmu purba, ritual, dan kepercayaan berhala. Maka sedikit banyak ia menganggap dirinya seorang ilmuwan supranatural. Sebaliknya, Flo adalah petualang sejati. Ia kurang tertarik dengan aspek ilmu dan keyakinan dalam kejadian-kejadian mistik tapi ia ingin mengalami manifestasi berbagai teori dan fenomena magis dalam praktik. Karena tujuan utama pendalaman mistik Flo adalah untuk menguji dirinya sendiri, sampai sejauh mana ia bisa menoleransi rasa takutnya. Ia kecanduan getar-getar mara bahaya dunia lain. Flo sedikit lebih parah sintingnya dibanding Mahar.

Maka untuk merealisasikan semua tujuan itu dan untuk menikmati hobinya, mereka berdua menyusun sebuah rencana sistematis. Langkah awal mereka adalah membentuk sebuah organisasi rahasia para penggemar paranormal. Setelah kasak-kusuk sekian lama, tak dinyana ternyata mereka mampu menemukan anggota-anggota sepaham yang sangat antusias. Mereka membentuk sebuah perkumpulan yang disebut *Societeit de Limpai* dan melakukan pertemuan rutin serta aktivitas perklenikan secara diam-diam.

Semakin lama aktivitas itu semakin tinggi dan tak jarang melibatkan perjalanan yang jauh. Tak terbayangkan ke mana keingintahuan dapat membawa manusia: ke gunung tertinggi, ke gua yang gelap, melintasi padang, menuruni ngarai, menyeberangi lumpur, sungai, dan laut. Singkatnya, organisasi bawah tanah ini sangat sibuk dan menuntut pengadministrasian jadwal, dana, dan properti sehingga mereka membutuhkan bantuan seorang sekretaris merangkap bendahara!

Ketika aku ditawari posisi itu, aku segera menyambarnya. Meskipun tidak ada honornya sepeser pun aku merasa terhormat menjadi seorang sekretaris dari sebuah gerombolan orang-orang yang bersahabat dengan hantu. Aku juga bangga karena jabatan itu menunjukkan bahwa aku punya cukup integritas untuk memegang uang, artinya paling tidak aku bisa dipercaya walaupun hanya dipercaya oleh orang-orang yang sudah tidak lurus pikirannya.

Tugasku sederhana dan cukup diatur melalui sebuah buku register. Tugas tersebut adalah mencatat iuran anggota, menyimpan uangnya, dan mencatat barang-barang pribadi milik anggota yang akan dijual atau digadaikan guna membeli peralatan dan membiayai ekspedisi. Tugas lainnya adalah mengatur pertemuan rahasia. Biasanya undangan dibuat oleh bosku, Mahar atau Flo, dan aku harus mengedarkannya pada seluruh anggota. Seperti sore ini misalnya, Flo menyerahkan undangan padaku, isinya:

Rapat mendesak, Los V/B pasar ikan, Pk. 7 tepat.
Be there or be damned!

Bab 27
Detik-Detik Kebenaran

DALAM sebuah bangunan berarsitektur *art deco*, di ruangan oval yang ingar-bingar, kami terpojok: aku, Sahara, dan Lintang.

Kembali kami berada dalam sebuah situasi yang mempertaruhkan reputasi. Lomba kecerdasan. Dan kami berkecil hati melihat murid-murid negeri dan sekolah PN membawa buku-buku teks yang belum pernah kami lihat. Tebal berkilat-kilat dengan sampul berwarna-warni, pasti buku-buku mahal. Sebagian peserta berteriak-teriak keras menghafalkan nama-nama kantor berita.

Risikonya tentu jauh lebih besar dari karnaval dulu. Lomba kecerdasan adalah arena terbuka untuk mempertontonkan kecerdasan, atau jika sedang bernasib sial, mempertontonkan ketololan yang tak terkira. Dan semua nasib sial itu akan ditanggung langsung oleh aku, Sahara, dan Lintang. Kami adalah regu F pada lomba memencet tombol ini. Bagaimana kalau kami tak mampu menjawab dan hanya membawa pulang angka nol?

Persoalan klasiknya adalah kepercayaan diri. Inilah problem utama jika berasal dari lingkungan marginal dan mencoba bersaing. Kami telah dipersiapkan dengan baik oleh Bu Mus. Beliau memang menaruh harapan besar pada lomba ini lebih dari beliau berharap waktu kami karnaval dulu. Bu Mus pontang-panting mengumpulkan contoh-contoh soal dan bekerja sangat keras melatih kami dari pagi sampai sore. Bu Mus melihat lomba ini sebagai media yang sempurna untuk menaikkan martabat sekolah Muhammadiyah yang bertahun-tahun selalu diremehkan. Bu Mus sudah bosan dihina. Sayangnya sekeras apa pun beliau membuat kami pintar dan menguatkan mental kami, mendorong-dorong, membujuk, dan mengajari kami agar tegar, kami tetap gugup. Semua yang telah dihafalkan berminggu-minggu lenyap seketika, jalan pikiran menjadi buntu. Aku berusaha menenangkan diri dengan membayangkan duduk bersemadi di atas padang rumput hijau di tempat yang paling tenang dalam imajinasiku: Edensor, tapi upaya ini juga gagal.

"Persetan kepercayaan diri, pokoknya dengar pertanyaannya baik-baik, pencet tombolnya cepat-cepat, dan jawab dengan benar," demikian kataku. Sahara mengangguk, Lintang tak peduli.

Kami duduk menghadapi sebuah meja mahoni yang besar, panjang, indah, dan dingin. Seluruh teman sekelasku dan guru-guru hadir untuk menyemangati kami. Ruangan penuh sesak oleh para pendukung setiap sekolah. Aku, Lintang, dan Sahara mengerut di balik meja itu. Kami berpakaian amat sederhana dan sepatu cunghai Lintang masih menebarkan bau hangus.

Pendukung yang paling dominan tentu saja pendukung sekolah PN. Jumlahnya ratusan dan menggunakan seragam khusus dengan tulisan mencolok di punggungnya: VINI, VIDI, VICI, artinya AKU DATANG, AKU LIHAT, AKU MENANG. Benar-benar menjatuhkan mental lawan. Sekolah PN mengirim tiga regu, masing-masing regu A, B, dan C. Anggota regu itu adalah yang terbaik dari yang terbaik. Mereka diseleksi secara khusus dengan amat ketat dan standar yang sangat tinggi. Beberapa peserta itu pernah menjuarai lomba cerdas cermat tingkat provinsi bahkan ada yang telah dikirim untuk tingkat nasional. Pakaian anggota regu juga sangat berbeda. Mereka mengenakan jas warna biru gelap yang indah, sepatu yang seragam dengan celana panjang berwarna serasi, dan mereka berdasi.

Tahun ini mereka dipersiapkan lebih matang, sistematis, dan secara amat ilmiah oleh seorang guru muda yang terkenal karena kepandaiannya. Guru ini membuat simulasi situasi lomba sesungguhnya dengan bel, dewan juri, *stop watch*, dan antisipasi variasi-variasi soal. Guru yang cemerlang ini baru saja mengajar di PN, dulu ia bekerja di sebuah perusahaan asing di unit riset dan pengembangan kemudian ditawari mengajar di PN dengan gaji berlipat-lipat dan janji beasiswa S2 dan S3. Ia lulus *cum laude* dari Fakultas MIPA sebuah universitas negeri ternama. Tahun ini ia terpilih sebagai guru teladan provinsi. Ia mengajar fisika, Drs. Zulfikar, itulah namanya.

Pendukung kami dipimpin oleh Mahar dan Flo. Meskipun hanya berjumlah sedikit tapi semangat mereka menggebu. Mereka membawa dua buah bendera besar Muhammadiyah yang telah lapuk dan berbagai macam tabuh-tabuhannya seperti para suporter sepak bola. Para pelajar PN yang menganggap Flo pengkhianat melirik kejam padanya, tapi seperti Lintang, Flo juga tak peduli. Walaupun besar sekali kemungkinan tim kami dipermalukan oleh kecerdasan tim PN dalam lomba ini, Flo tak ragu sedikit pun membela habis-habisan sekolahnya, sekolah kampung Muhammadiyah.

Di antara pendukung kami ada Trapani dan ibunya, kedua anak-beranak ini saling bergandengan tangan. Aku melihat pelajar-pelajar wanita berbisik-bisik, tertawa cekikikan, dan terus-menerus meliriknya karena semakin remaja Trapani semakin tampan. Ia ramping, berkulit putih bersih, tinggi, berambut hitam lebat, di wajahnya mulai tumbuh kumis-kumis tipis, dan matanya seperti buah kenari muda: teduh, dingin, dan dalam.

Sesungguhnya dalam seleksi tim yang akan mewakili sekolah kami Trapani telah terpilih. Skornya lebih tinggi dibanding skor Sahara namun nilai geografinya lebih rendah. Kekuatan tim kami adalah matematika, hitungan-

hitungan IPA, biologi, dan bahasa Inggris yang semuanya tak diragukan ada di tangan Lintang. Aku agak baik pada bidang-bidang kewarganegaraan, tarikh Islam, fikih, budi pekerti, dan sedikit bahasa Indonesia. Yang paling lemah dalam tim kami adalah geografi dan ahli geografi kami adalah Sahara. Maka demi kekuatan tim, Trapani dengan lapang dada memberi kesempatan pada Sahara untuk tampil. Trapani adalah pria muda yang amat tampan dan berjiwa besar.

"Tabahkan hatimu, Ikal …," itulah nasihat Trapani pelan padaku.

Sementara di meja mahoni yang megah itu Lintang diam seribu bahasa, kelelahan, selayaknya orang yang memikul seluruh beban pertaruhan nama baik. Aku tak henti-henti berkipas, bukan kepanasan, tapi hatiku mendidih karena gentar. Tak pernah sekali pun sekolah kampung menang dalam lomba ini, bahkan untuk diundang saja sudah merupakan kehormatan besar.

Lintang sudah membatu sejak subuh tadi. Di atas truk terbuka yang membawa kami ke ibu kota kabupaten ini, Tanjong Pandan, ia membisu seperti orang sakit gigi parah. Ia memandang jauh. Tak mampu kuartikan apa yang berkecamuk di dadanya. Ayah, Ibu, dan adik-adiknya juga ikut. Mereka, termasuk Lintang, baru pertama kali ini pergi ke Tanjong Pandan.

Sahara duduk di tengah. Aku dan Lintang di samping kiri dan kanannya. Ekspresi Lintang datar, ia tersandar lesu tanpa minat. Agaknya ia demikian minder, berkecil hati, dan malu berada di lingkungan yang sama sekali asing baginya. Ia hanya menatap ayah, ibu, dan adik-adiknya yang berpakaian amat sederhana, duduk saling merapatkan diri di pojok, tampak bingung dalam suasana yang hiruk pikuk. Aku mencoba berkonsentrasi tapi gagal. Lintang dan Sahara sudah tak bisa diharapkan.

Kulihat tangan para peserta lain mulai meraba tombol di depan mereka, siap menyalak. Sahara kelihatan pucat, seperti orang bingung. Ia yang telah ditugasi dan dilatih khusus memencet tombol sedikit pun tak mampu mendekatkan jarinya ke benda bulat itu. Ia sudah pasrah atas kemungkinan kalah mutlak. Sahara mengalami demam panggung tingkat gawat. Sementara otakku tak bisa lagi dipakai untuk berpikir. Keributan yang terjadi ketika peserta lain mencoba-coba tombol dan mikrofon terdengar bagaikan teror bagi kami. Kami tak sedikit pun mencoba benda-benda itu. Kami sudah kalah sebelum bertanding. Para pendukung Muhammadiyah membaca kegentaran kami. Mereka tampak prihatin.

Suasana semakin tegang ketika ketua dewan juri bangkit dari tempat duduknya, memperkenalkan diri, dan menyatakan lomba dimulai. Jantungku berdegup kencang, Sahara pucat pasi, dan Lintang tetap diam misterius, ia bahkan memalingkan wajah keluar melalui jendela.

Dan inilah detik-detik kebenaran itu. Pertanyaan ditujukan kepada semua peserta yang harus berlomba cepat memencet tombol agar dapat menjawab dan jika keliru akan kena denda. Aku tak berani melihat para penonton. Dan

Bu Mus tak berani melihat wajah kami. Wajahnya dipaling-kan ke lampu besar di tengah ruangan yang berjuntai-juntai laksana raja gurita. Baginya ini adalah peristiwa terpenting selama lima belas tahun karier mengajarnya. Beliau benar-benar menginginkan kami menang dalam lomba ini, karena beliau tahu lomba ini sangat penting artinya bagi sekolah kampung seperti Muhammadiyah. Wajahnya kusut me-nanggung beban, mungkin beliau juga telah bosan bertahun-tahun selalu diremehkan.

Tak lama kemudian seorang wanita anggun yang bergaun jas cantik berwarna merah muda berdiri. Beliau meminta penonton agar tenang karena beliau akan meng-ajukan pertanyaan. Suaranya indah, bertimbre berat, dan tegas seperti penyiar RRI.

Wanita itu mendekatkan wajahnya pada mikrofon dan menegakkan lembaran kertas di depannya seperti orang akan membaca Pancasila. Detik-detik kebenaran yang ha-kiki dan mencemaskan tergelar di depan kami. Seluruh peserta memasang telinga baik-baik, siap menyambar tom-bol, dan siaga mendengar berondongan pertanyaan. Suasana mencekam ....

Pertanyaan pertama bergema.

"Ia seorang wanita Prancis, antara mitos dan realitas ...."

Kring! Kriiiiiiiingggg! Kriiiiiiiiiiiiiiinnnggggg!

Wanita anggun itu tersentak kaget karena pertanya-annya secara mendadak dipotong oleh suara sebuah tombol meraung-raung tak sabar. Aku dan Sahara juga terperanjat tak alang kepalang karena baru saja sepotong lengan kasar dengan kecepatan kilat menyambar tombol di depan kami, tangan Lintang!

"Regu F!" kata seorang pria anggota dewan juri lain-nya. Wajahnya seperti almarhum Benyamin S. Ia memakai jas dan dasi kupu-kupu.

"Joan D'Arch, Loire Valley, France!" jawab Lintang membahana, tanpa berkedip, tanpa keraguan sedikit pun, dengan logat Prancis yang sengau-sengau aduhai.

"Seratusss!" Benyamin S. tadi membalas disambut te-puk tangan gemuruh para penonton. Kulihat bendera Muhammadiyah berkibar-kibar.

"Pertanyaan kedua: Terjemahkan dalam kalimat inte-gral dan hitung luas wilayah yang dibatasi oleh $y = 2x$ dan $x = 5$."

Lintang kembali menyambar tombol secepat kilat dan jawabannya serta-merta memecah ruangan.

"Integral batas 5 dan 0, 2x minus x kali dx, hasilnya: dua belas koma lima!"

Luar biasa! Tanpa ada kesangsian, tanpa membuat catatan apa pun, kurang dari 5 detik, tanpa membuat ke-salahan sedikit pun, dan nyaris tanpa berkedip.

"Seratussssss!" lengking Benyamin S.

Mendengar lengkingan Benyamin S. pendukung kami melonjak-lonjak seperti orang kesurupan. Suara mereka riuh rendah laksana kawanan kumbang kawin. Flo melompat-lompat sambil mengeluarkan jurus-jurus *kick boxing*.

"Pertanyaan ketiga: Hitunglah luas dalam jarak integral 3 dan 0 untuk sebuah fungsi 6 plus 5x minus x pangkat 2 minus 4 x."

Lintang memejamkan matanya sebentar, ia tak membuat catatan apa pun, semua orang memandangnya dengan tegang, lalu kurang dari 7 detik kembali ia melolong.

"Tiga belas setengah!"

Tak sebiji pun meleset, tak ada ketergesa-gesaan, tak ada keraguan sedikit pun.

"Seratussssss!" balas Benyamin S. sambil menggeleng-gelengkan kepalanya karena takjub melihat kecepatan daya pikir Lintang. Pendukung kami bersorak-sorai histeris gegap gempita. Mereka mendesak maju karena perlombaan semakin seru. Ayah, ibu, dan adik-adik Lintang berusaha berdiri dan bergabung dengan pendukung kami yang lain. Mereka tersenyum lebar dan kulihat ayah Lintang, pria cemara angin itu, wajahnya berseri-seri penuh kebanggaan pada anaknya, matanya yang kuning keruh berkaca-kaca.

Sementara para peserta lain terpana dan berkecil hati. Lintang menjawab kontan, bahkan ketika mereka belum selesai menulis soal itu dalam kertas catatan yang disediakan panitia. Beberapa di antaranya membanting pensil tanpa ampun. Trapani yang kalem mengangguk-angguk pelan. Pak Harfan bertepuk tangan girang sekali seperti anak kecil, wajahnya menoleh ke sana kemari. "Lihatlah murid-muridku, ini baru murid-muridku ...," itu mungkin makna ekspresi wajahnya. Bu Mus bergerak maju ke depan, wajah kusutnya telah sirna menjadi cerah. Sekarang beliau berani mengangkat wajahnya, matanya juga berkaca-kaca dan bibirnya bergumam, "Subhanallah, subhanallah ...."

Ibu jas merah muda berupaya keras menenangkan penonton yang riuh dan berdecak-decak kagum, terutama menenangkan pendukung kami yang tak bisa menguasai diri. Beliau melanjutkan pertanyaan.

"Selain menggunakan teknik *radiocarbon* untuk menentukan usia sebuah temuan arkeologi, para ahli juga ...."

Kring! Kriiiiiiiingggg!

Kembali Lintang mengamuk, dan ia menjawab lantang.

"*Thermoluminescent dating*! Penentuan usia melalui pelepasan energi sinar dalam suhu panas!"

"Seratussss!"

Berikutnya hanyalah kejadian yang persis sama dengan pertanyaan itu. Wanita cantik berjas merah muda itu tak pernah sempat menyelesaikan pertanyaannya. Lintang menyambar setiap soal tanpa memberikan kesempatan sekali pun pada peserta lain.

Ratusan penonton terkagum-kagum. Warga Muhammadiyah di ruangan itu berjingkrak-jingkrak sambil saling memeluk pundak. Yang paling bahagia adalah Harun. Dia memang senang dengan keramaian. Aku melihatnya bertepuk-tangan tak henti-henti, berteriak-teriak memberi semangat, tapi wajahnya tak melihat ke arah kami, ia menoleh keluar jendela. Kiranya ia sedang memberi semangat kepada sekelompok anak perempuan yang sedang bermain kasti di halaman.

Di tengah hiruk pikuk para penonton aku sempat mendengar jawaban-jawaban tangkas Lintang: "Vincent Van Gogh, *menyasszonytanc*, *The Hunchback of Notredame*, paradoks air, Edgar Allan Poe, medula spinalis, Dian Fossey, artropoda, 300 ribu kilometer per detik. Basedow, *dactylorhiza moculata*, *ancyostoma duodenale*, Stone Henge, Platyhelminthes, endoskeleton, Serebrum, Langerhans, *fluoxetine hydrochloride*, 8,5 menit cahaya, *extremely low frequency*, molekul *chiral* ...."

Ia tak terbendung, aku merinding melihat kecerdasan sahabatku ini. Peserta lain terpesona dibuatnya. Mereka seperti terbius sebuah kharisma kuat kecerdasan murni dari seorang anak Melayu pedalaman miskin, murid sekolah kampung Muhammadiyah yang berambut keriting merah tak terawat dan tinggal di rumah kayu doyong beratap daun nun jauh terpencil di pesisir.

Para peserta sekolah PN merasa geram karena tak kebagian satu pun jawaban. Maka mereka mencoba berspekulasi. Tujuannya bukan untuk menjawab tapi untuk menjegal Lintang. Mereka berusaha secara tidak rasional memencet tombol secepat mungkin. Sebuah tindakan tolol yang berakibat denda karena tak mampu menginterpretasikan seluruh konteks pertanyaan. Sedangkan Lintang, seperti dulu pernah kuceritakan, anak ajaib kuli kopra ini, memiliki kemampuan yang mengagumkan untuk menebak isi kepala orang.

Dominasi Lintang membuat beberapa penonton terusik egonya dan penasaran ingin menguji Einstein kecil ini maka insiden pun terjadi. Ketika itu juri menanyakan:

"Terobosan pemahaman ilmiah terhadap konsep warna pada awal abad ke-16 memulai penelitian yang intens di bidang optik. Ketika itu banyak ilmuwan yang percaya bahwa campuran cahaya dan kegelapanlah yang menciptakan warna, sebuah pendapat yang rupanya keliru. Kekeliruan itu dibuktikan dengan memantulkan cahaya pada sekeping lensa cekung ...."

Kriiiiiing! Kriiiiing! Kring! Lintang menyalak-nyalak.

"Cincin Newton!"

"Seratussss!"

Sekali lagi suporter kami bergemuruh jumpalitan, tapi tiba-tiba seseorang di antara penonton menyela, "Saudara Ketua! Saudara Ketua! Saudara Ketua Dewan Juri! Saya kira pertanyaan dan jawaban itu keliru besar!"

Seluruh hadirin sontak diam dan melihat ke arah seorang pemuda yang kecewa ini. Oh, Drs. Zulfikar, guru fisika teladan dari sekolah PN itu. Gawat! Urusan ini bisa runyam. Sekarang pandangan seluruh hadirin menghunjam ke arah guru muda yang otak cemerlangnya sudah kondang ke mana-mana. Untuk diajar privat olehnya bahkan harus antre. Ia harapan yang akan melanjutkan tradisi lama sekolah PN sebagai pemenang pertama lomba kecerdasan ini dan ia sudah mempersiapkan timnya demikian sempurna. Ia tak ingin dipermalukan dan ia tak pernah berurusan dengan sesuatu yang *tidak terbaik*. Sekarang apa yang akan ia perbuat? Aku dan Sahara waswas tapi Lintang tenang-tenang saja. Drs. itu angkat bicara dengan gaya akademisi tulen:

"Percobaan dengan lensa cekung tidak ada kaitannya dengan bantahan terhadap teori awal yang meyakini bahwa warna dihasilkan oleh campuran cahaya dan kegelapan. Dan sebaliknya, pemahaman terhadap penciptaan warna bukanlah persoalan optik, kecuali dewan juri ingin membantah Descartes atau Aristoteles. Soal optik dan spektrum warna adalah dua macam hal yang berbeda. Situasi ini ambigu, di sini kita menghadapi tiga kemungkinan, pertanyaan yang salah, jawaban yang keliru, atau kedua-duanya tak berdasar dalam arti tidak kontekstual!"

Aduh …! Komentar ini sudah di luar daya jangkau akalku, asing, tinggi, dan jauh. Ini sudah semacam debat mempertahankan tesis S2 di depan tiga orang profesor. Tapi tidakkah sedikit banyak kata-kata sang Drs. itu berbentuk U, kritis namun berputar-putar? Dan ia pintar sekali membimbangkan dewan juri dengan menyitir pendapat René Descartes, siapa yang berani membantah sinuhun ilmu zaman lawas itu? Mudah-mudahan Lintang punya argumentasi. Kalau tidak, kami akan habis di sini. Aku membatin dengan cemas tapi tak tahu akan berbuat apa. Pak Harfan bertelekan pinggang lalu menunduk dan Bu Mus merapatkan kedua tangannya di atas dadanya seperti orang berdoa, wajahnya prihatin ingin membela kami tapi beliau tak berdaya karena serangan Drs. Zulfikar memang sudah terlalu canggih. Bu Mus tampak tak tega melihat kami. Aku memandang Sahara dan ia cepat-cepat memalingkan muka, ia menoleh keluar jendela seolah tak mengenal kami. Wajahnya menunjukkan ekspresi bahwa saat itu ia sedang tidak duduk di situ.

Para penonton dan dewan juri terlihat bingung atas bantahan yang supercerdas itu. Jangankan menjawab bahkan sebagian tak mengerti apa yang dipersoalkan. Tapi seseorang memang harus menyelamatkan situasi ini, maka ketua dewan juri bangkit dari tempat duduknya. Lintang masih tenang-tenang saja, ia tersenyum sedikit, santai sekali.

"Terima kasih atas bantahan yang hebat ini, apa yang harus saya katakan, bidang saya adalah pendidikan moral Pancasila ...," kata ketua dewan juri.

Si Drs. bersungut-sungut, ia merasa di atas angin. Ekor matanya seolah mengumumkan kalau ia sudah khatam membaca buku *Principia* karya Isaac Newton, bahwa ia juga pelanggan jurnal-jurnal fisika internasional, bahwa ia kutu laboratorium yang kenyang pengalaman eksperimen, bahkan seolah fisikawan Christiaan Huygens itu uwaknya. Pria ini adalah seorang *fresh graduate* yang sombong, ia memperlihatkan karakter manusia sok pintar yang baru tahu dunia. Bicaranya di awang-awang dengan gaya seperti Pak Habibie. Ia mengutip buku asing di sana sini tak keruan, menggunakan istilah-istilah aneh karena ingin mengesankan dirinya luar biasa. Tapi kali ini, aku jamin dia akan menelan APC, pil pahit segala penyakit andalan orang kampung Belitong yang amat manjur.

Karena merasa sudah menang dengan kritiknya, guru muda itu meningkatkan sifat buruk dari sombong menjadi tak tahan pada godaan untuk meremehkan.

"Atau barangkali anak-anak *SMP Muhammadiyah* ini atau dewan juri bisa menguraikan pendekatan optik Descartes untuk menjelaskan fenomena warna?"

Keterlaluan! Seluruh hadirin tentu mengerti bahwa kalimat bernada menguji itu sesungguhnya tak perlu. Pak Zulfikar hanya ingin menghina sekaligus melumpuhkan mental kami dan dewan juri karena ia yakin bahwa kami tak mengerti apa pun mengenai Descartes. Dengan demikian ia dapat menganulir pertanyaan awal tadi sekaligus menjatuhkan martabat majelis ini. Yang menyakitkan adalah ia dengan jelas menekankan kata *SMP Muhammadiyah* untuk mengingatkan semua orang bahwa kami hanyalah sebuah sekolah kampung yang tak penting.

Aku memang tak mengerti pendekatan optik tapi aku tahu sedikit sejarah penemuan fenomena warna. Aku tahu bahwa Descartes bekerja dengan prisma dan lembaran-lembaran kertas untuk menguji warna, bukan murni dengan manipulasi optik. Newton-lah sesungguhnya sang guru besar optik. Pak Zulfikar jelas sok tahu dan dengan mulut besarnya ia mencoba menggertak semua orang melalui kesan seolah ia sangat memahami teori warna. Aku geram dan ingin membantah Drs. congkak ini tapi pengetahuanku terbatas. Tabiat Pak Zulfikar adalah persoalan klasik di negeri ini, orang-orang pintar sering bicara meracau dengan istilah yang tak membumi dan teori-teori tingkat tinggi bukan untuk menemukan sebuah karya ilmiah tapi untuk membodohi orang-orang miskin. Sementara orang miskin diam terpuruk, tak menemukan kata-kata untuk membantah.

Aku menatap Lintang, memohon bantuannya jika nanti aku angkat bicara melawan kezaliman Drs. itu. Aku sangat perlu dukungannya. Tapi bagaimana nanti kalau ternyata aku yang keliru? Bagaimana kalau aku diserang balik bertubi-tubi? Ah, risikonya terlalu tinggi, bisa-bisa aku dipermalukan. Ini juga persoalan klasik bagi orang yang memiliki pengetahuan setengah-setengah sepertiku. Maka dadaku berkecamuk antara ingin melawan dan ragu-ragu. Tapi aku sangat marah karena sekolahku dihina dan aku jengkel karena aku tahu bahwa Drs. itu membawa-bawa nama Descartes secara keliru dan tidak adil guna keuntungannya sendiri.

Melihatku demikian gusar Lintang tersenyum kecil padaku. Sebuah senyum damai. Aku tahu, seperti biasa, ia dapat membaca pikiranku dengan benderang. Ia membalas tatapanku dengan lembut seakan mengatakan, "Sabar, Dik, biar Abang bereskan persoalan ini …." Wajahnya tenang sekali. Aku dan Sahara ciut. Kami mengerut di ketiak kiri kanan pendekar ilmu pengetahuan yang sakti mandraguna andalan kami ini.

Mendengar tantangan Pak Zulfikar yang tak bersahabat tadi bapak ketua dewan juri yang baik menarik napas panjang. Beliau menoleh ke arah para koleganya, anggota dewan juri. Semuanya menggeleng-gelengkan kepala. Lalu beliau mencoba menengahi dengan diplomatis dan sangat merendah.

"Maafkan, Bapak Guru Muda, atas nama dewan juri saya terpaksa mengatakan bahwa pengetahuan kami agaknya belum sampai ke sana."

Kata-katanya demikian bersahaja. Kasihan bapak tua itu. Ia seorang guru senior yang rendah hati dan sangat disegani karena dedikasinya selama puluhan tahun di dunia pendidikan Belitong. Beliau tampak malu dan putus asa. Lalu beliau mengalihkan pandangan ke arah regu F, regu kami, Lintang tersenyum dan mengangguk kecil padanya. Tanpa diduga ketua dewan juri mengatakan, "Tapi mungkin anak Muhammadiyah yang cemerlang ini bisa membantu."

Suasana sunyi senyap dalam nuansa yang sangat tidak mengenakkan, dan semakin tidak enak karena sang Drs. kembali mengudara dengan komentar sengak tanpa perasaan.

"Saya harap argumentasi mereka bisa setepat jawabannya tadi!"

Semakin keterlaluan! Ia sengaja memprovokasi Lintang dan kali ini Lintang terpancing, ia angkat bicara.

"Jika bantahan Bapak mengenai pertanyaan yang tidak kontekstual dengan jawaban, mungkin saja bantahan semacam itu bisa diterima. Dewan juri menanyakan sesuatu yang jawabannya sudah tertera di kertas yang dibacakan ibu pembaca soal. Saya yakin di sana tertulis *cincin Newton* dan kami menjawab *cincin Newton*, berarti kami berhak atas angka seratus. Maka kalaupun itu memang tidak kontekstual, itu hanya berarti dewan juri menanyakan sesuatu yang benar dengan cara yang keliru ….”

Pak Zulfikar tak terima.

“Dengan kata lain pertanyaan nomor itu gugur karena bisa saja peserta lain menduga arah jawaban yang keliru!”

Lintang tak sabar.

“Tidak ada yang keliru! Kecuali Bapak tidak memedulikan substansi dan ingin menggugurkan nilai kami karena persoalan remeh-temeh.”

Pak Zulfikar tersinggung, ia menjadi marah, dan suasana berubah tegang.

“Kalau begitu jelaskan pada saya substansinya! Karena bisa saja kalian mendapat nilai melalui kemampuan menebak-nebak jawaban secara untung-untungan tanpa memahami persoalan sesungguhnya!”

Wah, ini sudah kurang ajar. Sahara menyeringai, setelah sekian lama menghilang ke alam lain kini ia kembali dalam penjelmaan seekor *leopard*, alisnya bertemu. Para penonton dan dewan juri tercengang, terlongong-longong dalam adu argumentasi ilmiah tingkat tinggi yang memanas. Mereka bahkan tak mampu memberi satu komentar pun, persoalan ini gelap bagi mereka. Tapi aku tersenyum senang karena aku tahu kali ini guru muda yang sok tahu ini akan kena batunya.

Bantahannya yang terakhir itu adalah pelecehan. Lintang tersengat harga dirinya, wajahnya merah padam, sorot matanya tak lagi jenaka. Lintang, yang baru sekali ini menginjak Tanjong Pandan, berdiri dengan gagah berani menghadapi guru PN yang arogan jebolan perguruan tinggi terke-muka itu. Sembilan tahun sangat dekat dengan Lintang, baru kali ini aku melihatnya benar-benar muntab, maka inilah cara orang genius mengamuk:

"Substansinya adalah bahwa Newton terang-terangan berhasil membuktikan kesalahan teori-teori warna yang dikemukakan Descartes dan Aristoteles! Bahkan yang pa-ling mutakhir ketika itu, Robert Hooke. Perlu dicatat bahwa Robert Hooke mengadopsi teori cahaya berdasarkan filosofi mekanis Descartes dan mereka semua, ketiga orang itu, menganggap warna memiliki spektrum yang terpisah. Melalui optik cekung yang kemudian melahirkan dalil cin-cin, Newton membuktikan bahwa warna memiliki spektrum yang kontinu dan spektrum warna sama sekali tidak dihasilkan oleh sifat-sifat kaca, ia semata-mata produk dari sifat-sifat hakiki cahaya!"

Drs. Zulfikar terperangah, penonton tersesat dalam teori fisika optik, sekadar mengangguk sedikit saja sudah tak sanggup. Dan aku girang tak alang kepalang, dugaanku terbukti! Rasanya aku ingin meloncat dari tempat duduk dan berdiri di atas meja mahoni mahal berusia ratusan tahun itu sambil berteriak kencang kepada seluruh hadirin: "Kalian tahu, ini Lintang Samudra Basara bin Syahbani Maulana Basara, orang pintar kawanku sebangku! Rasakan kalian semua!" Sekarang ekspresi Sahara seperti *leopard* yang sedang mencabik-cabik predator pesaing, ia mengaum, alis-nya bertemu seperti sayap elang, dan Lintang masih belum puas.

"Newton mengatakan, kecuali Bapak ingin menyangkal manuskrip ilmiah yang tak terbantahkan selama 500 tahun hasil karya ilmuwan yang disebut Michael Hart sebagai manusia paling hebat setelah Nabi Muhammad, bahwa tebal tipisnya partikel transparan menentukan warna yang ia pantulkan. Itulah persamaan ketebalan lapisan udara antara optik sebagai dasar dalil warna cincin. Semua itu hanya bisa diobservasi melalui optik, bagaimana Bapak bisa mengatakan perkara-perkara ini tidak saling berhubungan?"

Sang Drs. terkulai lemas, wajahnya pucat pasi. Ia membenamkan pantatnya yang tepos di bantalan kursi seperti tulang belulangnya telah dipresto. Ia kehabisan kata-kata pintar, kacamata minusnya merosot layu di batang hidungnya yang bengkok. Ia paham bahwa berpolemik secara membabi buta dan berkomentar lebih jauh tentang sesuatu yang tak terlalu ia kuasai hanya akan memperlihatkan ketololannya sendiri di mata orang genius seperti Lintang. Maka ia mengibarkan saputangan putih, Lintang telah menghantamnya *knock out*. Ia dipaksa Lintang menelan pil APC yang pahit tanpa air minum dan pil manjur itu kini tersangkut di tenggorokannya. Sekali lagi para pendukung kami berjingkrak-jingkrak histeris seperti doger monyet. Pak Harfan mengacungkan dua jempolnya tinggi-tinggi pada Lintang. "Bravo! Bravo!" teriaknya girang. Bu Mus yang berpakaian paling sederhana dibanding guru-guru lain mengangguk-angguk takzim. Ia terlihat sangat bangga pada murid-murid miskinnya, matanya berkaca-kaca dan dengan haru beliau berucap lirih, "Subhanallah ... subhanallah ...."

Selanjutnya, mekanisme lomba menjadi monoton, yaitu ibu cantik membacakan pertanyaan yang tak selesai, suara kriiiiiing, teriakan jawaban Lintang, dan pekikan seratussss dari Benyamin S. Aku terpaku memandang Lintang, betapa aku menyayangi dan kagum setengah mati pada sahabatku ini. Dialah idolaku. Pikiranku melayang ke suatu hari bertahun-tahun yang lalu ketika sang bunga *pilea* ini membawa pensil dan buku yang keliru, ketika ia beringsut-ingsut naik sepeda besar 80 kilometer setiap hari untuk sekolah, ketika suatu hari ia menempuh jarak sejauh itu hanya untuk menyanyikan lagu "Padamu Negeri". Dan hari ini ia meraja di sini—di majelis kecerdasan yang amat terhormat ini.

Seperti Mahar, Lintang berhasil mengharumkan nama perguruan Muhammadiyah. Kami adalah sekolah kampung pertama yang menjuarai perlombaan ini, dan dengan sebuah kemenangan mutlak. Air yang menggenang seperti kaca di mata Bu Mus dan laki-laki cemara angin itu kini menjadi butir-butiran yang berlinang, air mata kemenangan yang mengobati harapan, pengorbanan, dan jerih payah.

Hari ini aku belajar bahwa setiap orang, bagaimana pun terbatas keadaannya, berhak memiliki cita-cita, dan *keinginan yang kuat* untuk mencapai cita-cita itu mampu menimbulkan prestasi-prestasi lain sebelum cita-cita sesungguhnya tercapai. Keinginan kuat itu juga memunculkan kemampuan-kemampuan besar yang tersembunyi dan keajaiban-keajaiban di luar perkiraan. Siapa pun tak pernah membayangkan sekolah kampung Muhammadiyah yang melarat dapat mengalahkan raksasa-raksasa di meja mahoni itu, tapi *keinginan yang kuat,* yang kami pelajari dari petuah Pak Harfan sembilan tahun yang lalu di hari pertama kami masuk SD, agaknya terbukti. Keinginan kuat itu telah membelokkan perkiraan siapa pun sebab kami tampil sebagai juara pertama tanpa banding. Maka barangkali keinginan kuat tak kalah penting dibanding cita-cita itu sendiri.

Ketika Lintang mengangkat tinggi-tinggi trofi besar kemenangan, Harun bersuit-suit panjang seperti koboi memanggil pulang sapi-sapinya, dan di sana, di sebuah tempat duduk yang besar, Ibu Frischa berkipas-kipas kegerahan, wajahnya menunjukkan sebuah ekspresi seolah saat itu dia sedang tidak duduk di situ.

Bab 28
Societeit de Limpai

MEREKA menyebut diri mereka *Societeit de Limpai*, sederhananya: Kelompok Limpai. Limpai adalah binatang legendaris jadi-jadian yang menakutkan dalam mitologi Belitong. Sebuah karakter fabel yang menarik karena beberapa cerita rakyat memberikan definisi yang berbeda bagi makhluk mitos ini. Orang-orang pesisir menganggapnya sebagai semacam peri yang hidup di gunung-gunung. Di Belitong bagian tengah ia dipercaya berbentuk binatang besar berwarna putih seperti gajah atau *mammoth*, sebaliknya di utara ia adalah angin yang jika marah akan menumbangkan pohon-pohon dan merebahkan batang-batang padi.

Ada pula beberapa wilayah yang mengartikannya sebagai *bogey* yakni hantu hitam dan besar. Orang-orang muda semakin salah mengerti. Bagi mereka Limpai adalah *urban legend* maka ia bisa saja *incubus* yaitu setan yang menyaru sebagai pria tampan atau *death omen* yang dapat menyamar menjadi apa saja. Disebut salah mengerti karena sebenarnya akar cerita Limpai terkait dengan ajaran kuno turun-temurun di Belitong agar masyarakat tidak semena-mena memperlakukan hutan dan sumber-sumber air. Ajaran itu mengandung tenaga sugestif ketakutan terhadap kualat karena hutan dan sumber-sumber air dijaga oleh hantu Limpai. Namun, dewasa ini sebagian besar orang melihat wujud Limpai tak lebih dari kabut yang melayang-layang di dalam kepala yang bodoh, tipis iman, senang bergunjing, dan kurang kerjaan, itulah Limpai.

Societeit de Limpai merupakan organisasi rahasia bentukan orang-orang aneh dan aku adalah sekretaris organisasi yang unik ini. *Societeit* beroperasi diam-diam. Ia semacam organisasi tanpa bentuk. Tak diketahui kapan, di mana mereka biasa berkumpul, dan apa yang mereka bicarakan. Jika secara tak sengaja ada yang memergoki mereka, mereka segera mengalihkan pembicaraan, bahkan menganggap saling tak kenal satu sama lain. Tindak tanduknya demikian disamarkan bukan karena mereka mengusung sebuah misi yang amat berbahaya, anarkis, komunis, atau melawan hukum, tapi lebih karena mereka menghindarkan diri dari ejekan khalayak karena kekonyolannya. Sebab *Societeit* adalah kumpulan manusia tak berguna yang memiliki ke-

cintaan berlebihan pada dunia klenik dan mistik. Para pe-
minat klenik dalam masyarakat kami selalu jadi bahan
tertawaan. Mereka tidak populer karena barangkali tidak
seperti pada budaya lain di tanah air, orang-orang Melayu—
khususnya di Belitong—memang tidak terlalu meminati
dunia perdukunan. Maka *Societeit de Limpai* pada dasarnya
tidak mendapat tempat di kampung kami.

Namun bagi para anggota *Societeit*, organisasi mereka
adalah organisasi yang sangat serius. Anggotanya hanya
sembilan orang dan untuk menjadi anggota syaratnya berat
bukan main. Anggota paling senior saat ini berusia 57 tahun,
pensiunan syah bandar, dan yang termuda adalah dua orang
remaja berusia 16 tahun. Enam orang lainnya adalah se-
orang petugas *teller* di BRI cabang pembantu, seorang
Tionghoa tukang sepuh emas, seorang pengangguran, se-
orang pemain organ tunggal, seorang mahasiswa teknik
elektro *drop out* yang membuka sebuah bengkel sepeda,
dan Mujis, si tukang semprot nyamuk. Anehnya ketua
kelompok ini justru yang termuda itu. Ialah bapak pendiri
organisasi yang disegani anggotanya karena pengetahuan-
nya yang luas tentang dunia gelap, per-*alien*-an, serta kolek-
sinya yang lengkap tentang *cerita kabar angin* atau *cerita
konon kabarnya*. Ia tak lain tak bukan adalah Mahar yang
fenomenal. Sedangkan anak remaja satunya tentu saja Flo.
Adapun aku hanya seorang sekretaris dan pembantu umum,
maka tidak dihitung sebagai anggota kehormatan.

Aktivitas *Societeit* sangat padat. Mereka melakukan
ekspedisi ke daerah-daerah angker, menyelidiki kejadian-

kejadian mistik, berdiskusi dengan para spiritual di seantero Belitong, dan memetakan mitologi lokal, baik folklor maupun *urban legend* dalam suatu mitografi yang menarik. Dalam banyak sisi dapat dianggap bahwa para anggota *Societeit* sesungguhnya adalah orang-orang pemberani yang sangat penasaran ingin membongkar rahasia fenomena ganjil dan memiliki skeptisisme yang tak mau dikompromikan. Jika belum melihat dan merasakan sendiri, mereka tak 'kan percaya. *Societeit* dengan brilian telah mengadopsi sosok Limpai yang mistis sebagai metafora sehingga mereka bisa disebut orang-orang antusias, ilmuwan, orang gila, atau musyrikin tergantung sudut pandang setiap orang menilainya. Sama seperti perbedaan perspektif setiap orang dalam memaknai Limpai.

Dalam pembuktiannya terhadap fenomena paranormal mereka sering menggunakan metode ilmiah sehingga mereka dapat juga disebut sebagai ilmuwan—tentu saja ilmuwan dalam definisi mereka sendiri. Ke arah inilah Mahar telah berkembang, bukan ke arah pencapaian-pencapaian seni yang seharusnya menjadi rencana A baginya, dan dengan kehadiran Flo, kesia-siaan bakat itu semakin menjadi-jadi.

Dalam menjalankan tugas sintingnya mereka melengkapi diri dengan perangkat elektronik, misalnya beragam alat perekam audio video, perangkat-perangkat sensor, dan berbagai jenis teropong. Di bawah supervisi mahasiswa elektro yang *drop out* itu mereka merakit sendiri detektor medan elektromagnet yang dapat membaca gelombang area observasi dalam kisaran 2 sampai 7 miligauss karena mereka yakin aktivitas kaum lelembut berada dalam kisaran tersebut. Mereka juga menciptakan sensor frekuensi yang dapat mengenali frekuensi sangat rendah sampai di bawah 60 hertz karena menurut akal sesat mereka dalam frekuensi itulah kaum setan alas sering berbicara. Selain semua elektronik yang canggih itu pada setiap ekspedisi mereka juga membekali diri dengan kemenyan, gaharu, jimat telur biawak, buntat, dan penangkal bala, serta seekor ayam kate kampung karena seekor ayam dianggap paling cepat tanggap kalau iblis mendekat.

Mereka secara rutin berkelana. Suatu ketika mereka memasuki Hutan Genting Apit, tempat paling angker di Belitong. Hutan ini menyimpan ribuan cerita seram dan yang paling menonjol adalah fenomena *ectoplasmic mist* yakni kabut yang bercengkerama sendiri dan secara alamiah—atau mungkin setaniah—membentuk wujud-wujud tertentu seperti manusia, hewan, atau raksasa. Tak jarang bentuk-bentuk ini tertangkap kamera film biasa. Para pengendara yang melalui kawasan ini sangat disarankan untuk tidak melirik kaca spion karena hantu-hantu penghuni lembah ini biasa menumpang sebentar di jok belakang.

Di lembah ini mereka memasang alat-alat elektronik tadi di cabang-cabang pohon untuk mendeteksi gerakan, suara, dan bentuk-bentuk tak biasa lalu menganalisisnya. Kemudian Genting Apit menjadi semacam laboratorium alam bagi *Societeit*. Tempat yang selalu dihindari orang mereka kunjungi seumpama orang piknik ke pantai saja.

Tak ayal *Societeit* juga mendatangi kuburan-kuburan keramat, bermalam di lokasi-lokasi yang terkenal keseramannya, mengumpulkan cerita-cerita takhayul, dan mencari benda-benda magis pusaka warisan antah berantah. Mereka diam di tempat yang ditinggalkan orang karena takut, mereka justru menunggu makhluk-makhluk halus yang membuat orang lain terbirit-birit. Semakin lama *Societeit* semakin bergairah dengan aktivitasnya meskipun di sisi lain masyarakat juga semakin mencemooh mereka. Mereka dianggap orang-orang aneh yang menghambur-hamburkan waktu untuk hal-hal tak bermanfaat.

Tak semua kegiatan *Societeit* tak berguna. Adakalanya pendekatan ilmiah mereka malah mampu mematahkan mitos. Misalnya dalam kasus api unggun di atas sebatang pohon jemang besar. Telah puluhan tahun berlangsung para pengendara sering ketakutan ketika melintasi sebuah tikungan menuju Manggar karena pada puncak sebuah pohon jemang besar persis di seberang tikungan itu sering tampak api berkobar-kobar. *Jemang Hantu*, demikian julukan tempat angker itu. Kejadian itu selalu tengah malam setelah turun hujan dan sudah menjadi cerita seram yang melegenda.

Sulit untuk mengatakan bahwa para pengendara telah salah lihat apalagi berbohong karena di antara mereka yang telah menyaksikan pemandangan horor itu adalah Zaha-

rudin bin Abu Bakar, ustad muda kampung kami yang pan-
tang berdusta.

Maka *Societeit* turun tangan melakukan semacam ri-
set. Setelah sepanjang sore turun hujan malamnya mereka
mengendap-endap di sekitar jemang angker tadi untuk me-
lakukan pengamatan. Tak lama setelah lewat tengah malam
mereka memang menyaksikan api berkobar-kobar di pun-
cak pohon itu namun pada saat itu pula mengerti jawab-
annya. Mereka berhasil menghancurkan mitos angker po-
hon jemang yang telah puluhan tahun menciutkan nyali
orang kampung.

Letupan api itu sesungguhnya berasal dari kabel listrik
tegangan tinggi yang korslet karena air hujan. Tiang kabel
itu berjarak kira-kira 120 meter dari puncak pohon dan
ketinggian keduanya sepadan sehingga jika dilihat dari jauh
sebelum memasuki tikungan seolah-olah letupan korslet
yang menimbulkan bunga-bunga api itu berkobar-kobar
dari puncak pohon jemang.

JIKA tiba dari pengembaraan mistiknya, Mahar dan
Flo selalu membawa cerita-cerita seru ke sekolah. Misalnya
suatu hari mereka berkisah bahwa di tengah sebuah hutan
yang gelap mereka menemukan kuburan dengan ukuran
tambak hampir tiga kali enam meter dan jarak antara kedua
nisannya hampir lima meter. Karena orang Melayu selalu
memasang nisan di sekitar kepala dan ujung kaki maka

dapat diperkirakan ukuran jasad yang terkubur di bawahnya adalah ukuran manusia yang luar biasa besar.

Flo memulai kisah bahwa ia menemukan piring-piring dari tanah liat di sekitar kuburan dengan ukuran seperti dulang dan kondisinya masih utuh. Ia juga menemukan berbagai jenis kendi yang tidak rusak dan terkubur dangkal. Flo dengan dingin saja memberi tahu kami bahwa ia tidur paling dekat dengan nisan-nisan itu dan tak sedikit pun merasa takut. Ia menceritakan sebuah pengalaman yang mendirikan bulu kuduk seolah sebuah cerita lucu tentang baru saja meminumkan susu pada anak-anak kucing persia di rumahnya. Ingin kukatakan padanya bahwa gerabah-gerabah arkeologi itu memang tidak rusak tapi yang rusak adalah otaknya.

Sebaliknya versi Mahar jauh lebih menarik. Ia memberi penjelasan pengetahuan tentang hubungan beberapa kuburan purba bertambak superbesar di Belitong dengan teori-teori para arkeolog terkenal seperti Barry Chamis atau Harold T. Wilkins yang percaya bahwa pada suatu masa yang lampau manusia-manusia raksasa pernah menjelajahi bumi. Ia membuat analogi yang menarik, logis, dan lengkap dengan analisis waktu tentang kuburan itu dengan hal ikhwal tengkorak manusia raksasa *Pasnuta* yang ditemukan di Omaha atau kerangka tak utuh manusia yang digali dari situs-situs kuburan purba di Dataran Tinggi Golan. Jika direkonstruksi kerangka-kerangka itu membentuk manusia setinggi hampir enam meter.

Maka cerita Mahar selalu mengandung ilmu. Dia memang seorang eksentrik yang berdiri di area abu-abu antara imajinasi dan kenyataan, tapi tak diragukan bahwa ia cerdas, pemikirannya terstruktur dengan baik, dan pengetahuan dunia gaibnya amat luas. Mahar dan Flo duduk santai pada cabang rendah *filicium* seperti para paderi tukang cerita dari sebuah kuil Sikh dan kami, para Laskar Pelangi, bersimpuh membentuk lingkaran, tercengang dengan mata berbinar-binar mendengar keajaiban-keajaiban petilasan mereka dalam dunia magis. Adapun orang lain dari kejauhan hanya akan melihat ikatan persahabatan Laskar Pelangi yang demikian indah.

Pada kesempatan lain mereka bercerita tentang petualangan mencari sebuah gua purba tersembunyi yang belum pernah dijamah siapa pun. Gua itu konon berada di tengah rimba dan eksistensinya hanya berdasarkan mitos samar turun-temurun dari sebuah komunitas kecil terasing yang hidup seperti suku primitif di barat daya Belitong. Mereka menyebutnya *gua gambar*. Tak tahu apa maksud nama itu dan bagi mereka gua itu adalah gua gaib yang tak 'kan pernah ditemukan.

Mendengar kisah itu *Societeit* berdiri telinganya dan merasa tertantang.

Ketika *Societeit* mendatangi komunitas yang hanya terdiri dari sebelas kepala keluarga dan mencari informasi tentang gua gambar, pawang suku di sana menertawakan mereka.

"Ananda tak 'kan menemukan gua itu, karena gua itu adalah gua siluman. Gua itu hanya akan menampakkan diri di malam hari yang paling gelap, itu pun hanya bisa dilihat oleh orang-orang gunung terpilih yang tak kita kenal."

Orang-orang gunung adalah *cerita konon* yang lain. Kami menyebutnya orang Tungkup. Mereka tinggal di gunung dan juga tak pernah dilihat orang kampung.

"Selama tiga hari tiga malam kami berjalan kaki menembus rimba belantara liar untuk mencari gua itu. Pohon-pohon di sana sebesar pelukan empat orang dewasa dengan kanopi menjulang ke langit," demikian cerita Mahar.

"Saking lebatnya hutan itu sinar matahari tak mampu menembus permukaan tanah. Pohon-pohon berlumut, gelap dan lembap, penuh lintah, kelelawar, kadal, macan akar, luak, dan ular-ular besar," sambung Flo meyakinkan.

"Kami hampir putus asa, tapi beruntung, pengetahuan Mujis yang baik tentang kontur hutan akhirnya membimbing kami menuruni sebuah lembah curam di antara dua gunung dan di dasar lembah itu, pas menjelang magrib, kami menemukan sebuah gua!"

Kami ternganga-nganga, merapatkan lingkaran duduk, mendekati dua petualang sejati yang sangat hebat ini, tak sabar mendengar kelanjutan cerita.

"Kami belum yakin apakah itu gua gambar seperti dimaksud komunitas kuno itu. Wilayah itu sangat sulit ditempuh. Mulut gua sangat sempit dan ditutupi akar-akar mahoni raksasa, seperti jari-jari yang sengaja menyamarkan," demikian kata Flo ekspresif. Ah, Flo yang cantik, ramping, atletis, dan berkulit putih seindah anggrek bulan, dikombinasikan dengan cerita petualangan mendebarkan penuh getaran marabahaya di tengah hutan rimba dan sebuah gua misteri, sungguh sebuah perpaduan yang membuat dirinya tampak semakin indah. Mentalitas dan prinsip-prinsip hidup Flo yang tak biasa, telah menjadikan dirinya seorang wanita yang sangat memesona.

"Ketika kami mendekat, kami terkejut karena beberapa ekor biawak dan musang yang garang berloncatan keluar dari gua."

Mahar dan Flo sambung-menyambung.

"Setelah menyiangi akar-akar itu akhirnya kami berhasil masuk ke dalam gua."

"Di dalamnya amat lebar dan memanjang, menjulur ke bawah seperti sumur yang landai, dingin, gelap, dan ada suara riak-riak air."

"Ternyata di tengah gua itu ada aliran air yang deras!"

Cerita semakin seru, seperti cerita petualangan Indian Winnetou, kami duduk terpaku menyimak.

"Kami mencoba menelusuri gua itu, bau amis kotoran kelelawar menyengat hidung dan membuat perut mual. Sarang laba-laba hitam besar menutupi celah-celah gua seperti tirai putih berjuntai-juntai. Laba-laba itu demikian besar sehingga cecak dan kelelawar tersangkut di jaringnya dan mengering karena darahnya telah diisap serangga maut itu. Lintah merayapi dinding gua, mengincar darah anak-anak kelelawar."

Mengerikan.

"Rantai makanan di dalam gua adalah singkat, tidak seperti subekosistem lain di luar!" Flo menambahi.

"Kami terus merambah masuk sampai beratus-ratus meter tapi tak menemukan tanda-tanda gua itu akan berakhir."

"Gua itu seperti tak berujung ...," Mahar bercerita dengan penuh penghayatan sehingga kami merasa seperti berada di dalam gua yang sangat mencekam itu. Kami merasakan udara dingin, kegelapan, ketakutan, dan seakan mendengar pekik kelelawar dan percikan air di dalamnya.

"Tapi suara aliran air tadi semakin lama semakin bergemuruh, kami perkirakan di depan kami ada jurang di bawah tanah yang amat berbahaya, maka kami memutuskan untuk beristirahat."

Wajah Mahar serius, nyali kami ciut ketika menatapnya, dan dia melanjutkan cerita seperti orang berbisik.

"Kami agak merapat ke dinding gua untuk menyiapkan peralatan tidur, ketika aku menaikkan lampu aki untuk mendapat bentangan cahaya yang lebih besar, aku terkejut melihat bayangan goresan-goresan berpola yang samar di dinding licin itu ...."

Menegangkan sekali. Kami semakin merapat, Sahara menggigit jarinya, A Kiong berkali-kali menarik napas panjang, Samson tak berkedip, Lintang menyimak penuh perhatian, Syahdan ketakutan, Trapani memeluk Harun.

"Kami semua saling berpandangan lalu serentak menaikkan lampu, dan kami tersentak melihat sekeliling kami."

Aku menahan napas ....

"Ternyata kami dikelilingi oleh ribuan goresan simbol-simbol purba atau huruf-huruf hieroglif primitif yang terhampar di dinding gua, menjalar-jalar misterius sampai ke stalagmit dan stalaktit!"

Rasanya aku mau meloncat dari tempat duduk, dan perut bawahku ngilu menahan kencing karena perasaan tegang yang meluap-luap. Kami terpana, bahkan tak mampu mengucapkan sepatah kata pun. Dadaku berdegup kencang.

"Kemudian di langit-langit gua terdapat beberapa lukisan paleolitikum yang menggambarkan orang-orang yang tak berpakaian sedang memakan mentah-mentah seekor burung besar yang mirip kalong."

"Sebuah gua antediluvium dengan seni lukis gua yang memukau!" sambung Flo.

Sekarang kami mengerti mengapa komunitas terasing tadi menyebut gua itu gua gambar.

"Ada lukisan kucing pohon, tombak kayu, ular tanah, bulan, dan bintang-bintang."

"Kami memutuskan untuk tidur di bagian itu ...," kata Mahar pelan. Raut wajahnya memperlihatkan bahwa ia masih memiliki sebuah kejutan lain yang tak kalah misteriusnya. Maka dada kami tak reda berdegup.

"Aku tak bisa tidur sepanjang malam. Ketika semua anggota *Societeit* terlelap karena kelelahan aku melamun dan memerhatikan dengan saksama simbol-simbol yang berserakan tak teratur memenuhi dinding dan langit-langit gua."

Kami terpaku, pasti akan terjadi sesuatu yang ajaib.

"Lalu aku merasa simbol-simbol itu seperti diam-diam terangkai sendiri dan membisikkan sesuatu ke telingaku…."

Oh, jantungku berdebar-debar.

"Tapi semuanya tak jelas, hingga aku merasa lelah dan memejamkan mata."

Kami menunggu kejutan besar itu.

"Namun tak lama kemudian, antara tidur dan terjaga, aku mendengar suara gemerisik seperti jutaan semut mendekatiku, dan agaknya ribuan simbol-simbol samar itu menjadi hidup lalu memberiku semacam mimpi, semacam wangsit, semacam gambaran masa depan … semua ini tak pernah kuceritakan pada siapa pun!"

Kami semakin merapat, sangat penasaran.

"Apakah wangsit itu, saudaraku Mahar??!!" A Kiong berteriak tak sabar menunggu terkuaknya sebuah misteri besar. Ia sedikit merayu. Suaranya tercekat dan bergetar. Bahkan Flo tampak tegang. Rupanya ia sendiri belum pernah mendengar wangsit ini.

Mahar menarik napas panjang sekali, agaknya ia merasa berat membocorkan kisah ini. "Begini …," katanya serius.

"Mimpi itu memperlihatkan bahwa sebuah kekuatan besar di Pulau Belitong akan segera runtuh. Orang-orang Melayu Belitong akan jatuh melarat dan kembali berperikehidupan seperti zaman purba dulu, yaitu bernafkah secara bersahaja dari hasil-hasil laut dan hutan. Sebaliknya, dunia luar akan maju demikian pesat. Penggunaan komputer akan merasuki seluruh segi kehidupan. Penggunaan komputer yang merajalela itu menyebabkan praktik-praktik akuntansi tak lama lagi akan punah ...."

Bab 29
Pulau Lanun

SEPERTI layaknya sesuatu yang sederhana, maka tragedi atau drama semacam opera sabun tak pernah terjadi di sekolah Muhammadiyah. Sekolah itu demikian teduh dalam kiprahnya, tenang dalam kesahajaannya, bermartabat dalam kesederhanaannya, dan tenteram dalam kemiskinannya.

Namun kali ini berbeda, mendung tebal bergelayut rendah siap menumpahkan murka di atap sekolah itu karena dua warganya semakin lama semakin tidak waras sehingga kelangsungan pendidikan keduanya terancam. Lebih dari itu tingkah laku keduanya merongrong reputasi sekolah Muhammadiyah yang ketat menjaga nilai-nilai moral Islami. Dan tak tanggung-tanggung, rongrongan itu berupa pelanggaran paling berat dalam konteks moral itu sendiri yakni: kemusyrikan! Kedua makhluk dramatis itu tentu saja sudah sangat dikenal: Mahar dan Flo.

Seiring dengan euforia organisasi rahasia *Societeit* yang mereka inisiasi, nilai-nilai ulangan Mahar dan Flo persis penerjun yang terjun dengan parasut cadangan yang tak mengembang—terjun bebas. Rapor terakhir mereka memperlihatkan deretan angka merah seperti punggung dikerok. Umumnya angka-angka biru hanya untuk mata pelajaran pembinaan kecakapan khusus, yaitu Kejuruan Agraria, Kejuruan Teknik, Ketatalaksanaan, dan Bahasa Indonesia, itu pun hanya untuk bidang bercakap-cakap dan mengarang. Nilai Flo adalah yang paling parah. Matematika, Bahasa Inggris, dan IPA hanya mendapat angka 2. Meskipun bapaknya telah menyumbang papan tulis baru, lonceng, jam dinding, dan pompa air untuk Muhammadiyah, Bu Mus tak peduli, beliau tak sedikit pun sungkan menganugerahkan angka-angka bebek berenang itu di rapor Flo karena memang itulah nilai anak Gedong itu.

Mahar dan Flo berada dalam situasi kritis dan sangat mungkin dilungsurkan ke kelas bawah karena tidak bisa mengikuti Ebtanas. Surat peringatan telah mereka terima tiga kali. Menanggapi masalah gawat ini diam-diam Bapak Flo melakukan konspirasi dengan Bu Frischa untuk menghasut Flo agar kembali ke sekolah PN. Lagi pula di sekolah PN Bu Frischa telah menjamin nilai yang tak memalukan di rapor Flo. Untuk keperluan penghasutan itu Bu Frischa mengutus seorang guru pria muda yang flamboyan di sekolah PN agar dapat mendekati Flo.

Sore itu kami sekelas baru saja pulang menonton pertandingan sepak bola dan melewati pasar. Bu Frischa dan guru flamboyan tadi sedang berbelanja. Flo yang mengenakan celana dan jaket jin belel mendekati Bu Frischa seperti gaya berjalan koboi yang akan duel tembak.

"Nama saya Flo, Floriana," kata Flo sambil berusaha menyalami Bu Frischa. Pria flamboyan itu mengangguk santun dan melemparkan senyum termanisnya untuk Flo.

"Tolong bilang pada pria tengik ini, saya tak 'kan pernah meninggalkan Bu Muslimah dan sekolah Muhammadiyah …."

Flo berlalu begitu saja, Bu Frischa dan sang pria flamboyan terpana, dan ide untuk menghasutnya tak pernah terdengar lagi.

NILAI-nilai rapor Mahar dan Flo hancur karena agaknya mereka sulit berkonsentrasi sebab terikat pada komitmen-komitmen kegiatan organisasi, dan lebih dari itu, karena mereka semakin tergila-gila dengan mistik. Hari demi hari pendidikan mereka semakin memprihatinkan. Tapi bukan Mahar dan Flo namanya kalau tidak kreatif. Mereka sadar bahwa mereka menghadapi *trade-off*, dua sisi yang harus saling menyisihkan, memilih sekolah atau memilih kegiatan organisasi paranormal. Sekolah sangat penting namun godaan untuk berkelana menyibak misteri gaib sungguh tak tertahankan. Mereka tidak ingin meninggalkan keduanya.

Lalu tak tahu siapa yang memulai tiba-tiba mereka muncul dengan satu gagasan yang paling absurd. Karena tak ingin kehilangan sekolah dan tak ingin meninggalkan hobi klenik maka mereka berusaha menggabungkan keduanya. Mahar dan Flo akan mencari jalan keluar mengatasi kemerosotan nilai sekolah melalui cara yang mereka paling mereka kuasai, yaitu melalui jalan pintas dunia gaib perdukunan. Sebuah cara tidak masuk akal yang unik, lucu, dan mengandung mara bahaya.

Mahar dan Flo sangat yakin bahwa kekuatan supranatural dapat memberi mereka solusi gaib atas nilai-nilai yang anjlok di sekolah. Dan mereka tahu seorang sakti mandraguna yang dapat membantu mereka dan kesaktiannya telah mereka buktikan sendiri melalui pengalaman pribadi. Orang sakti ini secara ajaib telah menunjukkan jalan untuk menemukan Flo ketika ia raib ditelan hutan Gunung Selumar tempo hari. Orang supersakti itu tentu saja Tuk Bayan Tula. Menurut anggapan mereka masalah sekolah ini hanyalah masalah kecil seujung kuku yang tak ada artinya bagi raja dukun itu. Mereka percaya manusia setengah peri itu bisa dengan mudah membalikkan angka enam menjadi sembilan, empat menjadi delapan, dan merah menjadi biru.

Setelah menemukan rencana solusi yang sangat andal itu Mahar dan Flo tertawa girang sekali sampai meloncat-loncat. Flo menunjukkan kekagumannya pada kreativitas Mahar dalam memecahkan masalah mereka. Mendung yang menghiasi wajah mereka setiap kali dimarahi Bu Mus kini sirna sudah. Di dalam kelas mereka tampak sumringah walaupun tidak sedikit pun belajar.

Seluruh anggota *Societeit* menyambut antusias ide ketuanya untuk mengunjungi Tuk Bayan Tula. Para anggota ini sebenarnya telah lama mengidamkan pertemuan dengan Tuk, idola mereka itu, namun niat itu terpendam karena mereka takut mengungkapkannya, bahkan membayangkannya saja mereka tak berani. Apalagi tersiar kabar bahwa Tuk tak menerima semua orang. Hanya nasib yang menentukan apakah Tuk berkenan atau tidak. Dan tragisnya, jika Tuk tak berkenan biasanya yang mengunjunginya tak pernah kembali pulang. Ketika Mahar berinisiatif ke sana para anggota menyambut usulan yang memang telah mereka tunggu-tunggu. Mereka siap menerima risiko asal dapat melihat wajah Tuk walau hanya satu kali.

Kunjungan ke Pulau Lanun untuk menjumpai Tuk merupakan ekspedisi paling penting dan puncak seluruh aktivitas paranormal *Societeit*. Mereka mempersiapkan diri dengan teliti dan mengerahkan seluruh sumber daya karena perjalanan ke Pulau Lanun tak mudah dan biayanya sangat mahal. Mereka harus menyewa perahu dengan kemampuan paling tidak 40 PK, jika tidak maka akan memakan waktu sangat lama dan tak 'kan kuat melawan ombak yang terkenal besar di sana.

Kemudian mereka harus menyewa seorang nakhoda yang berpengalaman dari suku orang-orang berkerudung.

Karena ia berpengalaman dan tak mau mati konyol sebab ia tahu reputasi Tuk maka harga jasa nakhoda ini juga sangat mahal.

Akibatnya Mahar rela menggadaikan sepeda warisan kakeknya, Flo menjual kalung, cincin, gelang, dan merelakan tabungan uang saku selama dua bulan yang ada dalam tas rajutannya. Mujis melego hartanya yang paling berharga, yaitu sebuah radio transistor dua *band* merek Philips, si pengangguran menggaruk-garuk sampah untuk tambahan ongkos, sang mahasiswa *drop out* meminjam uang pada bapaknya, dan si pemain organ tunggal menggadaikan *electone* Yamaha PSR sumber nafkahnya.

Adapun orang Tionghoa yang menjadi tukang sepuh emas memecahkan celengan ayam jago disaksikan tangisan anak-anaknya, si petugas *teller* BRI kerja lembur sampai tengah malam, sang pensiunan syah bandar menggadaikan lemari kaca yang digotong empat orang—dan menimbulkan keributan besar dengan istrinya, sementara aku sendiri merelakan koleksi uang kunoku dibeli murah oleh Tuan Pos.

Kami berdebar-debar menunggu hari H dan ketika uang patungan digelar di atas meja gaple, terkumpul uang sebanyak Rp 1,5 juta! Luar biasa. Uang yang sebagian besar logam itu bergemerincingan bertumpuk-tumpuk. Aku gemetar karena seumur hidupku tak pernah melihat uang sebanyak itu, apalagi karena sebagai sekretaris *Societeit* aku harus menyimpannya. Aku genggam uang itu dan terkesiap pada perasaan menjadi orang kaya. Ternyata jika kita telah menjadi orang miskin sejak dalam kandungan; perasaan itu sedikit menakutkan.

Kami bersorak karena inilah dana terbesar yang berhasil kami kumpulkan. Aku menyimpan uang itu di dalam saku dan terus-menerus memegangnya. Tiba-tiba semua orang tampak seperti pencuri. Kadang-kadang uang memang punya pengaruh yang jahat. Setelah mendapatkan perahu dan bernegosiasi alot dengan nakhoda akhirnya pas tengah hari kami berangkat.

Pada awalnya perjalanan cukup lancar, ikan lumba-lumba berkejaran dengan haluan perahu, cuaca cerah, angin bertiup sepoi-sepoi, dan semua penumpang bersukacita. Namun, menjelang sore angin bertiup sangat kencang. Perahu mulai terbanting-banting tak tentu arah, meliuk-liuk mengikuti ombak yang tiba-tiba naik turun dengan kekuatan luar biasa. Dan ombak itu semakin lama semakin tinggi. Dalam waktu singkat keadaan tenang berubah menjadi horor. Semakin ke tengah laut perahu semakin tak terkendali. Sama sekali tak diduga sebelumnya ombak mendadak marah dan langit mulai mendung. Badai besar akan menghantam kami. Semua penumpang pucat pasi. Terlambat untuk kembali pulang, lagi pula perahu sudah tak bisa diarahkan.

Kadang-kadang sebuah gelombang yang dahsyat menghantam lambung perahu hingga terdengar suara seperti papan patah. Aku menyangka perahu kami pecah dan kami akan karam dan berserakan di laut lepas ini. Gelombang itu mengangkat perahu setinggi empat meter kemudian menghempaskannya seolah tanpa beban. Kami terhunjam bersama ombak besar yang menimbulkan lautan buih putih meluap-luap mengerikan. Ombak sudah demikian ganas, sedangkan badai yang sesungguhnya belum tiba.

Aku melihat wajah nakhoda yang sudah berpengalaman itu dan jelas sekali ia cemas, membuat kami menjadi semakin gamang. Nakhoda menunjuk jauh ke arah depan, di sana tampak sebuah pemandangan yang membuat kami merinding hebat, yaitu gumpalan awan gelap bergerak pasti menuju ke arah kami dengan kilatan-kilatan halilintar sambung-menyambung di dalamnya. Badai besar akan segera datang menggulung kami.

Nakhoda mencoba membalikkan arah perahu tapi mesin 40 PK itu tak berdaya dan jika menelusuri gelombang yang demikian tinggi nakhoda khawatir perahu akan tertelungkup. Maka tak ada pilihan baginya kecuali menyongsong awan yang gelap kelam itu. Kami tak berdaya seperti diombang-ambingkan oleh sebuah tangan raksasa dan tangan itu justru mengumpankan kami kepada badai. Dalam waktu singkat badai sudah tiba di atas kami dan angin puting beliung memboyakkan perahu tanpa ampun. Hujan sangat lebat dan suasana menjadi gelap. Sambaran-sambaran kilat yang sangat dekat dengan perahu menimbulkan pemandangan yang menciutkan nyali.

Ketika pusaran angin menusuk permukaan laut, kira-kira dua puluh meter di samping kami, seluruh tubuhku gemetar melihat semburan air besar tumpah di atas perahu. Perahu berputar-putar di tempat seperti gasing. Kami terpeleset dan telentang di sepanjang geladak, berusaha saling memegangi agar tak tumpah dari perahu. Nakhoda bertindak cepat menurunkan layar yang koyak dihantam angin, menutup palka, menjauhkan benda-benda tajam, dan mematikan mesin. Lalu ia berteriak kencang memerintahkan kami agar mengikat tubuh masing-masing ke tiang layar. Kami melilit-lilitkan tali beberapa kali seputar lingkar pinggang dan menyimpulkan ujungnya dengan simpul mati kemudian mengikatkan diri dengan cara yang sama ke tiang layar. Usaha ini dilakukan agar kami tak terpelanting ke laut.

Kami segera sadar bahwa situasi telah menjadi gawat, nyawa kami berada di ujung tanduk. Begitu cepat alam berubah dari pelayaran yang damai beberapa waktu lalu hingga menjadi usaha mempertahankan hidup yang mencekam saat ini. Kami dibukakan Allah sebuah lembar kitab yang nyata bahwa kuasa-Nya demikian besar tak terbatas. Kami berkumpul membentuk lingkaran kecil mengelilingi tiang layar. Tangan kami bertumpuk-tumpuk berusaha menggenggam tiang itu. Bahu kami saling bersentuhan satu sama lain. Kami seperti orang yang bersatu padu menjelang ajal.

Hampir satu jam kami masih tak tentu arah. Aku melihat haluan perahu berpendar-pendar dan kepalaku pusing seolah akan pecah. Ketika kulihat Mujis menghamburkan muntah, perutku serasa diaduk-aduk dan dalam waktu singkat aku pun muntah. Pemandangan berikutnya adalah setiap orang di atas perahu menyemburkan seluruh isi perutnya, termasuk nakhoda kapal yang telah berpengalaman puluhan tahun. Aku mencapai tingkat puncak mabuk laut ketika tak ada lagi yang bisa dimuntahkan dan yang keluar hanya cairan bening yang pahit. Semua penumpang perahu mengalaminya.

Kami sudah pasrah di atas perahu yang terangkat tinggi lalu terhempas dahsyat bak sepotong busa di atas samudra yang mengamuk. Inilah pengalaman terburuk dalam hidupku. Saat itu aku amat menyesal telah ikut campur dalam ekspedisi orang-orang gila *Societeit* untuk menemui seorang dukun yang bahkan tak peduli dengan hidupnya sendiri. Tak adil mempertaruhkan nyawa untuk orang yang tidak menghargai nyawa. Aku memandang permukaan laut yang biru gelap dengan kedalaman tak terbayangkan dan dunia asing di bawah sana. Aku merasa sangat ngeri jika tenggelam.

Wajah nakhoda tak memperlihatkan harapan sedikit pun. Ia juga telah mengikatkan tubuhnya ke tiang layar. Ia tepekur menunduk dalam, tangannya yang kuat dan tua berurat-urat memegang kuat tiang layar, berebutan dengan tangan-tangan kami. Jika kami tenggelam maka di dasar laut mayat kami akan melayang-layang di ujung simpul-simpul tali yang mengikat tubuh kami seperti surai-surai gurita. Sebagian besar penumpang mengalirkan air mata putus asa. Namun, Flo sama sekali tak menangis. Sebelah tangannya menggenggam tiang layar, bibirnya membiru, dan wajahnya menengadah menantang langit. Wanita itu tak pernah takluk pada apa pun.

Tak ada tanda-tanda ombak akan reda, bahkan se-makin menjadi-jadi. Tinggal menunggu waktu kami akan terbenam karam. Dan saat yang menakutkan itu datang ketika dari jauh kami melihat gelombang yang sangat tinggi, hampir tujuh meter. Inilah gelombang paling besar dalam badai ini. Kami gemetar dan berteriak histeris. Dalam waktu beberapa detik hentakan gelombang dahsyat itu menerjang perahu dan mematahkan tiang layar yang sedang kami pegang. Tiang itu patah dua dan bagian yang patah meluncur deras menuju buritan membingkas* tiga keping papan di lambung perahu sehingga kapal bocor dan air masuk ber-limpah-limpah. Mujis, Mahar, dan orang Tionghoa yang ber-pegangan pada sisi belakang layar tertendang patahan tadi dan terpelanting ke geladak. Jika tak dihalangi tutup palka mereka sudah jadi santapan samudra. Mereka menjerit-jerit ketakutan, menimbulkan kepanikan yang mencekam. Aku berpikir inilah akhir hayatku, akhir hayat kami semua, laut ini akan segera memerah karena ikan-ikan hiu berpesta pora. Namun pada saat paling genting itu aku mendengar samar-samar suara orang berteriak. Rupanya syah bandar melepas-kan pegangannya dari tiang layar dan mengumandangkan azan berulang-ulang. Kami masih terlonjak-lonjak dengan hebat dan air mulai menggenangi geladak tapi lonjakan pe-rahu tiba-tiba reda. Anehnya segera setelah azan itu selesai perlahan-lahan gelombang turun. Gelombang laut yang me-

---

*melentingkan

luap-luap berbuih mengerikan tiba-tiba surut seperti dii-
sap kembali oleh awan yang gelap. Kami terkesima pada
perubahan yang drastis. Ombak ganas menjadi semakin
jinak.

Hanya dalam waktu beberapa menit angin berhenti
bertiup seperti kipas angin yang dimatikan. Badai yang
mencekam nyawa lenyap seketika seperti tak pernah terjadi
apa-apa. Tak lama kemudian seberkas sinar menyelinap di
antara gumpalan awan hitam, mengintip-intip dari gum-
palan-gumpalan kelam yang memudar. Meskipun kami tak
tahu sedang berada di perairan mana, kami bersyukur kepada
Allah berulang-ulang, bahkan menangis haru. Setidaknya
harapan muncul kembali. Lalu kami bergegas menimba air
yang memenuhi perahu. Permukaan laut yang luas tak
terbatas menjadi amat tenang seperti permukaan danau.

Kami memandang jauh ke laut dan tak berkata-kata
karena masih gentar pada bencana yang baru saja meng-
ancam. Flo tersenyum puas. Ia telah membuktikan bahwa
ketika maut tercekat di kerongkongannya ia tetap tak takut.
Sebelum menemui Tuk Bayan Tula, ia telah mencapai salah
satu tujuannya. Pengalaman seperti tadilah yang sesung-
guhnya ia cari.

Awan perlahan-lahan menjadi gelap, bukan karena
akan badai tapi karena senja telah turun. Nakhoda berusaha
memperkirakan posisi kami. Ia membaca bulan dan bintang
di atas langit yang cerah karena cahaya purnama hari kedua
belas. Ia menghidupkan mesin dan perahu bergerak pelan
menuju arah sesuai hempasan badai. Berarti badai tadi telah

membuang kami jauh tapi ke arah yang memang kami tuju. Tak lama kemudian nakhoda kembali mematikan mesin.

Beliau berjalan menuju haluan dan menyuruh kami diam. Pantulan sinar bulan berkilau-kilauan di permukaan laut lepas sejauh mata memandang. Perahu pelan-pelan menembus benteng kabut yang tebal. Sunyi senyap seperti suasana danau di tengah rimba. Ada perasaan seram diam-diam menyelinap.

Nakhoda mengawasi jauh ke depan dengan mata tajamnya yang terlatih. Kami cemas mengantisipasi bahaya lain yang akan datang, mungkin perompak, mungkin binatang yang besar, atau mungkin badai lagi. Kami melihat bayangan hitam gelap di depan kami tapi sangat tak jelas karena tertutup halimun yang semakin tebal. Kami ketakutan. Tiba-tiba nakhoda menunjuk lurus ke depan dan mengatakan sesuatu dengan suaranya yang serak.

"Pulau Lanun!"

Kami serentak berdiri terperangah dan tepat ketika beliau selesai menyebutkan nama pulau itu terdengarlah lolongan segerombolan anjing melengking-lengking mendirikan bulu kuduk, seperti menyambut tamu tak diundang.

Teronggok sepi seperti sebuah benda asing yang dikelilingi samudra, Pulau Lanun tampak kecil sekali. Ada puluhan pohon kelapa di sisi timurnya dan daun-daun kelapa itu berkilauan laksana lampu-lampu neon yang berkibar-kibar karena pantulan sinar purnama. Di tengah pulau tumbuh pohon-pohon besar yang rindang di antara ilalang dan bongkahan-bongkahan batu. Lolongan anjing semakin panjang dan menjadi-jadi ketika perahu menyelusuri naung-an dahan-dahan bakau, mendekati Pulau Lanun. Pada bagi-an ini cahaya bulan tak tembus dan terang hanya kami dapat dari lampu pelita kecil yang berayun-ayun di tiang layar. Di bawah naungan daun-daun bakau itu kami disergap perasaan takut yang sulit dijelaskan.

Di dalam hati aku mencoba merekonstruksi perasaan yang dialami utusan pawang angin tempo hari dan sejauh ini semuanya tepat. Mereka mengatakan nuansa magis mu-lai terasa ketika perahu mendekati pulau, hal itu benar. Saat perahu merapat rasanya tengkuk ditiup-tiup oleh angin yang jahat dari mulut ribuan hantu tak kasatmata yang membuntuti kami. Ada sebuah pengaruh mistis dan udara kuburan. Ada rasa kemurtadan, pengkhianatan, dan pembangkangan pada Tuhan. Ada jerit kesakitan dari bina-tang yang dibantai untuk ritual sesat dan tercium bau amis darah, bau mayat-mayat lama yang sengaja tak dikubur, bau asap dupa untuk memanggil iblis, dan bau ancaman kematian.

Kabut yang beterbangan agaknya makhluk suruhan gentayangan yang mengawasi setiap gerak-gerik kami. Bangkai-bangkai perahu perompak yang pemiliknya telah dipenggal Tuk Bayan Tula berserakan—hitam dan hangus. Pakaian-pakaian lengkap manusia memperlihatkan mayat mereka tak pernah diurus sang datuk. Jika ia ingin menyem-belih kami tak ada hukum yang akan membela kami di sini. Kami seperti menyerahkan leher memasuki sumur sarang makhluk jadi-jadian karena tak mampu mengekang nafsu ingin tahu.

Anjing-anjing yang melolong dalam kesenyapan malam tak tampak bentuknya. Kadang kala terdengar seperti bayi yang menangis atau nenek tua yang memohon ampun karena jilatan api neraka. Suara-suara ini mematahkan semangat dan menciutkan nyali. Sungguh besar sugesti Tuk Bayan Tula dan sungguh hebat pengaruh magis legendanya sehingga menciptakan kesan mencekam seperti ini. Saat itu kuakui bahwa beliau—apa pun bentuknya—memang orang yang berilmu sangat tinggi. Daya bius magis Tuk Bayan Tula menisbikan pengalaman bertaruh dengan maut ketika badai menghantam perahu kami beberapa waktu yang lalu. Seperti kharisma binatang buas yang membuat mangsanya tak berkutik sebelum diterkam, demikianlah kharisma Tuk Bayan Tula.

Walaupun sinar purnama kedua belas terang tapi semuanya tampak kelam. Kami berjalan pelan beriringan menuju kelompok pohon-pohon rindang dan batu-batu tadi. Di situlah Tuk Bayan Tula, orang tersakti dari yang paling sakti, raja semua dukun, dan manusia setengah peri tinggal. Kami gemetar namun tampak jelas setiap anggota *Societeit* telah menunggu momen ini sepanjang hidupnya.

Tiba-tiba, seperti dikomando, suara lolongan anjing berhenti, diganti oleh kesenyapan yang mengikat. Burung-burung gagak berkaok-kaok nyaring di puncak pohon bakau yang tumbuh subur sampai naik ke daratan. Suasana semakin seram ketika kami menerabas ilalang dan menjumpai

415

beberapa *punsuk* menyembul-nyembul seperti iblis bersembunyi di celah-celah perdu tebal. Punsuk adalah istilah orang Kek untuk menyebut gundukan tanah seperti makam-makam kuno. Punsuk selalu identik dengan rumah berbagai makhluk halus, lebih dari itu karena ia kelihatan seperti kuburan-kuburan Belanda, maka padang kecil ini terkesan sangat angker.

Akhirnya, kami tiba di sebuah rongga yang disebut gua oleh utusan dulu. Gua itu adalah celah antara dua batu besar yang bersanding tidak simetris. Itulah rumah Tuk Bayan Tula. Kengerian semakin mencekam tapi apa pun yang terjadi semuanya telah terlambat karena kami melihat sebelas pelepah pinang tergelar di mulut rongga batu. Kami menjual dan datuk telah membeli. Kami telah disambut dan harus siap dengan risiko apa pun.

Kami tak langsung duduk karena dilanda ketakutan apalagi di dalam gua terlihat kain tipis berkelebat lalu pelan-pelan seperti asap yang mengepul dari tumpukan kayu basah yang dibakar muncul sebuah sosok tinggi besar. Dengan mata kepalaku sendiri aku menyaksikan bahwa sosok itu tidak menginjak bumi. Ia seperti mengambang di udara, bergerak maju mundur seumpama benda tak berbobot. Belum pernah seumur hidupku menyaksikan pemandangan seajaib itu. Dialah sang orang sakti, manusia setengah peri, Tuk Bayan Tula.

Tanpa sempat kami berpikir tiba-tiba sosok itu melesat seperti angin dan telah berdiri tegap kukuh di depan kami. Kami terperanjat, serentak terjajar mundur, dan nyaris

lari pontang-panting. Tapi kami menguatkan hati. Tuk Ba-
yan Tula berada dua meter dari kami yang takzim menge-
lilinginya. Beliau adalah seseorang yang sungguh-sungguh
mencitrakan dirinya sebagai orang sakti berilmu setinggi
langit. Kain hitam melilit-lilit tubuhnya, parang panjangnya
masih sama dengan cerita utusan dulu, rambut, kumis, dan
jenggotnya lebat tak terurus, berwarna putih bercampur
cokelat. Tulang pipinya sangat keras mengisyaratkan ia
mampu melakukan kekejaman yang tak terbayangkan dan
alisnya mencerminkan ia tak takut pada apa pun bahkan
pada Tuhan. Namun, yang paling menonjol adalah mata-
nya yang berkilat-kilat seperti mata burung, seluruhnya
berwarna hitam. Sedikit banyak, apa pun yang akan terjadi,
aku merasa beruntung pernah melihat legenda hidup ini.

Tuk diam mematung. Seluruh anggota *Societeit* me-
mandanginya. Bertarung nyawa ke pulau ini agaknya ter-
bayar karena telah melihat tokoh panutan mereka. Tak se-
dikit pun keramahan ditunjukkan Tuk. Lalu beliau duduk
dan kami juga duduk di sebelas pelepah pinang yang secara
misterius telah beliau sediakan. Mahar tampak sangat ter-
pesona dengan sang datuk, baginya ini mimpi yang menjadi
kenyataan. Tapi ia masih tak berani mendekat karena takut.
Maka Flo bangkit menghampiri Mahar, menarik tangannya,
dan wanita muda luar biasa itu tanpa tedeng aling-aling
menyeret Mahar menghadap datuk.

Selanjutnya dengan amat berhati-hati Mahar berbisik
pada sang datuk. Tuk memandang jauh ke samudra yang
berkilauan tak peduli meskipun Mahar menceritakan ba-

haya maut yang kami alami untuk menjumpainya. Suara Mahar terdengar sayup-sayup.

"… ombak setinggi tujuh meter …."

"… badai … angin puting beliung … tiang layar patah … azan …."

Tuk Bayan Tula mendengarkan tanpa minat. Mahar melanjutkan kisahnya hingga sampai kepada tujuan utama kedatangannya.

"… saya dan Flo akan diusir dari sekolah …."

"… sudah mendapat surat peringatan karena nilai-nilai yang merah …."

"… minta tolong agar kami bisa lulus ujian …."

"… minta tolong Datuk, tak ada lagi harapan lain …."

"… dimarahi orangtua dan guru setiap hari …."

Kami diam seribu bahasa dan terus-menerus memandangi Tuk dari ujung kaki sampai ujung rambut.

Tiba-tiba tak dinyana, Datuk memalingkan wajahnya pada Mahar dan Flo. Kedua anak nakal itu pucat pasi. Tuk memegang pundak Mahar sambil mengangguk-angguk. Mahar berseri-seri bukan main seperti korban longsor dicium presiden. Para anggota *Societeit* tampak bangga ketuanya disentuh dukun sakti pujaan hati mereka. Mahar mengerti apa yang harus dilakukan. Ia mengeluarkan sepucuk surat dan sebuah pena lalu menyerahkannya dengan penuh hormat pada Tuk. Datuk itu mengambilnya dan dengan kecepatan yang tak masuk akal beliau kembali masuk ke dalam gua.

Selanjutnya terjadi sesuatu yang sangat aneh. Dari dalam gua terdengar suara keras bantingan-bantingan seperti sepuluh orang sedang berkelahi. Kami terlonjak dari tempat duduk, berkumpul rapat-rapat, memandang waspada ke dalam gua. Kami mendengar suara auman seekor binatang buas bersuara menakutkan yang belum pernah kami dengar sebelumnya.

Jelas sekali di dalam sana Tuk Bayan Tula sedang bertarung habis-habisan dengan makhluk-makhluk besar yang ganas. Rupanya untuk memenuhi permintaan Mahar beliau harus mengalahkan ribuan hantu. Seberkas penyesalan tampak di wajah Mahar. Ia tak sanggup menanggungkan beban jika tokoh kesayangannya harus tewas karena permohonannya.

Debu mengepul dari pasir lantai gua karena makhluk-makhluk liar bergumul di dalamnya. Kami bergidik cemas tapi tak berani mendekat. Kami menunduk memejamkan mata membayangkan risiko maut. Lalu piring kaleng, panci, tulang-tulang ikan, tempurung kelapa, tungku, cangkir, cambuk, parang, dan sendok terlempar keluar gua dan berserakan di dekat kami. Di antara benda-benda itu terdapat primbon, penanggalan tradisional Bali, peta laut, dan beberapa kitab lama bertulisan tangan bahasa Melayu kuno dan Kek.

Pertempuran demikian seru hingga akhirnya terdengar jeritan kekalahan. Lalu kami melihat puluhan sosok bayangan lelembut berbentuk seperti jasad terbungkus kain kafan hitam beterbangan melesat cepat keluar dari dalam gua menembus pucuk-pucuk pohon santigi menghilang ke arah laut. Anjing-anjing hutan kembali melolong agaknya lolongan anjing-anjing itu memaki-maki gerombolan hantu yang telah dikalahkan Tuk Bayan Tula.

Tuk Bayan Tula kembali hadir di mulut gua dalam keadaan terengah-engah, compang-camping, dan berantakan. Aku sangat prihatin melihat orang sakti sampai terseok-seok seperti itu. Demi memenuhi permintaan Mahar dan Flo agar tak diusir dari sekolah beliau telah mempertaruhkan jiwa.

Tuk mengangkat gulungan kertas pesannya tinggi-tinggi seakan mengatakan, "Lihatlah wahai manusia-manusia cacing tak berguna, siapa pun, kasat atau siluman tak 'kan sanggup melawanku. Aku telah membinasakan iblis-iblis dari dasar neraka untuk membuat keajaiban yang membalikkan hukum alam. Nilai-nilai ujianmu akan melingkar sendiri dalam kegelapan untuk menyelamatkanmu di sekolah tua itu. Terimalah hadiahmu, karena engkau anak muda pemberani yang telah menantang maut untuk menemuiku …."

Tuk menyerahkan gulungan kertas itu yang disambut Mahar dengan kedua tangannya seperti gelandangan yang hampir mati kelaparan menerima sedekah. Mahar memasukkan gulungan kertas ke dalam tempat bekas bola badminton dengan amat hati-hati dan menutupnya rapat-rapat seperti arsitek menyimpan cetak biru bangunan rahasia tempat menyiksa aktivis. Kotak itu dimasukkannya ke dalam jaketnya. Tuk memberi isyarat agar kertas itu dibuka setelah kami tiba di rumah dan menunjuk ke perahu agar kami segera angkat kaki. Tak sempat kami mengucapkan terima kasih, secepat kilat, seperti angin Tuk Bayan Tula lenyap dari pandangan, sirna ditelan gelap dan asap dupa gua persemayamannya.

Kami lari terbirit-birit menuju perahu. Nakhoda segera menghidupkan mesin. Kami langsung kabur pulang. Mahar memegangi kotak bola badminton di jaketnya tak lepas-lepas. Wajahnya senang bukan main. Flo juga tersenyum lega. Kertas itulah sertifikat asuransi pendidikan mereka. Kami semua sepakat akan membuka surat itu besok sepulang sekolah di bawah *filicium*.

Tengah hari itu banyak orang berkumpul di bawah pohon *filicium*. Seluruh teman sekelasku, seluruh anggota *Societeit* termasuk nakhoda yang juga menyatakan minat mendaftar sebagai anggota baru, dan para utusan terdahulu yaitu dua orang dukun, kepala suku Sawang, dan seorang polisi senior. Karena berita kami mengunjungi Tuk Bayan Tula telah tersebar ke seantero kampung maka dalam waktu singkat reputasi *Societeit* melejit. Semua orang tahu betapa besarnya risiko mengunjungi Pulau Lanun, yaitu ombak yang ganas, ikan-ikan hiu, dan kekejaman Tuk Bayan Tula sendiri. Maka dalam pembukaan pesan Tuk siang ini banyak sekali yang hadir. Kulihat ada Tuan Pos, para calon anggota baru *Societeit* yang bersemangat karena reputasi baru organisasi, beberapa penjaga dan pemilik warung kopi, beberapa orang tukang gosip, tukang ikan, juragan-juragan perahu, dan beberapa penggemar paranormal tingkat pemula.

Setelah seluruh guru pulang Mahar dan Flo keluar dari kelas dengan wajah berseri-seri. Langkahnya ringan karena beban hancurnya nilai-nilai ulangan yang telah sekian lama menggelayut di pundak mereka akan segera sirna. Mereka yakin sekali pesan Tuk akan menyelamatkan masa depannya. Parapsikologi, metafisika, dan paranormal terbukti bisa memasuki area mana pun, demikian kesan di wajah keduanya. Lalu kesan lain: kalian boleh membaca buku sampai bola mata kalian meloncat tapi Tuk Bayan Tula akan membuat kami tampak lebih pintar, atau: belajarlah kalian sampai muntah-muntah dan kami akan terus mengembara mengejar pesona dunia gaib, tapi tetap naik kelas sampai tingkat berapa pun.

Mahar dengan cermat mengeluarkan kotak bola badminton, ia membuka tutupnya pelan-pelan. Mengambil gulungan kertas itu dan mengangkatnya tinggi-tinggi. Baginya itulah dokumen deklarasi kemerdekaan dirinya dan Flo dari penjajahan dunia pendidikan yang banyak menuntut. Mahar memegangi gulungan itu kuat-kuat dan sebelum membukanya ia memberikan sebuah pidato singkat:

"Nasib baik memihak para pemberani!"

Itulah pembukaan pidatonya, sangat filosofis seperti Socrates sedang memberikan pelajaran filsafat pada murid-muridnya. Anggota *Societeit* mengangguk-angguk setuju.

"Inilah pesan yang kami dapatkan dengan susah pa-yah. Kami mengikatkan diri pada tiang layar karena nyawa kami tinggal sejengkal dan kami memuntahkan cairan terakhir yang rasanya pahit untuk mendapatkan keajaiban ini!"

Anggota *Societeit* bertepuk tangan bangga mendengar pidato hebat ketuanya. Demi menyaksikan pembukaan pesan ini sang *teller* BRI bolos kerja sedangkan bapak Tionghoa tukang sepuh emas menutup tokonya. Mahar melanjutkan pidato dengan berapi-api.

"Kami rela menggadaikan harta benda kesayangan dan berani mengambil risiko dimusnahkan dari muka bumi oleh Tuk Bayan Tula, tapi akhirnya kami bisa membuktikan bahwa *Societeit de Limpai* bukan organisasi sembarangan!"

Mahar berpidato penuh wibawa di hadapan para pengikutnya lalu seperti biasa ia mengeluarkan bahasa tubuhnya yang khas: menaikkan alis, mengangkat bahu, dan mengangguk-angguk.

"Kami menyaksikan sendiri bahwa Tuk Bayan Tula bertempur habis-habisan untuk memberi kita pesan pada kertas ini!! Sebagai ketua *Societeit*, saya merasa mendapat respek dengan perlakuan beliau itu."

Anggota *Societeit* kembali bertepuk tangan bergemuruh. Wajah Flo tampak semakin cantik ketika ia gembira.

"Maka, inilah prestasi tertinggi Societeit de Limpai."

Mahar mengangkat lagi gulungan kertas pesan Tuk Bayan Tula tinggi dan akan segera membukanya.

Semua orang merubung ingin tahu. Beberapa peminat, termasuk aku, sampai naik ke atas dahan-dahan rendah *filicium* agar dapat membaca pesan Tuk. Tangan Mahar gemetar memegang gulungan kertas keramat itu dan wajah Flo memerah menahan girang, ia melonjak-lonjak tak sabar menunggu kejutan yang menyenangkan. Semua orang merasa tegang dan sangat ingin tahu. Mahar perlahan-lahan membuka gulungan kertas itu dan di sana, di kertas itu tertulis dengan jelas:

INILAH PESAN TUK-BAYAN-TULA UNTUK
KALIAN BERDUA,
KALAU INGIN LULUS UJIAN:
BUKA BUKU, BELAJAR!!

Bab 30
Elvis Has Left the Building

KAMI sedang benci pada Samson karena sikapnya yang keras kepala. Kami berdebat hebat di bawah pohon *filicium*. Sembilan lawan satu. Tapi ia dengan konyol tetap memperjuangkan pendiriannya, tak mau kalah.

Duduk perkaranya adalah semalam kami baru saja menonton film *Pulau Putri* yang dibintangi S. Bagyo. Di film itu S. Bagyo dkk. terdampar di sebuah pulau sepi yang hanya dihuni kaum wanita. Kerajaan—atau berarti lebih tepatnya keratuan—di pulau itu sedang diteror seorang nenek sihir berwajah seram. Jika ia tertawa, ingin rasanya kami terkencing-kencing.

Kami menonton film yang diputar sehabis magrib itu di bioskop MPB (Markas Pertemuan Buruh) yang khusus disediakan oleh PN Timah bagi anak-anak bukan orang staf. Sebuah bioskop kualitas misbar dengan 2 buah pengeras suara lapangan merk TOA. Karena lantainya tidak didesain selayaknya bioskop maka agar penonton yang paling belakang tidak terhalang pandangannya, di bagian belakang disediakan bangku tinggi-tinggi. Dan kami, sepuluh orang—termasuk Flo—duduk berjejer di bangku paling belakang.

Anak-anak orang staf menonton di tempat yang berbeda, namanya Wisma Ria. Di sana film diputar dua kali seminggu. Penonton dijemput dengan bus berwarna biru. Tentu saja di bioskop itu juga terpampang peringatan keras "DILARANG MASUK BAGI YANG TIDAK MEMILIKI HAK".

Kami tak menduga sama sekali kalau film yang berjudul indah *Pulau Putri* tersebut adalah film horor. Membaca judulnya kami pikir kami akan melihat beberapa putri cantik melumuri tubuhnya dengan semacam krim dan berlari-larian sambil tertawa cekikikan di pinggir pantai.

"Asyik," kata Kucai berbinar-binar.

Namun, perkiraan kami meleset. Baru beberapa menit film dimulai nenek sihir itu muncul dengan tawanya yang mengerikan. Yang cekikikan adalah kaum dedemit. S. Bagyo dan kawan-kawan lari terbirit-birit. Dari belakang aku dapat menyaksikan seluruh penonton, anak-anak kuli PN Timah, tiarap setiap nenek jahat itu muncul di layar. Beberapa anak perempuan menangis dan anak-anak lainnya ambil langkah seribu, kabur dari bioskop rombeng ini dan tak kembali lagi.

Di deretan tempat dudukku kulihat Samson yang duduk di ujung kiri hampir sama sekali tidak menonton. Ia bersembunyi di ketiak Syahdan. Sebaliknya, Syahdan bersembunyi di ketiak A Kiong. A Kiong bersembunyi di ketiak Kucai, Kucai di ketiakku. Aku dan Trapani di ketiak Mahar. Trapani menjerit-jerit memanggil ibunya jika nenek sihir itu mengobrak-abrik kampung. Dan Mahar menunduk seperti orang mengheningkan cipta.

Yang berdiri tegak tak bergerak hanya Harun, Sahara, dan Flo. Mereka tertawa terbahak-bahak melihat S. Bagyo pontang-panting dikejar setan. Jika S. Bagyo berhasil lolos mereka bertepuk tangan.

Ketika pulang, kami bergandengan tangan. Ketika melewati kuburan, tangan Trapani sedingin es.

Esoknya, saat istirahat siang Samson berkeras bahwa nenek sihir itulah yang diuber-uber oleh S. Bagyo. Kami semua protes karena ceritanya sama sekali tidak begitu.

"Tahukah kau justru Bagyolah yang menguber-uber nenek sihir sepanjang film itu," Samson berkeras.

"Mana mungkin," bantah Kucai.

"Aku melihat sendiri kau menggigil ketakutan di bawah ketiak Syahdan," serang A Kiong.

Samson masih berkelit, "Apa kau sendiri menonton? Setahuku hanya Sahara, Harun, dan Flo yang tak sembunyi."

Sahara melirik kami dengan pandangan jijik. "Semua pria berengsek!" katanya ketus.

Harun mengangguk-angguk mendukung mutlak pernyataan itu.

"Biar kami hanya melirik sekali-sekali bukan berarti kami tak tahu jalan ceritanya," Mahar memojokkan Samson.

Demi mendengar kata "melirik sekali-sekali" itu Sahara semakin jijik.

"Semua pria menyedihkan!"

Samson membalas Mahar, "Ah! Tahu apa kau soal film, urus saja jambulmu itu!"

Kami semua tertawa geli, dan memang Mahar segera menyisir jambulnya.

Kami semua terlibat perang mulut, kecuali Trapani, ia diam melamun. Belakangan ini Trapani semakin pendiam dan sering melamun. Aku paham apa yang terjadi. Samson malu mengakui bahwa ia bersembunyi di bawah ketiak Syahdan. Ia tak ingin citranya sebagai pria macho hancur hanya karena ketakutan nonton sebuah film. Perilakunya itu persis kaum oportunis di panggung politik negeri ini.

Perdebatan semakin seru. Diperlukan seorang penengah dengan wawasan dan kata-kata cerdas pamungkas untuk mengakhiri perseteruan ini. Sayangnya si cerdas itu sudah dua hari tak tampak batang hidungnya. Tak ada kabar berita.

Ketika esoknya Lintang tak juga hadir, kami mulai khawatir. Sembilan tahun bersama-sama tak pernah ia bolos. Saat ini sedang musim hujan, bukan saatnya kerja kopra. Bukan pula musim panen kerang, sementara karet telah digerus bulan lalu. Pasti ada sesuatu yang sangat penting. Rumahnya terlalu jauh untuk mencari berita.

SEKARANG hari Kamis, sudah empat hari Lintang tak muncul juga. Aku melamun memandangi tempat duduk di sebelahku yang kosong. Aku sedih melihat dahan *filicium* tempat ia bertengger jika kami memandangi pelangi. Ia tak ada di sana. Kami sangat kehilangan dan cemas. Aku rindu pada Lintang.

Kelas tak sama tanpa Lintang. Tanpanya kelas kami hampa kehilangan auranya, tak berdaya. Suasana kelas menjadi sepi. Kami rindu jawaban-jawaban hebatnya, kami rindu kata-kata cerdasnya, kami rindu melihatnya berdebat dengan guru. Kami juga rindu rambut acak-acakannya, sandal jeleknya, dan tas karungnya.

Bu Mus berusaha ke sana sini mencari kabar dan menitipkan pesan pada orang yang mungkin melalui kampung pesisir tempat tinggal Lintang. Aku cemas membayangkan kemungkinan buruk. Tapi biarlah kami tunggu sampai akhir minggu ini.

Senin pagi, kami semua berharap menjumpai Lintang dengan senyum cerianya dan kejutan-kejutan barunya. Tapi ia tak muncul juga. Ketika kami sedang berunding untuk mengunjunginya, seorang pria kurus tak beralas kaki masuk ke kelas kami, menyampaikan surat kepada Bu Mus. Begitu banyak kesedihan kami lalui dengan Bu Mus selama hampir sembilan tahun di SD dan SMP Muhammadiyah tapi baru pertama kali ini aku melihatnya menangis. Air matanya berjatuhan di atas surat itu.

Ibunda guru,
Ayahku telah meninggal, besok aku akan ke sekolah.
Salamku, Lintang.

SEORANG anak laki-laki tertua keluarga pesisir miskin yang ditinggal mati ayah, harus menanggung nafkah ibu, banyak adik, kakek-nenek, dan paman-paman yang tak berdaya, Lintang tak punya peluang sedikit pun untuk melanjutkan sekolah. Ia sekarang harus mengambil alih menanggung nafkah paling tidak empat belas orang, karena ayahnya, pria kurus berwajah lembut itu, telah mati, karena pria cemara angin itu kini telah tumbang. Jasadnya dimakamkan bersama harapan besarnya terhadap anak lelaki satu-satunya dan justru kematiannya ikut membunuh cita-cita agung anaknya itu. Maka mereka berdua, orang-orang hebat dari pesisir ini, hari ini terkubur dalam ironi.

Di bawah pohon *filicium* kami akan mengucapkan perpisahan. Aku hanya diam. Hatiku kosong. Perpisahan belum dimulai tapi Trapani sudah menangis terisak-isak. Sahara dan Harun duduk bergandengan tangan sambil tersedu-sedu. Samson, Mahar, Kucai, dan Syahdan berulang kali mengambil wudhu, sebenarnya dengan tujuan menghapus air mata. A Kiong melamun sendirian tak mau diganggu. Flo, yang baru saja mengenal Lintang dan tak mudah terharu tampak sangat muram. Ia menunduk diam, matanya berkaca-kaca. Baru kali ini aku melihatnya sedih.

Kami melepas seorang sahabat genius asli didikan alam, salah seorang pejuang Laskar Pelangi lapisan tertinggi. Dialah ningrat di antara kami. Dialah yang telah menorehkan prestasi paling istimewa dan pahlawan yang mengangkat derajat perguruan miskin ini. Kuingat semua jejak kecerdasannya sejak pertama kali ia memegang pensil yang salah pada hari pertama sekolah, sembilan tahun yang lalu. Aku ingat semangat persahabatan dan kejernihan buah pikirannya. Dialah Newton-ku, Adam Smith-ku, Andre Ampere-ku.

Lintang adalah mercusuar. Ia bintang petunjuk bagi pelaut di samudra. Begitu banyak energi positif, keceriaan, dan daya hidup terpancar dari dirinya. Di dekatnya kami terimbas cahaya yang masuk ke dalam rongga-rongga otak, memperjelas penglihatan pikiran, memicu keingintahuan, dan membuka jalan menuju pemahaman. Darinya kami belajar tentang kerendahan hati, tekad, dan persahabatan. Ketika ia menekan tombol di atas meja mahoni pada lomba kecerdasan dulu, ia telah menyihir kepercayaan diri kami sampai hari ini, membuat kami berani bermimpi melawan nasib, berani memiliki cita-cita.

Lintang seumpama bintang dalam rasi *Cassiopeia* yang meledak dini hari ketika menyentuh atmosfer ketika orang-orang masih lelap tertidur. Cahaya ledakannya menerangi angkasa raya, memberi terang bagi kecemerlangan pikiran tanpa seorang pun tahu, tanpa ada yang peduli. Bagai meteor pijar ia berkelana sendirian ke planet-planet pengetahuan, lalu kelipnya meredup dalam hitungan mundur dan hari ini ia padam, tepat empat bulan sebelum ia menyelesaikan SMP. Aku merasa amat pedih karena seorang anak supergenius, penduduk asli sebuah pulau terkaya di Indonesia hari ini harus berhenti sekolah karena kekurangan biaya. Hari ini, seekor tikus kecil mati di lumbung padi yang berlimpah ruah.

Kami pernah tertawa, menangis, dan menari bersama di dalam lingkaran bayang kobaran api. Kami tercengang karena terobosan pemikirannya, terhibur oleh ide-ide segarnya yang memberontak, tak biasa, dan menerobos. Ia belum pergi tapi aku sudah rindu dengan sorot mata lucunya, senyum polosnya, dan setiap kata-kata cerdas dari mulutnya. Aku rindu pada dunia sendiri di dalam kepalanya, sebuah dunia kepandaian yang luas tak terbatas dan kerendahan hati yang tak bertepi.

Inilah kisah klasik tentang anak pintar dari keluarga melarat. Hari ini, hari yang membuat gamang seorang laki-laki kurus cemara angin sembilan tahun yang lalu akhirnya terjadi juga. Lintang, sang bunga meriam ini tak 'kan lagi melontarkan tepung sari. Hari ini aku kehilangan teman sebangku selama sembilan tahun. Kehilangan ini terasa lebih menyakitkan melebihi kehilangan A Ling, karena kehilangan Lintang adalah kesia-siaan yang mahabesar. Ini tidak adil. Aku benci pada mereka yang berpesta pora di Gedong

dan aku benci pada diriku sendiri yang tak berdaya meno-
long Lintang karena keluarga kami sendiri melarat dan
orangtua-orangtua kami harus berjuang setiap hari untuk
sekadar menyambung hidup.

Ketika datang keesokan harinya, wajah Lintang tam-
pak hampa. Aku tahu hatinya menjerit, meronta-ronta da-
lam putus asa karena penolakan yang hebat terhadap per-
pisahan ini. Sekolah, kawan-kawan, buku, dan pelajaran
adalah segala-galanya baginya, itulah dunianya dan seluruh
kecintaannya. Suasana sepi membisu, suara-suara unggas
yang biasanya riuh rendah di pohon *filicium* sore ini lengang.
Semua hati terendam air mata melepas sang mutiara ilmu
dari lingkaran pendidikan. Ketika kami satu per satu meme-
luknya tanda perpisahan, air matanya mengalir pelan, pe-
lukannya erat seolah tak mau melepaskan, tubuhnya ber-
getar saat jiwa kecerdasannya yang agung tercabut paksa
meninggalkan sekolah.

Aku tak sanggup menatap wajahnya yang pilu dan
kesedihanku yang mengharu biru telah mencurahkan habis
air mataku, tak dapat kutahan-tahan sekeras apa pun aku
berusaha. Kini ia menjadi tangis bisu tanpa air mata, perih
sekali. Aku bahkan tak kuat mengucapkan sepatah pun
kata perpisahan. Kami semua sesenggukan. Bibir Bu Mus
bergetar menahan tangis, matanya semerah saga. Tak setitik
pun air matanya jatuh. Beliau ingin kami tegar. Dadaku
sesak menahankan pemandangan itu. Sore itu adalah sore
yang paling sendu di seantero Belitong, dari muara Sungai
Lenggang sampai ke pesisir Pangkalan Punai, dari Jembatan

433

Mirang sampai ke Tanjong Pandan. Itu adalah sore yang paling sendu di seantero jagat alam.

Saat itu aku menyadari bahwa kami sesungguhnya adalah kumpulan persaudaraan cahaya dan api. Kami berjanji setia di bawah halilintar yang menyambar-nyambar dan angin topan yang menerbangkan gunung-gunung. Janji kami tertulis pada tujuh tingkatan langit, disaksikan naga-naga siluman yang menguasai Laut Cina Selatan. Kami adalah lapisan-lapisan pelangi terindah yang pernah diciptakan Tuhan.

Dua belas tahun kemudian

Bab 31
Zaal Batu

SEORANG wanita setengah baya berjalan dengan seorang pria bernama Dahroji, menghampiriku. Masalah! Pasti masalah lagi!

"Kalau Nyonya mau marah, tumpahkan pada laki-laki berantakan ini," kata Dahroji. Ia pergi menahan murka.

Wanita itu mengamatiku baik-baik. Dandanannya, huruf "r" dan "g" yang keluar dari tenggorokannya, tarikan alisnya, serta gayanya memandang, mengesankan ia pernah sekian lama tinggal di luar negeri dan ia muak dengan semua ketidakefisienan di negeri ini.

Agaknya ia memiliki masalah yang sangat gawat. Ya, memang gawat, surat restitusi bea masuk lukisan dari luar negeri yang dikirim oleh kantor Duane terlambat ia terima karena aku salah sortir. Seharusnya ia masuk kotak Ciawi tapi aku tak sengaja melemparkannya ke lubang Gunung Sindur. *Human error*!

Telah tiga kali aku keliru minggu ini. Alasanku karena *overload*. Dahroji, ketua ekspedisi, tak mau tahu kesulitan- ku. Volume surat meningkat tajam dan banyak perluasan wilayah yang membuka *wijk* baru yang tak kukenal. Aku memandang kuyu pada tiga karung surat bercap Union Pos- tale Universele ketika nyonya yang masih seksi itu kom- plain. Sejenak aku benci pada hidupku yang kacau-balau. Salah satu ciri hidup yang tak sukses adalah menerima sem- protan pelanggan sebelum sempat sarapan pagi. Tapi sekian lama bekerja di sini aku telah terlatih memadamkan semen- tara fungsi gendang telinga. Maka madam itu hanya kulihat bergetar-getar seperti Greta Garbo dalam film bisu hitam putih.

"Hoe vaak moet ik je dat nog zeggen!!" hardiknya sambil melengos pergi. Benar kan kataku? Kira-kira mak- sudnya: saya sudah komplain berapa kali masih saja keliru!

Dan kembali aku termangu-mangu menatap tiga ka- rung surat tadi. Setelah terpuruk akibat dikhotbahi nyonya itu aku masih harus bekerja keras menyortir semuanya karena pukul delapan seluruh pengantar kilat khusus termin pertama akan berangkat dan karena aku adalah pegawai pos, tukang sortir, bagian kiriman peka waktu, *shift* pagi, yang bekerja mulai subuh.

Aku sengsara batin karena ironi dalam hidupku. Ren- cana A-ku dua belas tahun yang lalu untuk menjadi seorang penulis dan pemain bulu tangkis ternama telah lenyap, kandas di dalam kotak-kotak sortir surat. Bahkan rencana B-ku, yaitu menjadi penulis buku tentang bulu tangkis dan kehidupan sosial, juga telah gagal—meskipun di dalam hati aku masih menyimpan komentar-komentar manis para mantan kampiun bulu tangkis.

Buku itu sebenarnya telah selesai kutulis, tidak tanggung-tanggung, seluruhnya mencapai 34 bab dan hampir 100.000 kata. Untuk menulisnya aku telah melakukan riset yang intensif di federasi bulu tangkis dan komite olahraga nasional serta mengamati kehidupan sosial beberapa mantan pemain bulu tangkis terkenal. Aku juga mempelajari budaya pop serta tren terbaru pengembangan kepribadian. Tapi para penerbit tak sudi menerbitkan bukuku berdasarkan pertimbangan komersial. Mereka lebih tertarik pada karya-karya sastra cabul, yaitu buku-buku yang penuh tulisan jorok seperti kondom, masturbasi, dan orgasme karena buku-buku semacam itu lebih mendatangkan keuntungan. Mereka, para penerbit itu, telah melupakan prinsip-prinsip *men sana in corpore sano.*

Aku berusaha membesarkan hati dengan berpretensi menyama-nyamakan diriku dengan John Steinbeck yang tujuh kali ditolak penerbit tapi akhirnya bisa mengantongi Pulitzer. Aku juga tak keberatan menjadi Mary Shelley yang hanya pernah sekali menulis buku Frankenstein lalu hilang dalam kejayaan. Aku harap bukuku: *Bulu Tangkis dan Pergaulan* dapat menjadi sebuah karya fenomenal yang dikenang orang sepanjang masa. Setidaknya itulah sumbangan-

Andrea Hirata

ku untuk kemanusiaan. Namun bagaimanapun aku ber-
usaha menguatkan diri, kenyataannya aku hampir mati le-
mas ditumpuki kegagalan demi kegagalan. Bagaimanapun
dulu Pak Harfan dan Bu Mus mengajariku agar tak gentar
pada kesulitan apa pun, namun pada titik ini dalam hidupku
ternyata nasib telah menghantamku dengan *technical knock
out*.

Pada suatu dini hari yang paling frustrasi, di bawah
hujan deras, aku menumpuk empat bendel master tulisanku
beserta enam buah disket. Tumpukan itu kusimpul mati
dengan tali jalin dan pemberat setengah kilo berupa segel
timah plombir untuk mengikat kantong pos. Aku berlari
menuju Jembatan Sempur lalu buku bulu tangkis rencana
B-ku itu, buku bergenre humaniora itu—sambil memejam-
kan mata dengan hati yang redam—kulemparkan ke dasar
Kali Ciliwung. Jika tak tersangkut di celah batu-batu di
dasar kali maka buku itu akan terapung-apung bersama
banjir kiriman ke Jakarta, hanyut terombang-ambing
bersama cita-citaku.

Aku ingin melarikan diri ke satu-satunya tempat yang
paling indah dalam hidupku, yang telah kukenal sejak be-
lasan tahun yang lalu. Sebuah desa cantik dengan taman
bunga, pagar-pagar batu kelabu yang mengelilinginya, dan
jalan setapak yang ditudungi untaian dahan-dahan prem.
Itulah Edensor, eden berarti surga, nirwana pelarian dalam
otak kecilku dari buku Herriot yang sangat kumal karena
telah puluhan kali kubaca. Semakin sukar hidupku, semakin
sering aku membacanya. Sayangnya aku tak bisa ke Eden-

sor karena sampai hari ini tempat itu masih tetap hanya ada dalam khayalanku.

Setiap pulang kerja aku sering duduk melamun di pokok pohon randu, di pinggir Lapangan Sempur, dekat kamar kontrakanku. Menghadap ke Kali Ciliwung aku memprotes Tuhan:

"Ya, Allah, bukankah dulu pernah kuminta jika aku gagal menjadi penulis dan pemain bulu tangkis maka jadikan aku apa saja asal bukan pegawai pos! Dan jangan beri aku pekerjaan mulai subuh ...!!"

Tuhan menjawab doaku dulu persis sama seperti yang tak kuminta. Begitulah cara Tuhan bekerja. Jika kita menganggap doa dan pengabulan merupakan variabel-variabel dalam sebuah fungsi linier maka Tuhan tak lain adalah musim hujan, sedikit banyak kita dapat membuat prediksi. Kuberi tahu Kawan, cara bertindak Tuhan sangat aneh. Tuhan tidak tunduk pada postulat dan teorema mana pun. Oleh karena itu, Tuhan sama sekali tak dapat diramalkan.

Maka inilah aku sekarang. Dalam asumsi yang konservatif petugas biro statistik menyebut orang sepertiku sebagai mereka yang bekerja pada sektor jasa, mengonsumsi di bawah 2.100 kalori setiap hari, dan berada dekat sekali dengan garis miskin. Miskin, kata itu demikian akrab sepanjang hidupku, bagaikan sahabat baik, seperti mandi pagi. Sebenarnya sepanjang waktu aku meloncat-loncat di antara garis miskin itu, tergantung jam lembur yang diberikan Dahroji. Jika aku banyak lembur maka bulan itu mereka dapat mempertimbangkanku dalam lapisan berpenghasilan menengah ke bawah. Toh orang-orang statistik itu tidak membuat parameter waktu bagi setiap kategori. Tapi singkatnya begini saja, aku adalah bagian dari 57% rakyat miskin yang ada republik ini.

Hidup membujang, mandiri, terabaikan, bekerja sepuluh jam sehari, kisaran usia 25-30 tahun, itulah demografi yang aku wakili. Secara psikografi identitasku adalah pria yang kesepian. Orang marketing melihatku sebagai *target market* produk-produk minyak rambut, deodoran, peninggi tubuh, peramping perut buncit, atau apa saja yang berkenaan dengan upaya peningkatan kepercayaan diri. Dunia tak mau peduli padaku, dan negara hanya mengenalku melalui sembilan digit nomor, 967275337, itulah nomor induk pegawaiku.

Tak ada bahagia pada pekerjaan sortir. Pekerjaan ini tidak termasuk dalam profesi yang ditampilkan murid-murid SD dalam karnaval. Setiap hari berkubang dalam puluhan kantong pos dari negeri antah berantah. Masa depan bagiku adalah pensiun dalam keadaan miskin dan rutin berobat melalui fasilitas Jamsostek, lalu mati merana sebagai orang yang bukan siapa-siapa.

Setelah usai bekerja aku terlalu lelah untuk bersosialisasi. Aku menderita insomnia. Setiap malam antara tidur dan terjaga aku terhipnotis cerita wayang golek dan suara kemerosok radio AM. Aku bangun pagi-pagi buta ketika orang-orang Bogor masih meringkuk di tempat tidur mereka yang nyaman. Aku merangkak-rangkak kedinginan, terseok-seok menuju kantor pos melewati bantaran Kali

Ciliwung yang masih diliputi kabut untuk kembali menyortir ribuan surat. Saat orang-orang Bogor bangun dan mengibas-ngibaskan koran pagi di depan teh panas dan tangkupan roti, aku juga sarapan makian dari madam Belanda tadi. Itulah hidupku sekarang, masa depanku tak jelas dan aku sudah tak punya konsep lagi tentang masa depan. Semuanya serba tak pasti. Yang kutahu pasti cuma satu hal: aku telah gagal. Aku mengutuki diri sendiri terutama ketika apel Korpri tanggal 17.

Hanya Eryn Resvaldya Novella satu-satunya hiburan dalam hidupku. Ia cerdas, agamis, cantik, dan baik hati. Usianya 21 tahun. Belakangan aku memanggilnya *awardee* karena ia baru saja menerima *award* sebagai mahasiswa paling bermutu di salah satu universitas paling bergengsi di negeri ini di kawasan Depok. Ia mahasiswa universitas itu, jurusan psikologi. Ayah Eryn, abangku, terkena PHK dan aku mengambil alih membiayai sekolahnya.

Lelah seharian bekerja lenyap jika melihat Eryn dan semangat belajarnya, jiwa positifnya, dan intelegensia yang terpancar dari sinar matanya. Aku rela kerja lembur berjam-jam, membantu menerjemahkan bahasa Inggris, menerima ketikan, dan berkorban apa saja—termasuk baru-baru ini menggadaikan sebuah *tape deck*, hartaku yang paling berharga—demi membiayai kuliahnya. Pengalaman dengan Lintang telah menjadi trauma bagiku. Kadang-kadang aku bekerja begitu keras demi Eryn untuk menghilangkan perasaan bersalah karena tak mampu membantu Lintang. Eryn menimbulkan semacam perasaan bahwa semenyedihkan apa pun, hidupku masih berguna. Tak ada yang dapat dibanggakan dalam hidupku sekarang, tapi aku ingin mendedikasikannya pada sesuatu yang penting. Eryn adalah satu-satunya arti dalam hidupku.

Saat ini Eryn sedang panik karena proposal skripsinya berulang kali ditolak. Sudah belasan kali hal ini terjadi. Sejak kuliahnya selesai semester lalu ia telah menghabiskan waktu lima bulan hanya untuk mencari topik skripsi yang bermutu. Bersama surat penolakan itu pembimbingnya melampirkan lima belas lembar kertas berisi judul skripsi yang pernah ditulis. Aku melirik, benar saja, sudah tiga puluh orang yang menulis tentang *personality disorder*, puluhan lainnya menulis topik tentang kepuasan kerja, *down syndrome*, dan metode konseling anak. Tak terhitung yang telah menulis skripsi mengenai autisme.

Pembimbingnya menuntut Eryn menulis sesuatu yang baru, berbeda, dan mampu membuat terobosan ilmiah karena ia adalah mahasiswa cerdas pemenang *award*. Aku setuju dengan pandangan itu. Eryn sebenarnya telah memiliki konsep tentang sesuatu yang berbeda itu. Dari pembicaraannya yang meluap-luap aku menangkap bahwa ia telah mempelajari suatu gejala psikologi di mana seorang individu demikian tergantung pada individu lain sehingga tak bisa melakukan apa pun tanpa pasangannya itu. Kemudian ia pun mengajukan tema tersebut, pembimbingnya setuju.

Masalahnya adalah gejala seperti itu sangat jarang terjadi sehingga Eryn tak kunjung mendapatkan kasus. Memang terdapat beberapa kasus dependensi tapi intensitas-nya rendah, gejala sehari-hari saja yang tidak memerlukan perawatan khusus sehingga dianggap kurang memadai un-tuk analisis mendalam. Eryn mencari sebuah kasus keter-gantungan yang akut.

Ia telah berkorespondensi dengan puluhan psikolog, psikiater, dosen-dosen universitas, lembaga-lembaga yang menangani kesehatan mental, dan para dokter di rumah sakit jiwa di seluruh negeri, tapi hampir empat bulan berlalu kasusnya tak kunjung ditemukan. Eryn mulai frustrasi.

Namun agaknya nasib menyapa Eryn hari ini. Ketika menyortir aku menemukan sepucuk surat yang ditujukan ke kontrakanku. Surat untuk Eryn dengan sampul resmi yang bagus sekali, dari sebuah rumah sakit jiwa di Sungai Liat, Bangka.

"*Awardee*! Seseorang dari rumah sakit jiwa agaknya jatuh hati padamu …," kataku setiba di rumah kontrakan-ku.

Ia merampas surat dari tanganku, membacanya se-kilas, lalu meloncat-loncat gembira.

"Alhamdulillah, *finally*! Cicik (paman), kita akan berangkat ke Sungai Liat!"

Eryn telah menemukan kasusnya. Seorang dokter se-nior—profesor tepatnya—yang menjadi staf ahli di rumah sakit jiwa Sungai Liat memberi tahu bahwa kasus langka yang dicari Eryn ditemukan di sana. Dokter itu juga menga-takan bahwa kasus itu banyak diincar para ilmuwan, termasuk beberapa kandidat Ph.D. untuk diteliti, tapi Eryn diprioritaskan karena prestasi kuliahnya.

Eryn memintaku cuti untuk mengantarnya ke rumah sakit jiwa itu. Apa dayaku menolak, bukankah semuanya memang untuk mendukung dirinya. Lagi pula Sungai Liat ada di Pulau Bangka, tetangga Pulau Belitong. Kami akan sekalian pulang kampung setelah ia riset.

Rumah sakit jiwa Sungai Liat sudah sangat tua. Orang Belitong menyebutnya Zaal Batu. Barangkali zaman dulu dinding ruang perawatannya adalah batu. Karena di Belitong tidak ada rumah sakit jiwa—bahkan sampai sekarang— maka orang Belitong yang mentalnya sakit parah sering dikirim melintasi laut ke rumah sakit jiwa ini. Karena itu Zaal Batu bagi orang Belitong selalu memberi kesan sesuatu yang mendirikan bulu kuduk, kelam, sakit, dan putus asa.

SORE itu mendung ketika kami tiba di Zaal Batu. Suara azan asar bersahut-sahutan lalu sepi pun mencekam. Kami memasuki gedung tua berwarna serba putih dengan plafon tinggi dan pilar-pilar. Lalu kami melewati sebuah selasar panjang berlantai ubin tua berwarna cokelat dan bermotif jajaran genjang simetris.

Beberapa jambangan bunga model lama—gaya Belanda—bederet-deret di sepanjang selasar itu. Pemandangan lainnya tak berbeda dengan rumah sakit jiwa lainnya. Pintu-pintu besi dengan gembok besar, kamar obat berisi botol-botol pendek, bau karbol, meja beroda, para perawat yang berpakaian serba putih, dan para pasien yang berbicara sendiri atau memandang aneh. Terdengar lamat-lamat suara cekikikan dan teriakan beberapa kelompok pasien yang sedang bercanda dengan para perawat di halaman rumah sakit yang luas.

Setelah melewati selasar kami berhadapan dengan sebuah pintu jeruji yang dikunci dengan lilitan rantai dan digembok. Kami terhenti di situ. Seorang perawat pria tergopoh-gopoh menghampiri kami. Ia tahu kami sedang ditunggu, ia membuka pintu. Kami masuk melintasi sebuah ruangan panjang. Ruangan yang terkunci rapat ini menampung beberapa pasien. Mereka mengikuti gerak-gerik kami dengan teliti.

Eryn tak berani jauh-jauh dari perawat tadi. Aku tak takut tapi sedih melihat penderitaan jiwa mereka. Suasana di sini mencekam. Banyak pasien berusia lanjut dan meskipun kelihatan sehat tapi kita segera tahu bahwa orang-orang ini sangat terganggu kewarasannya. Pandangan matanya penuh tekanan, kesedihan, dan beban. Beberapa di antaranya bersimpuh di lantai atau mengguncang-guncang jerejak besi di jendela.

Aku memerhatikan beberapa wajah para pasien di balik batangan jeruji besi. Perlahan-lahan batangan jeruji itu bergerak sendiri berselang-seling. Wujudnya menjelma menjadi puluhan pasang kaki manusia. Di sela-sela kaki itu kulihat wajah yang telah sangat lama kukenal. Kesedihan rumah sakit jiwa ini membuka ruangan gelap di kepalaku, tempat Bodenga bersembunyi.

Kami kembali terhenti di depan sebuah pintu besi. Kali ini pintu besi dua lapis. Setelah rantai dibuka kami memasuki ruangan berupa lorong yang panjang. Sisi kiri kanan lorong adalah kamar-kamar perawatan. Suasana di lorong ini sunyi senyap. Sebagian besar kamar kosong dengan pintu terbuka. Kamar yang diisi pasien tertutup rapat. Lamat-lamat terdengar suara orang meratap dari balik pintu-pintu tertutup itu.

Aku mendengar suara langkah sepatu yang bergema dalam kesepian ruangan. Seorang pria berusia enam puluhan mendekati kami. Beliau tersenyum. Wajahnya tenang, bersih, dan bening, tipikal wajah yang sering tersiram air wudhu. Jemari tangannya menggulirkan biji-biji tasbih, beliau mengucapkan asma-asma Allah, beliau membuatku sangat segan, seorang intelektual yang rendah hati sekaligus yang taat beragama. Profesor ini memiliki dua kualitas agung tersebut. Dengan sangat santun beliau menyatakan terima kasih atas kedatangan kami. Namanya Profesor Yan.

"Ini kasus *mother complex* yang sangat ekstrem …," kata profesor itu dengan suara berat, seakan ikut merasakan penderitaan pasiennya.

"Tiga puluh delapan tahun di bidang ini baru kali ini aku menjumpai hal semacam ini. Anak muda ini sedikit pun tak bisa lepas dari ibunya. Jika bangun tidur tidak melihat ibunya ia menjerit-jerit histeris. Ketergantungan yang kronis ini menyebabkan ibunya sendiri sekarang hampir terganggu jiwanya. Mereka telah menghuni tempat ini hampir selama enam tahun ...."

Aku tersentak miris mendengar penjelasan beliau. Eryn sendiri terperanjat. Ia berusaha menguatkan diri mendengar kenyataan yang menghancurkan hati itu. Aku menatap wajah Profesor Yan. Ia adalah dokter jiwa yang amat berpengalaman tapi jelas ia prihatin dan terpengaruh dengan kasus ini. Di sisi lain aku kagum pada psikologi dan orang-orang yang mendedikasikan hidupnya pada bidang ini.

Penjelasan Profesor Yan melekat dalam pikiranku. Aku merinding karena merasa getir pada nasib anak-beranak itu. Anak muda yang malang. Ibunya yang tadinya sehat terpaksa hidup tidak normal. Orangtua mana yang mampu menolak kasih sayang anaknya, meskipun rasa sayang itu berlebihan? Mungkin ia lebih rela gila daripada membiarkan anaknya berteriak-teriak memerlukannya sepanjang waktu. Mereka berdua pasti amat menderita. Enam tahun terpuruk di sini, betapa mengerikan. Kadang-kadang nasib bisa demikian kejam pada manusia. Siapakah anak-beranak yang malang itu?

Profesor Yan membimbing kami menyelusuri lorong tadi menuju sebuah pintu paling ujung. Di sana ada ruangan terpencil dan menyendiri. Beliau membuka pintu pelan-pelan. Aku gugup membayangkan pemandangan yang akan kulihat. Akankah aku kuat menyaksikan penderitaan seberat itu? Apa sebaiknya aku menunggu di luar saja? Tapi Profesor Yan telanjur membuka pintu. Engsel pintu berdecit panjang, menimbulkan rasa gamang.

Kami berdiri di ambang pintu. Ruangan itu luas, tak berjendela, dan dindingnya polos tinggi berwarna putih. Tak ada lukisan atau jambangan bunga. Begitu sepi, tak ada suara satu pun. Penerangan hanya berasal dari sebuah bohlam dengan kap rendah sehingga plafon menjadi gelap. Ruangan ini suram, penuh nuansa kepedihan dan keputus-asaan. Dalam sorot lampu tak tampak perabot apa pun ke-cuali sebuah bangku panjang kecil nun jauh di sudut ruang-an.

Dan di bangku panjang itu, kira-kira lima belas lang-kah dari kami, duduk berdua rapat-rapat kedua makhluk malang itu, seorang ibu dan anaknya. Gerak-gerik mereka gelisah, seperti tempat itu sangat asing dan mengancam mereka. Mereka seakan memelas, memohon agar diselamat-kan.

Dalam cahaya lampu yang samar tampak sang anak berpostur tinggi dan sangat kurus, rambutnya panjang dan menutupi sebagian wajahnya. Jambang, alis, dan kumisnya tebal tak teratur. Kulitnya putih. Air mukanya menimbulkan perasaan iba yang memilukan. Ia berpakaian rapi, bajunya adalah kemeja putih lengan panjang, celananya berwarna gelap, dan sepatu kulitnya bersih mengilap. Usianya kurang lebih tiga puluhan. Ia ketakutan. Sorot matanya yang teduh melirik ke kiri dan ke kanan. Ia gugup dan sering menarik napas panjang.

Ibunya kelihatan puluhan tahun lebih tua dari usia sesungguhnya. Pancaran matanya menyimpan kesakitan yang parah dan caranya menatap menjalarkan rasa pedih

yang dalam. Lingkaran di sekeliling matanya berwarna hi-
tam dan ia amatlah kurus. Daya hidup telah padam dalam
dirinya. Ia memakai sandal jepit yang kebesaran dan tam-
pak menyedihkan. Wajahnya jelas memperlihatkan kerisau-
an yang amat sangat dan tekanan jiwa yang tak tertahan-
kan.

Mereka berdua melihat kami sepintas-sepintas tapi
kebanyakan menunduk. Sang anak mengapit lengan ibu-
nya. Ketika kami masuk, ia semakin merapatkan dirinya
pada ibunya. Aku tak sanggup menanggungkan peman-
dangan memilukan ini. Tanpa kusadari air mataku mengalir.
Eryn pun ingin menangis tapi ia berupaya keras menjaga
sikap profesional sebagai seorang peneliti. Aku tak tahan
melihat anak-beranak dengan cobaan hidup seberat ini. Me-
reka seperti dua makhluk yang terjerat, cidera, dan tak ber-
daya. Aku minta diri keluar dari ruangan yang menyesak-
kan dada itu.

Hampir selama satu setengah jam Eryn dibantu oleh
profesor yang baik itu dalam melakukan semacam wawan-
cara pendahuluan dengan kedua pasien malang itu. Dari
pintu yang terbuka aku dapat melihat mereka berempat
duduk di bangku tersebut. Kedua pasien itu masih terlihat
gelisah.

Kemudian wawancara pun selesai dan Eryn memberi
isyarat padaku untuk berpamitan pada ibu dan anak itu.
Aku masuk lagi ke ruangan, mencoba tersenyum seramah
mungkin walaupun hatiku hancur membayangkan pen-
deritaan mereka. Aku menyalami keduanya. Kali ini Eryn

tak sanggup menahan air matanya. Lalu pelan-pelan kami pamit keluar ruangan.

Profesor Yan dan Eryn berjalan di depanku. Mereka terlebih dahulu keluar ruangan, sementara aku yang keluar terakhir meraih gagang pintu dan menutupnya. Tepat pada saat itu aku terperanjat karena mendengar seseorang memanggil namaku.

"Ikal ...," suara lirih itu berucap.

Eryn dan Profesor Yan kaget. Mereka terheran-heran, apalagi aku. Kami saling berpandangan. Tak ada orang lain di ruangan itu kecuali kami bertiga dan kedua makhluk malang tadi. Dan jelas suara itu berasal dari ruangan yang baru saja kututup. Kami berbalik, tapi ragu, maka aku tak segera membuka pintu.

"Ikal ...," panggilnya lagi.

"Mereka memanggil *Cicik*!" teriak Eryn menatapku takjub.

Salah seorang dari pasien itu jelas memanggilku.

Aku memutar gagang pintu dan menghambur ke dalam. Kuhampiri mereka dengan hati-hati. Dalam jarak tiga meter aku berhenti. Mereka berdua bangkit. Aku mengamati mereka baik-baik, berusaha keras mengenali kedua tubuh ringkih yang berdiri saling mencengkeram lengan masing-masing dengan jari-jari yang kurus tak terawat. Rambut sang ibu yang kelabu terjuntai panjang semrawut menutupi kedua matanya yang cekung dan berwarna abu-abu. Pipi anaknya basah karena air mata yang mengalir pelan. Air matanya itu berjatuhan ke lantai. Bibirnya yang pucat bergetar mengucapkan namaku berkali-kali, seakan ia telah bertahun-tahun menungguku, tangannya menjangkau-jangkau. Ibunya terisak-isak dan menutup wajah dengan kedua tangannya. Aku tak mampu berkata apa pun dan masih diliputi tanda tanya. Namun, tepat ketika aku maju selangkah untuk mengamati mereka lebih dekat si anak menyibakkan rambut panjang yang menutupi wajahnya dan pada saat itu aku tersentak tak alang kepalang. Aku terkejut luar biasa. Kurasakan seluruh tubuhku menggigil. Rangka badanku seakan runtuh dan setiap persendian di tubuhku seakan terlepas. Aku tak percaya dengan pemandangan di depan mataku. Aku merasa kalut dan amat pedih. Aku ingin berteriak dan meledakkan tangis. Aku mengenal dengan baik kedua anak beranak yang malang ini. Mereka adalah Trapani dan ibunya.

Bab 32
Agnostik

Satu titik dalam relativitas waktu:
Saat inilah masa depan itu

TOKO Sinar Harapan tak banyak berubah, masih ambura-dul seperti dulu. Ketika bus reyot yang membawaku pulang kampung melewati toko itu, di sebelahnya aku melihat toko yang bernama Sinar Perkasa. Di situ ada seorang laki-laki yang menarik perhatianku. Pria itu agaknya seorang kuli toko. Badannya tinggi besar dan rambutnya panjang sebahu diikat seperti samurai. Lengan bajunya digulung tinggi-tinggi. Ia sengaja memperlihatkan otot-ototnya. Tapi wajahnya sangat ramah dan tampaknya ia senang sekali menunaikan tugasnya. Belanjaan yang dipanggul kuli ini tak tanggung-tanggung: dua karung dedak di punggungnya, ban sepeda dikalungkan di lehernya, dan plastik-plastik kresek serta tas-tas belanjaan bergelantungan di lengan kiri kanannya. Ia seperti toko kelontong berjalan. Di belakangnya berjalan terantuk-antuk seorang nyonya gemuk yang memborong segala macam barang itu.

Setelah memuat belanjaan ke atas bak sebuah mobil pikap, pria bertulang besi tadi menerima sejumlah uang. Ia mengucapkan terima kasih dengan menunduk sopan lalu kembali ke tokonya. Toko berjudul Sinar Perkasa itu, sesuai sekali dengan penampilan kulinya. Pria itu menyerahkan uang tadi kepada juragan toko yang kemudian mengibas-ngibaskan uang itu ke barang-barang dagangannya lalu mereka berdua tertawa lepas layaknya dua sahabat baik. Wajah keduanya tak lekang dimakan waktu.

Aku tersenyum mengenang nostalgia di Toko Sinar Harapan dan teringat bahwa dulu aku pernah memiliki cinta yang ternyata tak hanya sedalam lubuk kaleng-kaleng cat yang sampai sekarang masih berjejal-jejal di situ. Aku juga merasa beruntung telah menjadi orang yang pernah mengungkapkan cinta. Masih terasa indahnya sampai sekarang. Merasa beruntung karena kejadian itu merupakan tonggak bagaimana secara emosional aku telah berevolusi. Dan agaknya cinta pertamaku dulu amat berkesan karena ia telah melambungkanku ke puncak kebahagiaan sekaligus membuatku menggelongsor karena patah hati di antara keranjang buah mengkudu busuk di toko itu.

Kita dapat menjadi orang yang skeptis, selalu curiga, dan tak gampang percaya karena satu orang pernah menipu kita. Tapi ternyata dengan satu kasih yang tulus lebih dari cukup untuk mengubah seluruh persepsi tentang cinta. Paling tidak itu terjadi padaku. Meskipun kemudian setelah dewasa beberapa kali cinta memperlakukan aku dengan amat buruk, aku tetap percaya pada cinta. Semua itu gara-gara wanita berparas kuku ajaib di Toko Sinar Harapan itu. Ke manakah gerangan dia sekarang? Aku tak tahu dan tak mau tahu. Gambaran cinta seindah lukisan taman bunga karya Monet itu biarlah seperti apa adanya. Kalau aku menjumpai A Ling lagi bisa-bisa citra lukisan itu pudar karena mungkin saja A Ling sekarang adalah A Ling dengan parises, selulit, pantat turun, susu kempes, gemuk, perut buncit, dan kantong mata. Ia dulu adalah venus dari Laut Cina Selatan dan aku ingin tetap mengenangnya seperti itu.

Aku mengeluarkan dari tasku buku *Seandainya Mereka Bisa Bicara* yang dihadiahkan A Ling padaku sebagai kenangan cinta pertama kami. Bus reyot yang terlonjak-lonjak karena jalan yang berlubang-lubang membuat aku tak dapat membacanya. Ketika jarak antara bus dan Toko Sinar Harapan perlahan mengembang aku merasa takjub bagaimana lingkaran hidup merupakan jalinan aksi dan reaksi seperti postulat Isaac Newton atau hidup tak ubahnya sekotak cokelat seperti kata Forrest Gump. Jika membuka kotak cokelat kita tak 'kan dapat menduga rasa apa yang akan kita dapatkan dari bungkus-bungkus plastik lucu di dalamnya. Sebuah benda kecil yang tak penting atau suatu kejadian yang sederhana pada masa yang amat lampau dapat saja menjadi sesuatu yang kemudian sangat memengaruhi kehidupan kita.

Buku itu kugenggam erat di atas pangkuanku dan aku segera menyadari bahwa seluruh kehidupan dewasaku telah terinspirasi oleh buku kumal yang selalu kubawa ke mana-mana itu. Dulu ketika frustrasi karena berpisah dengan A Ling maka pesona Desa Edensor, Taman Daffodil dan jalan pasar berlandaskan batu-batu bulat, serta hamparan sabana di bukit-bukit Derbyshire telah menghiburku. Kemudian pada masa dewasa ini ketika kehidupanku di Bogor berada pada titik terendah aku perlahan-lahan bangkit juga karena semangat yang dipancarkan oleh Herriot, sang tokoh utama buku itu. Seperti ajaran Pak Harfan, Bu Mus, dan Kemuhammadiyahan, Herriot juga mengajariku tentang optimisme dan bagaimana aku harus berjuang untuk meraih masa depanku.

Seminggu setelah kulemparkan naskah bulu tangkisku ke Kali Ciliwung aku membaca sebuah pengumuman beasiswa pendidikan lanjutan dari sebuah negara asing. Aku segera menyusun rencana C, yaitu aku ingin sekolah lagi! Kemudian setelah itu tak ada satu menit pun waktu kusia-siakan selain untuk belajar. Aku membaca sebanyak-banyaknya buku. Aku membaca buku sambil menyortir surat, sambil makan, sambil minum, sambil tiduran mendengarkan wayang golek di radio AM. Aku membaca buku di dalam angkutan umum, di dalam jamban, sambil mencuci pakaian, sambil dimarahi pelanggan, sambil disindir ketua ekspedisi, sambil upacara Korpri, sambil menimba air, atau sambil memperbaiki atap bocor. Bahkan aku membaca sambil membaca. Dinding kamar kostku penuh dengan grafiti rumus-rumus kalkulus, GMAT, dan aturan-aturan *tenses*. Aku adalah pengunjung perpustakaan LIPI yang paling rajin dan *shift* sortir subuh yang dulu sangat kubenci sekarang malah kuminta karena dengan demikian aku dapat pulang lebih awal untuk belajar di rumah. Jika beban pekerjaan demikian tinggi aku membuat resume bacaanku dalam kertas-kertas kecil, inilah teknik jembatan keledai yang dulu diajarkan Lintang padaku. Kertas-kertas kecil itu kubaca sambil menunggu ketua pos menurunkan kantong-kantong surat dari truk.

Di rumah aku belajar sampai jauh malam dan penyakit insomnia ternyata malah mendukungku. Aku adalah penderita insomnia yang paling produktif karena saat-saat tak bisa tidur kugunakan untuk membaca. Jika kelelahan belajar aku melakukan penyegaran mental yaitu kembali membuka buku *Seandainya Mereka Bisa Bicara* dan di sana kutemukan bagaimana Herriot menghadapi kesulitan membuktikan dirinya di depan para petani Derbyshire yang sangat skeptis, keras kepala, dan antiperubahan. Dari buku itu juga aku merasakan angin pagi lembah Edensor yang dingin bertiup merasuki dadaku yang sesak setelah menyelusup di antara dedaunan *astuaria*. Membaca semua itu semangatku kembali terpompa dan hatiku semakin bening siap menerima pelajaran-pelajaran baru.

"Aku harus mendapatkan beasiswa itu!" demikian kataku dalam hati setiap berada di depan kaca.

Aku benar-benar bertekad mendapatkan beasiswa itu karena bagiku ia adalah tiket untuk meninggalkan hidupku yang terpuruk. Lebih dari itu aku merasa berutang pada Lintang, A Ling, Pak Harfan, Bu Mus, Laskar Pelangi, Sekolah Muhammadiyah, dan Herriot.

Kemudian tes demi tes yang mendebarkan berlangsung selama berbulan-bulan, diawali dengan sebuah tes penyaringan pertama di sebuah stadion sepak bola yang dipenuhi peserta. Hampir tujuh bulan kemudian aku berada pada tahap yang disebut penentuan terakhir. Penentuan terakhir merupakan sebuah wawancara di sebuah lembaga yang hebat di Jakarta. Wawancara akhir ini dilakukan oleh seorang mantan menteri yang berwajah tampan tapi senang bukan main pada rokok.

"*Disgusting habit!*" Sebuah kebiasaan yang menjijikkan, kata Morgan Freeman dalam sebuah film.

Aku mengenakan pakaian rapi dan untuk pertama kalinya. Berdasi, memakai sedikit minyak wangi, dan menyemir sepatu. Pulpen di saku dan kubawa map yang tak tahu berisi apa. Aku telah menjadi tipikal orang muda yang spekulatif. Sebuah pemandangan yang menyedihkan sesungguhnya.

Bapak perokok itu memanggilku, mempersilakanku duduk di depannya, dan mengamatiku dengan teliti. Barangkali ia berpikir apakah anak kampung ini akan bikin malu tanah air di negeri orang. Lalu ia membaca *motivation letter*-ku yaitu suatu catatan alasan dari berbagai aspek yang dibuat peserta mengapa ia merasa patut diberi beasiswa.

Mantan menteri itu mengisap rokoknya dalam-dalam, lalu ajaib sekali! Ia sama sekali tidak mengeluarkan kembali asap rokok itu. Rupanya asap itu diendapkannya sebentar di dalam rongga dadanya. Matanya terpejam ketika menikmati racun nikotin lalu disertai sebuah senyum puas yang mengerikan ia mengembuskan asap rokok itu dekat sekali dengan wajahku. Mataku perih, aku menahan batuk dan ingin muntah tapi apa dayaku, laki-laki di depanku ini memegang tiket masa depanku dan tiket itu amat kuperlukan. Maka aku duduk bertahan sambil membalas senyumnya dengan senyum basi ala pramugari sementara perutku mual.

"Saya tertarik dengan *motivation letter* Anda, alasan dan cara Anda menyampaikannya dalam kalimat Inggris sangat mengesankan," katanya.

Aku kembali tersenyum, kali ini senyum khas penjual asuransi.

"Belum tahu dia, orang Melayu lincah benar bersilat kata," kataku dalam hati.

Lalu sang mantan menteri membuka proposal penelitianku yang berisi bidang yang akan kutekuni, materi riset, dan topik tesis dalam pendidikan beasiswa nanti.

"Ahhhh, ini juga menarik ...."

Ia ingin melanjutkan kata-katanya tapi agaknya rokok yang sangat dicintainya itu lebih penting maka ia kembali memenuhi dadanya dengan asap. Aku berani bertaruh jika dirontgen maka rongga dada dan seluruh isinya pasti telah berwarna hitam. Bapak ini terkenal sangat pintar bukan hanya di dalam negeri tapi juga di luar negeri, sumbangannya tak kecil untuk bangsa ini, tapi bagaimana ia bisa menjadi demikian bodoh dalam persoalan rokok ini?

"Hmmm ... hmmm ... sebuah topik yang memang patut dipelajari lebih jauh, menarik sekali, siapa yang membimbing Anda menulis ini?" beliau tersenyum lebar dan asap masih mengepul di mulutnya.

Aku tahu pertanyaan itu retoris, tak memerlukan jawaban, karena dia tahu seseorang tak mungkin dibimbing untuk membuat proposal tersebut, maka aku hanya tersenyum.

"Bu Mus, Pak Harfan, Lintang, Sekolah Muhammadiyah, A Ling, dan Herriot!" Itulah jawaban yang tak kuucapkan.

"Saya telah lama menunggu ada proposal riset semacam ini, ternyata datang dari seorang pegawai kantor pos! Ke mana kau pergi selama ini Anak Muda?"

Kembali retoris dan aku kembali tersenyum. "Edensor!" bisik hatiku.

Maka tak lama kemudian aku telah menjadi mahasiswa. Meskipun hanya langkah kecil aku merasa telah membuat sebuah kemajuan dan sekarang aku dapat menilai hidupku dari perspektif yang sama sekali berbeda. Aku lega terutama karena aku telah membayar utangku pada Sekolah Muhammadiyah, Bu Mus, Pak Harfan, Lintang, Laskar Pelangi, A Ling, bahkan Herriot dan Edensor. Setiap titik yang aku singgahi dalam hidupku selalu memberiku

pelajaran berharga. Sekolah Muhammadiyah dan persaha-
batan Laskar Pelangi telah membentuk karakterku. A Ling,
Herriot, dan Edensor telah mengajariku optimisme dan me-
nunjukkan bahwa jalinan nasib dapat menjadi begitu me-
nakjubkan. Kemudian, meskipun aku tidak menyukai pe-
kerjaan sortir, orang-orang hebat kawan sekerja di kantor
pos Bogor telah mengajariku arti integritas bagi sebuah
badan usaha dan makna dedikasi pada pekerjaan pos yang
mulia, yaitu mengemban amanah.

ADA orang-orang tertentu yang memendam cinta
demikian rapi. Bahkan sampai mereka mati, sekerling pun
mereka tak pernah memperlihatkan getar hatinya. Cinta
mereka sesepi stambul lama nan melankolis dengan pe-
ngarang yang tak pernah dikenal. Jika malam tiba mereka
mendengus-dengus meratapi rindu, menampar muka sen-
diri karena jengkel tak berani mendeklarasikan cinta yang
menggelitik perutnya. Cintanya tak pernah terungkap
karena ngeri membayangkan risiko ditolak. Lama-lama, se-
perti seorang narsis, mereka menyukai mencintai seseorang
di dalam hatinya sendiri. Cinta satu sisi, indah tapi merana
tak terperi. Mereka hidup dalam bayangan. Meng-
ungkapkan cinta agaknya mengandung daya tarik paling
misterius dari cinta itu sendiri. Itulah yang dirasakan A
Kiong selama belasan tahun.

Hampa karena cinta dan kecewa pada masa depan membuat A Kiong sempat menjalani hidup sebagai seorang agnostik, yaitu orang yang percaya kepada Tuhan tapi tidak memeluk agama apa pun, oleh karena itu ia tidak pernah beribadah. Ia mendaki puncak bukit keangkuhan di dalam hatinya untuk berteriak lantang menentang segala bentuk penyembahan. Ia berkelana mengamati agama demi agama, terombang ambing dalam kebingungan tentang keyakinan dan konsep keadilan Tuhan. Hari demi hari ia semakin sesat. Ia kafir bagi agama mana pun.

Namun, menjelang dewasa ia mengalami suatu masa di saat setiap mendengar suara azan ia sering disergap perasaan sepi nan indah yang menyelusup ke dalam kalbunya, membuatnya terpaku, dan melelehkan air matanya. Panggilan shalat itu mengembuskan rasa hampa yang menyuruhnya merenung. Ia cemas serasa akan mati esok pagi. Ia merenung dan pada suatu hari dengungan azan magrib membuatnya berputar seperti gasing, perutnya naik memuntahkan seluruh makanan dan minuman haram dari lipatan-lipatan ususnya, ia terjerembap tak berdaya seakan tulang belulangnya hancur dihantam palu godam. Air matanya berlinang tak terbendung. Ia merangkak-rangkak memohon ampunan. Ia telah dipilih oleh Allah untuk diselamatkan. A Kiong, makhluk pendusta agama ini, bagian dari sebagian kecil orang yang amat beruntung, mendapat magfirah*.

---

*ampun; maaf

Ia memeluk Islam, disunat, dan mengucapkan kalimat syahadat disaksikan Pak Harfan dan Bu Mus. Bu Mus menganugerahkan sebuah nama untuknya: Muhammad Jundullah Gufron Nur Zaman. Nama yang sangat hebat. Artinya tentara Allah, orang yang mendapat ampunan dan cahaya. A Kiong tinggal sejarah, bagian dari sebuah masa lalu yang gelap. Ia segera menjadi muslim yang taat. Hidupnya tenang, namun kesepian sepanjang malam masih merisaukannya.

Penerima cahaya ini menceritakan dengan sepenuh jiwa kepadaku bahwa yang merisaukannya itu adalah cinta yang telah disimpannya sangat lama. Cinta yang tak terungkap. Tak seorang pun tahu kalau Nur Zaman selama ini telah menjadi seekor pungguk. Wanita itu, katanya, telah membuat malam-malamnya gelisah.

"Aku lemas karena paru-paruku basah digenangi air mata rindu," demikian ungkapan perasaannya padaku. Laki-laki berkepala kaleng kerupuk ini bisa juga puitis.

"Berhari-hari terperangkap dalam bingkai kaca seraut wajah yang sama, tak dapat lagi kupikirkan lagi hal-hal lain. Setiap melihat cermin yang terpantul hanya wajahnya. Aku tak mau makan, tak bisa tidur ...," kenangnya. Romantis laksana opera sabun, sekaligus lucu dan menyedihkan.

Lalu setelah belasan tahun mengumpulkan keberanian, pada suatu malam, dengan basmallah, ia menjumpai wanita itu dan langsung, di depan orangtuanya, menyatakan keinginannya melamar. Ia pasrahkan semua keputusan kepada Allah. Ia siap hijrah ke Kanton naik kapal barang jika ditolak. Ternyata wanita itu juga telah lama diam-diam menaruh hati padanya. Terberkatilah mereka yang berani berterus terang. Wanita itu adalah Sahara.

Sekarang mereka sudah punya anak lima dan membuka toko kelontong dengan judul Sinar Perkasa tadi. Mereka mempekerjakan seorang kuli dan memperlakukannya sebagai sahabat. Kulinya adalah pria raksasa berambut sebahu seperti samurai itu, tak lain adalah Samson.

Jika waktu luang mereka bertiga mengunjungi Harun. Harun bercerita tentang kucingnya yang berbelang tiga, melahirkan anak tiga, semuanya berbelang tiga, dan kejadian itu terjadi pada tanggal tiga. Sahara mendengarkan penuh perhatian. Kalau dulu Harun adalah anak kecil yang terperangkap dalam tubuh orang dewasa, sekarang ia adalah orang dewasa yang terperangkap dalam alam pikiran anak kecil.

"Aku mendapatkan kebahagiaan terbesar yang mungkin didapatkan seorang pria," kata Nur Zaman padaku.

Ingatkah akan kata-kata itu? Bukankah dulu katakata itu pernah kuucapkan? Klise! Tidak, sama sekali tidak klise bagi Nur Zaman. Ia adalah pria terhormat yang telah memanfaatkan dengan baik waktu yang diberikan Tuhan. Ia berhasil menemukan kebenaran hakiki melalui penderitaan pergolakan batin. Tuhan mencintai orang-orang seperti ini.

BUS reyot itu menurunkan aku di seberang jalan di depan rumah ibuku. Aku mendengar lagu "Rayuan Pulau Kelapa" di RRI, yang berarti warta berita pukul 12. Sebuah siang yang panas dan sunyi. Dan kesunyian itu bubar oleh suara klakson panjang dari sebuah mobil tronton kapasitas sepuluh ton, gardan ganda, bertenaga turbo, dengan delapan belas ban berdiameter satu meter.

Seorang pria kecil terlonjak-lonjak di jok sopir. Ia terlalu kecil bagi truk raksasa pengangkut pasir gelas ini.

"Pulang kampung juga kau akhirnya, Ikal. Hari yang sibuk! Datanglah ke proyek," teriaknya.

Aku melepaskan empat tas yang membebaniku tapi hanya sempat melambaikan tangan. Ia pun pergi meninggalkan debu.

Esoknya aku berkunjung ke bedeng proyek pasir gelas sesuai undangan sopir kecil itu. Bedeng itu memanjang di tepi pantai, tak berpintu, lebih seperti kandang ternak. Inilah tempat beristirahat puluhan sopir truk pasir yang bekerja siang malam bergiliran 24 jam untuk mengejar tenggat waktu mengisi tongkang. Tongkang-tongkang itu dimuati ribuan ton kekayaan bumi Belitong, tak tahu dibawa ke mana, salah satu perbuatan kongkalikong yang mengangkangi hak-hak warga pribumi.

Aku masuk ke dalam bedeng dan melihat ke sekeliling. Di tengah bedeng ada tungku besar tempat berdiang melawan dingin angin laut. Di pojok bertumpuk-tumpuk kaleng minyak solar, bungkus rokok Jambu Bol, dongkrak, beragam kunci, pompa minyak, tong, jerigen air minum, semuanya serba kumal dan berkilat. Panci hitam, piring kaleng, kotak obat nyamuk, kopi, dan mi instan berserakan di lantai tanah. Selembar sajadah usang terhampar lesu. Sebuah kalender bergambar wanita berbikini tergantung miring. Walaupun sekarang sudah bulan Mei tak ada yang berminat menyobek kalender bulan Maret, karena gambar wanita bulan Maret paling *hot* dibanding bulan lainnya.

Pria yang kemarin menyapaku, yang menyetir tronton itu, salah satu dari puluhan sopir truk yang tinggal di bedeng ini, duduk di atas dipan, dekat tungku, berhadap-hadapan denganku. Ia kotor, miskin, hidup membujang, dan kurang gizi, ia adalah Lintang.

Aku tak berkata apa-apa. Terlihat jelas ia kelelahan melawan nasib. Lengannya kaku seperti besi karena kerja rodi tapi tubuhnya kurus dan ringkih. Binar mata kepintaran dan senyum manis yang jenaka itu tak pernah hilang walaupun sekarang kulitnya kering berkilat dimakan minyak. Rambutnya semakin merah awut-awutan. Lintang dan keseluruhan bangunan ini menimbulkan rasa iba, iba karena kecerdasan yang sia-sia terbuang.

Aku masih diam. Dadaku sesak. Bedeng ini berdiri di atas tanah semacam semenanjung, daratan yang menjorok ke laut. Aku mendengar suara .... Bum ...! Bum ...! Bum ...! Aku melihat ke luar jendela sebelah kananku. Sebuah *tugboat** penarik tongkang meluncur pelan di samping

---

*kapal tandu; kapal tunda

bedeng. Suara motor tempel yang *nendang* menggetarkan tiang-tiang bedeng dan asap hitam mengepul tebal. Gelombang halus yang ditimbulkan *tugboat* tersebut memecah tepian yang berkilat seperti permukaan kaca berwarna-warni karena digenangi minyak.

Kupandangi terus *tugboat* yang melaju dan sekejap aku merasa *tugboat* itu tak bergerak tapi justru aku dan bedeng itu yang meluncur. Lintang yang dari tadi mengamatiku membaca pikiranku.

"*Einstein's simultaneous relativity* ...," katanya memulai pembicaraan. Ia tersenyum getir. Kerinduannya pada bangku sekolah tentu membuatnya perih.

Aku juga tersenyum. Aku mengerti ia tidak mengalami apa yang secara imajiner baru saja aku alami. Dua orang melihat objek yang sama dari dua sudut pandang yang berbeda maka pasti mereka memiliki persepsi yang berbeda. Oleh karena itu, Lintang menyebutnya simultan. Sebuah konteks yang relevan dengan perspektifku melihat hidup kami berdua sekarang.

Tak lama kemudian aku mendengar lagi suara bum! Bum! Bum! Kali ini sebuah *tugboat* yang lain meluncur pelan dari arah yang berlawanan dengan arah *tugboat* yang pertama tadi. Buritan *tugboat* yang pertama belum habis melewatiku maka aku menoleh ke kiri dan ke kanan membandingkan panjang ke dua *tugboat* yang melewatiku secara berlawanan arah.

Lintang mengobservasi perilakuku. Aku tahu ia kembali membaca isi kepalaku, keahliannya yang selalu membuatku tercengang.

"Paradoks …," kataku.

"Relatif …," kata Lintang tersenyum.

Aku menyebut paradoks karena ukuran yang kuperkirakan sebagai subjek yang diam akan berbeda dengan ukuran orang lain yang ada di *tugboat* meskipun untuk *tugboat* yang sama.

"Bukan, bukan paradoks, tapi relatif," sanggah Lintang.

"Ukuran objek bergerak dilihat oleh subjek yang diam dan bergerak membuktikan hipotesis bahwa waktu dan jarak tidaklah mutlak tapi sebaliknya—relatif. Einstein membantah Newton dengan pendapat itu dan itulah aksioma pertama teori relativitas yang melambungkan Einstein."

Ugghh, Lintang! Sejak kecil aku tak pernah punya kesempatan sedikit pun untuk berhenti mengagumi tokoh di depanku ini. Mantan kawanku sebangku yang sekarang menjadi penghuni sebuah bedeng kuli ternyata masih *sharp*! Walaupun bola mata jenakanya telah menjadi kusam seperti kelereng diamplas, intuisi kecerdasannya tetap tajam seperti alap-alap mengintai anak ayam. Aku beruntung sempat bertemu dengan beberapa orang yang sangat genius tapi aku tahu Lintang memiliki bakat genius yang jauh melebihi mereka.

Aku termenung lalu menatapnya dalam-dalam. Aku merasa amat sedih. Pikiranku melayang membayangkan dia memakai celana panjang putih dan rompi pas badan dari bahan rajutan poliester, melapisi kemeja lengan panjang berwarna biru laut, naik mimbar, membawakan sebuah makalah di sebuah forum ilmiah yang terhormat. Makalah itu tentang terobosannya di bidang biologi maritim, fisika nuklir, atau energi alternatif.

Mungkin ia lebih berhak hilir mudik ke luar negeri, mendapat beasiswa bergengsi, dibanding begitu banyak mereka yang mengaku dirinya intelektual tapi tak lebih dari ilmuwan tanggung tanpa kontribusi apa pun selain tugas akhir dan nilai-nilai ujian untuk dirinya sendiri. Aku ingin membaca namanya di bawah sebuah artikel dalam jurnal ilmiah. Aku ingin mengatakan pada setiap orang bahwa Lintang, satu-satunya ahli genetika di Indonesia, orang yang telah menguasai operasi pohon Pascal sejak kelas satu SMP, orang yang memahami filosofi diferensial dan integral sejak usia demikian muda, adalah murid perguruan Muhammadiyah, temanku sebangku.

Namun, hari ini Lintang ternyata hanya seorang laki-laki kurus yang duduk bersimpuh menunggu giliran kerja rodi. Aku teringat lima belas tahun yang lalu ia memejamkan matanya tak lebih dari tujuh detik untuk menjawab soal matematika yang rumit atau untuk meneriakkan Joan d'Arch! Merajai lomba kecerdasan, melejitkan kepercayaan diri kami. Kini ia terpojok di bedeng ini, tampak tak yakin akan masa depannya sendiri. Aku sering berangan-angan ia mendapat kesempatan menjadi orang Melayu pertama yang menjadi matematikawan. Tapi angan-angan itu menguap, karena di sini, di dalam bedeng tak berpintu inilah Isaac Newton-ku berakhir.

"Jangan sedih, Ikal. Paling tidak aku telah memenuhi harapan ayahku agar tak jadi nelayan ...."

Dan kata-kata itu semakin menghancurkan hatiku, maka sekarang aku marah, aku kecewa pada kenyataan begitu banyak anak pintar yang harus berhenti sekolah karena alasan ekonomi. Aku mengutuki orang-orang bodoh sok pintar yang menyombongkan diri, dan anak-anak orang kaya yang menyia-nyiakan kesempatan pendidikan.

ALASAN orang menerima profesi tertentu kadang-kadang sangat luar biasa. Ada orang yang senang menjadi kondektur karena hobinya jalan-jalan keliling kota, ada yang gembira memandikan gajah di kebun binatang karena hobinya main air, dan ada yang selalu meminta tugas ke luar kota agar dapat sekian lama meninggalkan istrinya. Tapi tak ada yang senang menyortir surat untuk alasan apa pun. Oleh karena itu, ketika 10 karung surat ditumpahkan di depanku untuk disortir sedangkan tambahan tenaga yang kuminta berulang-ulang tak terpenuhi, aku langsung hengkang meninggalkan meja sortir itu, tak pernah kembali.

Sebagian orang menduduki profesinya sekarang sesuai cita-citanya, sebagian besar tak pernah sama sekali menduga bahwa ia akan menjadi seperti apa adanya sekarang, dan sebagian kecil memilih profesi karena *pertemuan dengan seseorang.*

Pertemuan dengan seseorang sering menjadi sebuah titik balik nasib. Jika tak percaya, tanyakan itu pada Mahar, Flo, dan seluruh anggota *Societeit de Limpai*. Pertemuan dengan Tuk Bayan Tula dan pesan beliau yang berbunyi: "Jika ingin lulus ujian, buka buku, belajar!" Ternyata menjadi kata-kata keramat yang mampu memutar haluan hidup mereka.

Pada hari Sabtu, sehari sesudah Mahar membaca pesan Tuk, kami berdesak-desakan di jendela kelas menyaksikan Flo dan Mahar menemui Bu Mus di bawah pohon *filicium*. Ketiga orang itu berdiri mematung dan tak banyak bicara. Lalu tampak kedua anak berandal itu bergantian mencium tangan Bu Mus, guru kami yang bersahaja. Perseteruan lama telah berakhir dengan damai. Keesokan harinya Mahar membubarkan *Societeit de Limpai*, dan esoknya lagi, pada Senin pagi yang biasa saja, kami menerima kejutan yang luar biasa, mengagetkan, dan amat mengharukan, Flo datang ke sekolah mengenakan jilbab.

Mahar dan Flo berhasil lulus ujian caturwulan terakhir. Flo telah berubah total. Ia dulu seorang wanita yang berusaha melawan kodratnya, namun akhirnya ia menjadi wanita sejati. Momentum dalam hidupnya jelas terjadi karena *pertemuan dengan seseorang.* Seseorang itu ada dua, yaitu Mahar dan Tuk Bayan Tula. Kejadian itu telah memutarbalikkan hidupnya. Flo menempuh perguruan tinggi di

Fakultas Keguruan dan Ilmu Pendidikan di Universitas Sri-
wijaya. Setelah lulus, ia menjadi guru TK di Tanjong Pandan
dan bercita-cita membangun gerakan wanita Muhammadi-
yah. Ia menikah dengan seorang petugas *teller* bank BRI
mantan anggota *Societeit*, dan keinginan lama Flo untuk
menjadi laki-laki dibayar Allah dengan memberinya dua
kali persalinan yang melahirkan empat anak laki-laki yang
tampan luar biasa dalam jarak hanya setahun. Dua kali anak
kembar!

Pesan Tuk Bayan Tula telah memberi pencerahan bagi
para anggota *Societeit*, bahwa tak ada yang dapat dicapai
di dunia ini tanpa usaha yang rasional. Sebuah pencerahan
terang benderang yang datang justru dari seorang tokoh
dunia gelap, manusia separuh peri, bahkan banyak yang
menganggapnya manusia separuh iblis.

Para anggota *Societeit* adalah orang-orang biasa, mis-
kin, dan kebanyakan, namun mereka kaya raya akan peng-
alaman batin dan petualangan penuh mara bahaya untuk
mencari kebenaran hakiki. Mereka memastikan setiap ke-
sangsian, membuktikan prasangka dan mitos-mitos, serta
mengalami sendiri apa yang hanya bisa diduga-duga orang.
Mereka memuaskan sifat dasar keingintahuan manusia
sampai batas akhir yang menguji keyakinan. Mereka adalah
orang-orang yang menjemput hidayah dan tidak duduk ter-
mangu-mangu menunggunya. Kini mereka menjadi orang-
orang Islam yang taat yang menjauhkan diri dari syirik. Di
bawah pemimpin baru, pemain organ tunggal itu, mereka
membentuk perkumpulan yang aktif melakukan dakwah

dan mengislamkan komunitas-komunitas terasing di pulau-pulau terpencil di perairan Bangka Belitong. Mereka laksana manusia-manusia baru yang dilahirkan dari kegelapan dan kini berjalan tegak di ladang ijtihad di bawah siraman air Danau Kautsar yang membersihkan hati.

Tuk Bayan Tula sendiri tak ada kabar beritanya. Anggota *Societeit* adalah manusia terakhir yang melihat beliau masih hidup. Dalam *kaar* (peta laut) terakhir perairan Belitong yang dipetakan oleh TNI AL, Pulau Lanun sudah tak tampak. Di perairan ini sering sekali pulau-pulau kecil timbul dan tenggelam karena badai atau ketidakstabilan permukaan air laut. Adapun pensiunan syah bandar yang dulu mengumandangkan azan ketika anggota *Societeit* hampir tewas dilamun badai sekarang menjadi muazin tetap di Masjid Al-Hikmah.

NASIB, usaha, dan takdir bagaikan tiga bukit biru samar-samar yang memeluk manusia dalam lena. Mereka yang gagal tak jarang menyalahkan aturan main Tuhan. Jika mereka miskin mereka mengatakan bahwa Tuhan, melalui takdir-Nya, memang mengharuskan mereka miskin.

Bukit-bukit itu membentuk konspirasi rahasia masa depan dan definisi yang sulit dipahami sebagian orang. Seseorang yang lelah berusaha menunggu takdir akan mengubah nasibnya. Sebaliknya, seseorang yang enggan membanting tulang menerima saja nasibnya yang menurutnya tak 'kan berubah karena semua telah ditakdirkan. Inilah lingkaran iblis yang umumnya melanda para pemalas. Tapi yang pasti pengalaman selalu menunjukkan bahwa hidup dengan usaha adalah mata yang ditutup untuk memilih buah-buahan dalam keranjang. Buah apa pun yang didapat kita tetap mendapat buah. Sedangkan hidup tanpa usaha adalah mata yang ditutup untuk mencari kucing hitam di dalam kamar gelap dan kucingnya tidak ada. Mahar memiliki bukti untuk hipotesis ini.

Ia hanya berijazah SMA. Nasibnya seperti Lintang. Mereka adalah dua orang genius yang kemampuannya dinisbikan secara paksa oleh tuntutan tanggung jawab pada keluarga. Mahar tak bisa meninggalkan rumah untuk berkiprah di lingkungan yang lebih mendukung bakatnya sejak ibunya sakit-sakitan karena tua. Sebagai anak tunggal ia harus merawat ibunya siang malam karena ayahnya telah meninggal.

Mahar pernah menganggur dan setiap hari, tanpa berusaha, menunggu takdir menyapanya. Ia mengharapkan surat panggilan dari Pemda untuk tenaga honorer. Ketika itu ia berpikir kalau takdir menginginkannya menjadi seorang guru kesenian maka ia tak perlu melamar. Ternyata cara berpikir seperti itu tak berhasil.

Maka ia mulai berusaha menulis artikel-artikel kebudayaan Melayu. Artikelnya menarik bagi para petinggi lalu ia dipercaya membuat dokumentasi permainan anak tradisional. Dokumentasi itu berkembang ke bidang-bidang lain seperti kesenian dan bahasa yang membuka kesempatan riset kebudayaan yang luas dan memungkinkannya menulis beberapa buku

Jika dulu ia tak menulis artikel maka ia tak 'kan pernah menulis buku. Melalui buku-buku itu ia tertakdirkan menjadi seorang narasumber budaya. *One thing leads to another.* Dalam kasus Mahar, nasib adalah setiap deretan titik-titik yang dilalui sebagai akibat dari setiap gerakan-gerakan konsisten usahanya dan takdir adalah ujung titik-titik itu. Sekarang Mahar sibuk mengajar dan mengorganisasi berbagai kegiatan budaya.

Tentu saja pekerjaan-pekerjaan itu tak mampu menyokong nafkah ia dan ibunya maka honor kecil tapi rutin juga Mahar peroleh dari orang pesisir yang meminta bantuannya melatih beruk memetik buah kelapa. Ia sangat ahli dalam bidang ini. Dalam tiga minggu seekor beruk sudah bisa mengguncang-guncang kelapa untuk membedakan mana kelapa yang harus dipetik.

Lain pula cerita Syahdan. Syahdan yang kecil, santun, dan lemah lembut agaknya memang ditakdirkan untuk menjadi pecundang yang selalu menerima perintah. Jika kami membentuk tim ia pasti menjadi orang yang paling tak penting. Ia adalah seksi repot, tempat penitipan barang, pengurus konsumsi, pembersih, tukang angkat-angkat, dan jika makan paling belakangan. Ia adalah kambing hitam tempat tumpahan semua kesalahan, dia tak pernah sekalipun dimintai pertimbangan jika Laskar Pelangi mengambil keputusan, lalu dalam lomba apa pun dia selalu kalah. Lebih dari itu ia sangat menyebalkan karena sangat gagap teknologi. Ia sama sekali tak bisa diandalkan untuk hal-hal berbau teknik, bahkan hanya untuk membetulkan rantai sepeda yang lepas saja ia sering tak becus. Cita-citanya untuk menjadi aktor sangat tidak realistis, maka kami tak pernah berhenti menyadarkannya dari mimpi itu, bahkan bertubi-tubi mencemoohnya. Namun tak disangka di balik kelembutannya ternyata Syahdan adalah seorang pejuang. Semangat juangnya sekeras batu satam. Setelah SMA ia berangkat ke Jakarta. Dengan map di ketiak-nya ia melamar untuk menjadi aktor dari satu rumah produksi ke rumah produksi lainnya, hanya bermodalkan satu hal: keinginan! Itu saja. Aneh, setelah lebih dari setahun akhirnya ia benar-benar menjadi aktor!

Sayangnya sampai hampir tiga tahun berikutnya ia masih saja seorang aktor figuran. Lalu ia bosan berperan sebagai figuran makhluk-makhluk aneh: tuyul, setan, dan jin-jin kecil karena tubuhnya yang mini dan berkulit gelap. Ia juga bosan menjadi pesuruh ini itu di sebuah grup san-diwara tradisional kecil yang sering manggung di pinggiran Jakarta. Tugas ini itu-nya itu antara lain memikul genset dan mencuci layar panggung yang sangat besar. Lebih dari semua itu, menjadi figuran dan pesuruh ternyata tak mampu menghidupinya. Di tengah kemelaratannya Syahdan yang malang iseng-iseng kursus komputer dan di tengah per-juangan mendapatkan kursus itu ia nyaris menggelandang di Jakarta.

Di luar dugaan, orang lain umumnya mengetahui ba-katnya ketika masih belia tapi Syahdan baru tahu kalau ia berbakat mengutak-atik program komputer justru ketika sudah dewasa. Dengan cepat ia menguasai berbagai bahasa pemrograman dan dalam waktu singkat ia sudah menjadi *network designer*. Tahun berikutnya sangat mengejutkan. Ia mendapat beasiswa *short course* di bidang *computer network* di Kyoto University, Jepang. Di sana ia berhasil mencapai kualifikasi keahliannya dan menjadi salah satu dari segelintir orang Indonesia yang memiliki sertifikat Sisco Expert Network. Ia kembali ke Indonesia dan dua tahun kemudian Syahdan, pria liliput putra orang Melayu, nelayan, jebolan sekolah gudang kopra Muhammadiyah telah menduduki posisi sebagai *Information Technology Manager* di sebuah perusahaan multinasional terkemuka yang berkantor pusat di Tangerang. Dari sudut pandang material Syahdan adalah anggota Laskar Pelangi yang paling sukses. Ia yang dulu selalu menjadi penerima perintah, tukang angkat-angkat, dan tak becus terhadap sesuatu yang berbau teknik, kini memimpin divisi inovasi teknologi dengan ratusan anak buah.

Namun Syahdan tak pernah menyerah pada cita-citanya untuk menjadi aktor sungguhan. Suatu hari ia meneleponku tanpa salam pembukaan dan tanpa basa-basi penutupan. Ia hanya mengatakan ini dan tanpa sempat aku berkata apa-apa ia langsung menutup teleponnya.

"Kau dengar ini, Ikal. Aku ingin menjadi aktor!!"

Syahdan tak pernah melepaskan mimpinya karena ia adalah seorang pejuang.

Bab 33
Anakronisme

DAN inilah yang paling menyedihkan dari seluruh kisah ini. Karena tak selembar pun daun jatuh tanpa sepengetahuan Tuhan maka tak absurd untuk menyamakan PN Timah dengan *The Tower of Babel* di Babylonia. Sebuah analogi yang pas karena setelah membentuk provinsi baru kawasan itu juga disebut Babel: Bangka Belitung.

Pada tahun 1987 harga timah dunia merosot dari 16.000 USD/metriks ton menjadi hanya 5.000 USD/metriks ton dan dalam sekejap PN Timah lumpuh. Seluruh fasilitas produksi tutup, puluhan ribu karyawan terkena PHK.

Ketika berada di puncak komidi putar dulu, barangkali itu sebuah kemunafikan, seperti halnya Babylonia, sebab Tuhan menghukum keduanya dengan kehancuran berkeping-keping yang menghinakan. Ternyata untuk musnah tak harus termaktub dalam Talmud. Tak ada firasat sebelumnya, Perusahaan Gulliver yang telah berjaya ratusan tahun itu mendadak lumpuh hanya dalam hitungan malam. Maka Babel adalah inskripsi, sebuah prasasti peringatan bahwa Tuhan telah menghancurkan dekadensi di Babylonia seperti Tuhan menghancurkan kecongkakan di Belitong. Segera setelah harga timah dunia turun, keadaan diperparah oleh ditemukannya sumber suplai lain di beberapa negara, PN Timah pun megap-megap. Orang Islam tidak diperbolehkan memercayai ramalan namun ingin rasanya mengenang mimpi Mahar bertahun-tahun yang lalu di gua gambar tentang kehancuran sebuah kekuatan besar di Belitong. Hari ini mimpi meracau itu terbukti.

Pemerintah pusat yang rutin menerima royalti dan deviden miliaran rupiah tiba-tiba seperti tak pernah mengenal pulau kecil itu. Mereka memalingkan muka ketika rakyat Belitong menjerit menuntut ketidakadilan kompensasi atas PHK massal. Habis manis sepah dibuang. Jargon persatuan dan kesatuan menjadi sepi ketika ayam petelur telah menjadi mandul. Pulau Belitong yang dulu biru berkilauan laksana jutaan ubur-ubur *Ctenopore* redup laksana kapal hantu yang terapung-apung tak tentu arah, gelap, dan sendirian.

Dalam waktu singkat Gedong berada dalam *status quo*. Warga pribumi yang menahankan sakit hati karena kesenjangan selama puluhan tahun, dan yang agak sedikit picik, menyerbu Gedong. Para Polsus kocar-kacir ketika warga menjarah rumah-rumah Victoria mewah di kawasan prestisus tak bertuan itu. Laksana kaum proletar membalas kesemena-menaan borjuis, mereka merubuhkan dinding, menariki genteng, menangkapi angsa dan ayam kalkun, mencabuti pagar, mencuri daun pintu dan jendela, mencongkel kusen, memecahkan setiap kaca, mengungkit tegel, dan membawa lari gorden.

Tanda-tanda peringatan "DILARANG MASUK BAGI YANG TIDAK MEMILIKI HAK" diturunkan dan dibawa pulang untuk dijadikan koleksi seperti cinderamata pecahan batu tembok Berlin. Sebagian penjarah yang marah duduk sebentar di sofa besar *chesterfield* dan makan di meja *terracotta* yang mahal, berpura-pura menjadi orang staf sebelum mereka beramai-ramai menjarahnya.

Rumah-rumah Victoria di kawasan Gedong, negeri dongeng tempat puri dan Cinderella bersukaria langsung berubah menjadi Bukit Carphatian tempat kastil keluarga Dracula. Jika malam, kawasan itu gelap gulita. Pohon-pohon beringin tak lagi imut tapi kini menunjukkan karakter aslinya sebagai pohon tempat kaum jin rajin beranak pinak. Daunnya yang rindang memayungi jalan raya seakan siap memangsa siapa pun yang melintas di bawahnya. Danau-danau buatan berubah menjadi habitat biawak dan tiang-tiang utama dari bangunan yang telah dijarah tampak seumpama bangkai binatang besar atau tombak-tombak perang bangsa Troya yang panjang dan di puncaknya ditancapkan kepala-kepala manusia. Sekolah-sekolah PN bubar, berubah menjadi bangunan kosong yang termangu-mangu sebagai jejak feodalisme. Kini sekolah-sekolah itu lebih co-cok menjadi lokasi *shooting* acara misteri. Ratusan siswa PN yang masih aktif dilungsurkan ke sekolah-sekolah negeri atau sekolah kampung.

Rumah Kepala Wilayah Produksi PN yang berdiri amat megah seperti istana di Manggar, puncak Bukit Samak—dengan pemandangan spektakuler laut lepas dan sebuah generator listrik terbesar se-Asia Tenggara—dijarah sehingga rata dengan tanah. Rumah Sakit PN yang hebat juga tak luput dari anarkisme. Obat-obatan dihamburkan ke jalan, kursi dan meja roda dibawa pulang atau dihancurkan. Sepintas aku masih mencium amis darah di atas brankar dan bau cairan kompres yang tergenang dalam piring piala ginjal*, suatu bau busuk kekayaan yang dikumpulkan dalam pundi-pundi ketidakadilan tanpa belas kasihan pada rakyat kecil.

Bentangan kawat telepon digulung. Kabel listrik yang masih dialiri tegangan tinggi dikapak sehingga menimbulkan bunga api seperti asteroid menabrak atmosfer. Kapal keruk digergaji menjadi besi kiloan. Sebuah dinasti yang kukuh dan congkak hancur berantakan menjadi remah-remah hanya dalam hitungan malam, seiring dengan itu, reduplah seluruh metafora yang mewakili kedigdayaan sebuah perusahaan yang telah membuat Belitong dijuluki Pulau Timah.

---

*piring baja antikarat yang lonjong dan melengkung seperti ginjal

Yang terpukul *knock out* tentu saja orang-orang staf. Tidak hanya karena secara mendadak kehilangan jabatan dan hancur citranya tapi sekian lama mapan dalam mentalitas feodalistik terorganisasi yang inheren tiba-tiba menjadi miskin tanpa perlindungan sistem. Karakter terbunuh secara besar-besaran. *Verloop* ke wisma-wisma timah yang mewah di Jakarta atau Bandung dua kali setahun sekarang harus diganti dengan mencangkul, memanjat, memancing, menjerat, menggali, mendulang, atau menyelam untuk menghidupi keluarga. Anakronistis mungkin, sebab mereka kembali hidup bersahaja seperti zaman antediluvium ketika orang Melayu masih menyembah bulan.

Karena tak terbiasa susah dan ditambah dengan anak-anak yang tak mau berkompromi dalam menurunkan standar hidup—sementara mereka tengah kuliah di universitas-universitas swasta mahal—membuat orang-orang staf stres berkepanjangan. Tak jarang masalah mereka berakhir dengan *stroke*, operasi jantung, mati mendadak, *drop out* massal, dan lilitan utang. Mereka seperti orang tersedak sendok perak. Yang tak mampu menerima kenyataan dan hidup menipu diri sendiri didera *post power syndrome*, biasanya tak bertahan lama dan segera *check in* di Zaal Batu. Komidi berputar berbalik arah dalam kecepatan tinggi, penumpangnya pun terjungkal.

Kehancuran PN Timah adalah kehancuran agen kapitalis yang membawa berkah bagi kaum yang selama ini terpinggirkan, yakni penduduk pribumi Belitong. *Blessing in disguise*, berkah tersamar. Sekarang mereka bebas menggali timah di mana pun mereka suka di tanah nenek mo-yangnya dan menjualnya seperti menjual ubi jalar.

Saat ini diperkirakan tak kurang dari 9.000 orang be-kerja mendulang timah di Belitong. Mereka menggali tanah dengan sekop dan mendulang tanah itu dengan kedua ta-ngannya untuk memisahkan bijih-bijih timah. Mereka be-kerja dengan pakaian seperti tarzan namun menghasilkan 15.000 ton timah per tahun. Jumlah itu lebih tinggi dari produksi PN Timah dengan 16 buah kapal keruk, tambang-tambang besar, dan *open pit mining*, serta dukungan miliar-an dolar aset. Satu lagi bukti kegagalan metanarasi kapi-talisme.

Ekonomi Belitong yang sempat lumpuh pelan-pelan menggeliat, berputar lagi karena aktivitas para pendulang. Suatu profesi yang dulu dihukum sangat keras seperti pelaku subversi.

TAHUN 1991 perguruan Muhammadiyah ditutup. Namun perintis jalan terang yang gagah berani ini mening-galkan semangat pendidikan Islam yang tak pernah mati. Sekarang Belitong telah memiliki dua buah pesantren. Pem-bangunan pesantren ini adalah harapan para tokoh Muham-madiyah sejak lama. Generasi baru para legenda K.H. Ach-mad Dahlan, Zubair, K.A. Abdul Hamid, Ibrahim bin Zaidin, dan K.A. Harfan Effendi Noor lahir silih berganti. Suatu hari nanti akan ada yang mengisahkan hidup mereka laksana sebuah epik.

Tak dapat dikatakan bahwa seluruh alumni sekolah Muhammadiyah Belitong telah menjadi orang yang sukses—apalagi secara material—namun para mantan pengajar sekolah itu patut bangga bahwa mereka telah mewariskan semacam rasa bersalah bagi mantan muridnya jika mencoba-coba berdekatan dengan khianat terhadap amanah, jika mempertimbangkan dirinya merupakan bagian dari sebuah gerombolan atau rencana yang melawan hukum, dan jika membelakangi ayat-ayat Allah. Itulah panggilan tak sadar yang membimbing lurus jalan kami sebagai keyakinan yang dipegang teguh karena bekal dari pendidikan dasar Islam yang tangguh di sekolah miskin itu. Perasaan beruntungku karena didaftarkan ayahku di SD miskin itu puluhan tahun lalu terbukti dan masih berlaku hingga saat ini.

Fondasi budi pekerti Islam dan kemuhammadiyahan yang telah diajarkan padaku menggema hingga kini sehingga aku tak pernah berbelok jauh dari tuntunan Islam bagaimanapun ibadahku sering berfluktuasi dalam kisaran yang lebar. Sepanjang pengetahuanku tak ada mantan warga Muhammadiyah yang menjadi bagian dari sebuah daftar para kriminal, khususnya koruptor. Pesan Pak Harfan bahwa hiduplah dengan memberi sebanyak-banyaknya, bukan menerima sebanyak-banyaknya terefleksi pada kehidupan puluhan mantan siswa Muhammadiyah yang kukenal dekat secara pribadi. Mereka adalah tipikal orang yang sederhana namun bahagia dalam kesederhanaan itu.

Pak Harfan dan mantan pengajar perguruan Muhammadiyah hingga kini tak pernah berhenti mendengungkan syiar Islam. Mereka bangga memikul takdir sebagai pembela agama. Bu Mus dan guru-guru muda Muhammadiyah mendapat kesempatan dari Depdikbud untuk mengikuti Kursus Pendidikan Guru (KPG) lalu diangkat menjadi PNS. Bu Mus sekarang mengajar Matematika di SD Negeri 6 Belitong Timur. Beliau telah menjadi guru selama 34 tahun dan mengaku tak pernah lagi menemukan murid-murid spektakuler seperti Lintang, Flo, dan Mahar.

Bab 34
Gotik

AKU bangga duduk di sini di antara para panelis, yaitu para budayawan Melayu yang selalu menimbulkan rasa iri. Sebuah benda segitiga dari plastik di depanku menyatakan eksistensiku:

Syahdan Noor Aziz Bin
Syahari Noor Aziz
Panelis

Aku terutama bangga pada sahabat lamaku Mahar Ahlan bin Jumadi Ahlan bin Zubair bin Awam, cicit langsung tokoh besar pendidikan Belitong, Zubair. Ia meluncurkan bukunya hari ini. Sebuah novel tentang persahabatan yang sangat indah. Ketika ia memintaku menjadi panelis, aku langsung setuju. Aku mengambil cuti di antara kesibukanku di Bandung sekaligus pulang kampung ke Belitong.

Di antara hadirin ada Nur Zaman dan guruku, Bu Mus serta Pak Harfan. Ada pula Kucai, sekarang ia adalah Drs. Mukharam Kucai Khairani, M.B.A. dan selalu berpakaian safari. Dulu di kelas otaknya paling lemah tapi sekarang gelar akademiknya termasuk paling tinggi di antara kami. Nasib memang aneh.

Kucai selalu berpakaian safari karena cita-citanya untuk menjadi anggota dewan rupanya telah tercapai. Ia telah menjadi politisi walaupun hanya kelas kampung. Ia menjadi seorang ketua salah satu fraksi di DPRD Belitong. Kucai sangat progresif. Ia bertekad menurunkan peringkat korupsi bangsa ini dan ia geram ingin membongkar perilaku eksekutif yang sengaja membuat struktur baru guna melegalisasi skenario besar, yaitu merampoki uang rakyat. Bersama Mahar ia juga berniat mengembalikan nama-nama daerah di Belitong kepada nama asli berbahasa setempat. Nama-nama itu selama masa Orde Baru dengan konyol dibahasa-Indonesiakan. Proyek prestisius mereka lainnya adalah mematenkan permainan perosotan dengan pelepah pinang.

Tapi lebih dari semua itu aku rindu pada Ikal. Kasihan pria keriting yang pernah jadi tukang sortir itu. Kelelahan mencari identitas, insomnia, dan terobsesi dengan satu cinta telah membuatnya agak senewen. Kabarnya ia hengkang dari kantor pos lalu mendapat beasiswa untuk melanjutkan pendidikan. Barangkali untuk tujuan sebenarnya: membuang dirinya sendiri.

Setelah acara peluncuran buku, aku, Nur Zaman, Mahar, dan Kucai mengunjungi ibu Ikal untuk bersilaturahmi sekalian menanyakan kabar anaknya di rantau orang. Ketika bus umum yang kami tumpangi melewati pasar Tanjong Pandan, aku melihat seorang pria yang sangat gagah seperti seorang petinggi bank atau seperti petugas asuransi dari Jakarta yang sedang mengincar asuransi aset di provinsi baru Babel.

Pria itu bercelana panjang cokelat teduh senada dengan warna ikat pinggangnya. Kemejanya jatuh menarik di tubuhnya yang kurus tinggi dengan bahu bidang. Postur yang disukai para perancang mode. Sepatu pantofelnya jelas sering disemir. Rambutnya lurus pendek disisir ke belakang. Kulitnya putih bersih. Tak berlebihan, ia seperti Adrien Brody!

Sayangnya barang bawaannya sama sekali tak sesuai dengan penampilan gagahnya. Ia menenteng plastik kresek belanjaan, ikatan daun seledri, kangkung, kardus, dan alat-alat dapur. Ia berjalan tercepuk-cepuk mengikuti seorang ibu di depannya. Meskipun sangat repot dan kepanasan, ia berseri-seri. Aku kenal pria ganteng itu, ia Trapani. Tahun lalu aku mendengar cerita pertemuannya dengan Ikal di Zaal Batu. Ia mengalami kemajuan dan diizinkan pulang. Aku tak memberi tahu Nur Zaman, Mahar, dan Kucai. Aku memandang ibu dan anak itu berjalan beriringan sampai jauh. Air mataku mengalir. Nur Zaman, Mahar, dan Kucai tak tahu.

Aku terkenang lima belas tahun yang lalu. Setelah tamat SMA, aku, Ikal, Trapani, dan Kucai memutuskan untuk merantau mengadu nasib ke Jawa. Hari itu kami berjanji berangkat dengan kapal barang dari Dermaga Olivir. Tapi sampai sore Trapani tak datang. Karena kapal barang hanya berangkat sebulan sekali maka terpaksa kami berangkat tanpa dia. Pada saat itu rupanya Trapani telah mengambil keputusan lain. Ia tak datang ke dermaga karena ia tak mampu meninggalkan ibunya. Setelah itu kami tak pernah mendengar kabar Trapani.

SEKARANG kami duduk di beranda sebuah rumah panggung kuno khas Melayu, rumah ibu Ikal.

"Bagaimana kabarnya si Ikal itu, Ibunda?" tanya Mahar kepada ibu Ikal.

Ibu tua berwajah keras itu awalnya tadi sangat ramah. Beliau menyatakan rindu kepada kami, namun demi mendengar pertanyaan itu beliau menatap Mahar dengan tajam.

Mahar tersenyum kecut. Wajah ibu Ikal kelihatan kecewa berat. Beliau diam. Tangannya memegang sebilah pisau antip, mencengkeramnya dengan geram sehingga dua butir pinang terbelah dua tanpa ampun. Salah satu belahan pinang jatuh berguling dan terjerumus di antara celah lantai papan lalu diserbu ayam-ayam di bawah rumah, beliau tak sedikit pun peduli.

Si pemimpi itu pasti sudah bikin ulah lagi. Mahar sedikit menyesal mengungkapkan pertanyaan itu.

Ibu Ikal meramu tembakau, pinang, kapur sirih, dan gambir yang bertumpuk-tumpuk di dalam kotak tembaga yang disebut keminangan. Lalu dua lembar daun sirih dibalutkan pada ramuan tadi sehingga menjadi bola kecil. Beliau menggigit bola kecil itu dengan geraham di sudut mulutnya seperti orang ingin memutuskan kawat dengan gigi, bersungut-sungut, dan bersabda dengan tegas:

"Terakhir ia mengirimiku sepucuk surat dan diselipkannya selembar foto dalam suratnya itu."

Beliau meludahkan cairan merah yang terbang melalui jendela rumah panggung sambil melilitkan jilbabnya dua kali menutupi dagunya sehingga seperti cadar. Beliau jelas sedang marah.

"Rupanya dia dan kawan-kawannya sedang mengikuti semacam festival seni mahasiswa. Wajahnya di foto itu dicoreng-moreng tak keruan tapi dia sebut itu seni?!!"

Kami menunduk tak berani berkomentar.

"Menurutnya itu seni lukis wajah, ya seni lukis wajah, apa itu … gotik! Ya, gotik! Dia sebut itu seni lukis wajah gotik! Dan dia sangat bangga pada coreng-morengnya itu!"

Beliau menghampiri kami yang duduk tertunduk melingkari meja tua batu pualam. Kami pun ciut.

"Bukan main anak muda Melayu zaman sekarang!!!"

Ibu Ikal mengepalkan tinjunya, kami ketakutan, beliau mengacung-acungkan pisau antip, kami tak berkutik, suara beliau meninggi.

"Dia sebut itu seni??? Ha! Seni!! Barangkali dia ingin tahu pendapatku tentang seninya itu!!!"

Beliau benar-benar muntab, murka tak terkira-kira. Untuk kedua kalinya beliau menyemburkan cairan merah sirih melalui jendela seperti anak-anak panah yang melesat.

"Pendapatku adalah wajahnya itu persis benar dengan wajah orang yang sama sekali tidak pernah shalat!"

Demi mendengar kata-kata itu Kucai yang tengah memamah biak sagon tak bisa menguasai diri. Dia berusaha keras menahan tawa tapi tak berhasil sehingga serbuk kelapa sagon terhambur ke wajah Mahar, membuat jambul pengarang berbakat itu kacau balau. Kucai berulang kali minta maaf pada ibu Ikal, bukan pada Mahar, tapi wajahnya mengangguk-angguk takzim menghadap ke Nur Zaman.

Glosarium

Bab 1

Dul Muluk: sandiwara orang Melayu, dipentaskan seperti ketoprak tapi pakemnya berbabak-babak, dalam Dul Muluk tak ada unsur musik sebagai bagian dari dramatisasi sandiwara. Temanya selalu tentang sesuatu yang berhubungan dengan kerajaan. Dul Muluk disebut Demulok dalam dialek Belitong atau sekadar Mulok saja.

Filicium (*Filicium decipiens; fern tree*; pohon kere/kiara/kerai payung; Ki Sabun): pohon yang termasuk familia *Sapindaceae*, disebut Ki Sabun karena seluruh bagian tubuhnya mengandung saponin atau zat kimia yang menjadi salah satu bahan dasar sabun. Pohon peneduh ini termasuk salah satu jenis pohon yang dapat mengurangi polusi udara sampai 67%.

Keramba: keranjang atau kotak dari bilah bambu untuk membudidayakan ikan yang diletakkan di pinggir pantai, sungai, danau, atau bendungan; atau keranjang untuk mengangkut ikan, bentuknya lonjong, terbuat dari anyaman bambu dengan kerangka kayu, biasanya berlapis ter supaya kedap air.

Kopra: daging buah kelapa yang dikeringkan untuk membuat minyak kelapa.

Tercepuk-cepuk: istilah daerah untuk menggambarkan cara jalan yang terpincang-pincang/terseok-seok.

Bab 2

Antediluvium: masa sebelum diluvium (zaman pleistosen).

Burung pelintang pulau: agaknya berada dalam keluarga betet dan bayan—penampilannya seperti itu, selebihnya misterius.

Bushman: suku yang hidup di dataran bersemak-semak dan belukar di sabana-sabana Afrika (*bush* dalam bahasa Inggris berarti semak/belukar). Nama itu didapat dari antropolog Prancis. Suku ini terangkat pamornya karena film *God Must be Crazy*, wajah dan sifat mereka polos dan lugu.

Cemara angin: salah satu jenis cemara (*Casuarina eqni-setifolia*) yang penampakannya sangat seram, tinggi meranggas, sekeras batu. Entah menanggung karma apa jenis cemara ini karena sering sekali disambar petir, tapi mungkin karena ada unsur medan magnet di dalamnya. Daunnya jika ditiup angin kadang-kadang berbunyi seperti siulan, mungkin ini yang menyebabkan orang menamainya cemara angin.

Crinum giganteum: jenis *crinum* yang paling besar (kata *giganteum* berasal dari kata *gigantic* yang berarti raksasa). Umumnya setiap bunga *crinum* mengeluarkan aroma seperti aroma vanili. Di dunia terdapat tidak kurang dari 180 jenis *crinum*, banyak ahli yang menganggap ia masuk dalam familia *lily*, lebih tepatnya *parennial lily*, karena warnanya yang putih dan bentuknya yang mirip bunga ter-sebut. Tapi ada juga ahli yang tidak sependapat, karena jika dilihat dari jenis *crinum* rawa (*swamp crinum* atau *Crinum asiaticum*) yang beracun, penampilannya jauh benar dibanding *lily*.

Ketapang (*Terminalia catapa*): pohon besar yang berdaun lebar dan buahnya bertempurung keras. Kulit buahnya dipakai untuk menyamak kulit dan bijinya dapat dibuat minyak. Pohon ini banyak sekali tumbuh di daerah pinggir laut.

Lintang: bahasa Jawa, berarti bintang.

Nebula: sekelompok bintang di langit yang tampak sebagai kabut atau gas pijar bercahaya.

Nipah (*Nipa fruticans*): palem yang tumbuh merumpun dan subur di rawa-rawa daerah tropis, menyerupai pohon sagu, tingginya mencapai 8 meter, daunnya digunakan untuk bahan atap, tikar, keranjang, topi, dan payung. Nira dari sadapan perbungaannya digunakan untuk pembuatan gula dan alkohol.

Pilea/bunga meriam (*Pilea microphylla* atau *artillery plant*): tanaman ini berbentuk menyerupai pakis, dengan daun-daun hijau yang mungil. Daunnya mengandung tepung sari yang pada musim kemarau akan menebal dan jika terkena percikan air, tepung sari tersebut akan terlontar, atau seperti meledak sehingga disebut bunga meriam.

Bab 3

Atap sirap: Atap yang dibuat dari kayu ulin (*Eusideroxylon zwageri*), sebagian orang menyebutnya kayu besi atau kayu belian. Ulin sirap secara alamiah berupa pohon yang batangnya seperti berlapis-lapis sehingga begitu dibelah langsung rata menyerupai tripleks atau papan tipis. Langkah selanjutnya tinggal memotong-motong ulin sirap sesuai dengan ukuran yang dikehendaki dan siap digunakan untuk atap rumah. Kayu ulin sirap yang berusia tua sudah semakin sulit diperoleh karena penebangan hutan yang tidak terkendali. Sekarang ini penggunaan atap sirap sudah semakin langka, namun masih bisa dilihat misalnya gedung asli ITB di Bandung.

Tionghoa kebun: sebuah julukan di masyarakat Melayu untuk orang-orang Tionghoa yang tidak berdagang seperti kebanyakan profesi komunitasnya, melainkan berkebun untuk mencari nafkah. Kebanyakan kehidupannya kurang beruntung dibandingkan saudara-saudaranya yang berdagang, sehingga julukan Tionghoa kebun identik dengan kemiskinan.

Bab 4

Lais (*Tandarus furcatus*): tanaman semacam pandan tapi berduri, anyaman daunnya digunakan untuk membuat topi kerucut, karung, dan tas.

Bab 5

Aichang: dahan-dahan, ranting, dan dedaunan yang digunakan untuk menyumbat sela-sela kiaw agar aliran air tidak bocor.

Aluvium: lempung, pasir halus, pasir, kerikil, atau butiran lain yang terendapkan oleh air mengalir; zaman geologi yang paling muda dari zaman kuarter atau zaman geologi yang sekarang.

Bangsa Lemuria: seperti Pompeii yang dilanda bencana terus punah, Lemuria dianggap bangsa berbudaya tinggi yang ada di wilayah Samudra Pasifik. Hilang secara misterius dan sebagian arkeolog menganggap Lemuria hanya mitos.

Galena: mineral yang terdiri atas unsur plumbum (Pb) dan sulfur (S), berbentuk seperti bijih timah, berwarna hitam.

Granit: batuan keras yang berwarna keputih-putihan dan berkilauan.

Hematit: bijih besi yang berwarna merah kehitaman; Fe2O3.

Ilmenit: mineral yang bentuknya persis bijih timah, yaitu berupa pasir, berwarna hitam, tapi sangat ringan, sementara bijih timah amat berat. Berat segenggam timah seperti segenggam besi, sedangkan segenggam ilmenit lebih ringan daripada segenggam pasir, sehingga ilmenit disebut juga timah kosong. Ilmenit banyak sekali berada di lapisan aluvium yang dangkal. Sekian lama tak dipedulikan karena dianggap tak berharga sampai seorang ilmuwan Australia menemukan bahwa ilmenit merupakan bahan yang nyaris sempurna untuk produk-produk antipanas tinggi.

Kaolin: tanah liat yang lunak, halus, dan putih, terjadi dari pelapukan batuan granit, dijadikan bahan untuk membuat porselen atau untuk campuran membuat kain tenun (kertas, karet, obat-obatan, dan sebagainya); tanah liat Cina.

Khaknai: lumpur yang akan dibuang setelah bijih-bijih timah dipisahkan dari lumpur tersebut.

Kiaw: kayu-kayu bulat sepanjang dua atau tiga meter sebesar lengan laki-laki dewasa yang digunakan untuk membuat phok.

Knautia (*widow flower*): tanaman ini diyakini hanya hidup di daerah tropis, karena susah tumbuh jika terlindung dari sinar matahari. Bunganya bertangkai kurus, kelopaknya menyerupai daun-daun kecil dan berwarna merah menyala.

Kuarsa: mineral penyusun utama dalam pasir, batuan, dan berbagai mineral, bersifat lebih tembus cahaya ultraungu daripada kaca biasa sehingga banyak digunakan dalam alat optik; silika.

Monazite: fosfat berwarna cokelat kemerahan, mengandung logam bumi yang langka dan merupakan sumber penting dari *thorium, lanthanum,* dan *cerium*. Biasanya berupa kristal-kristal kecil yang terisolasi.

Phok: tanggul air yang dibuat oleh penambang dalam instalasi penambangan timah tradisional.

Senotim: berada pada lapisan aluvium, berbentuk butir-butir pasir berwarna kekuning-kuningan dengan kandungan utama fosfat, *thorium,* dan *yttrium*. Mineral ini juga mengandung unsur radioaktif, namun masih bisa ditoleransi karena kadarnya sangat rendah.

Siderit: mineral besi karbonat alamiah, lazim diperoleh dari meteor.

Silika: mineral terbesar dari pasir dan batu pasir; SiO_2; kristal; hablur.

Tanah ulayah: tanah hutan yang diwariskan turun-temurun (sudah menjadi milik orang/adat) tapi belum diusahakan.

Titanium: logam berwarna kelabu tua dan amorf; unsur dengan nomor atom 22, berlambang Ti. Logam ini sangat ringan dan kuat.

Topas: batu permata berwarna macam-macam (kuning, cokelat, kemerah-merahan, tidak berwarna, dan sebagainya); aluminium silikat dengan berbagai campuran.

Trickle down effect: teori ekonomi yang menyebutkan bahwa keuntungan finansial dan lainnya yang diterima oleh bisnis besar secara bertahap akan menyebar menjadi keuntungan seluruh masyarakat.

Zirkonium: logam tanah langka, berwarna putih perak kristalin atau kelabu amorf, tahan terhadap korosi, lambang kimia Zr.

Bab 6

Caesar salad: salad yang dibuat dari campuran *lettuce* (daun dari tanaman serupa kol yang berwarna putih kehijauan, lebar, dan renyah), *croutons* (roti tawar kering berbentuk dadu), keju parmesan, dan *anchovy* (semacam ikan teri yang diasinkan), dengan bumbu (*dressing*) berbahan dasar telur. Namanya diambil dari Caesar Gardini, pemilik sebuah restoran di Tijuana, Meksiko, yang konon pertama kali menemukannya.

Cappuccino: minuman yang merupakan campuran dari kopi *espresso* dan susu panas yang berbusa, kadang ditaburi bubuk kayu manis atau cokelat.

Chicken cordon bleu: ayam yang diisi dengan gulungan daging asap dan keju dan digoreng dengan tepung panir.

Chyisis (*baby orchid*): anggrek ini sepintas menyerupai *cattelya*, tapi bunganya lebih tebal dan berlilin. Sepal dan petalnya lebar dan luas, labelumnya berdaging tebal dan berlilin. Daunnya tersusun seperti kipas dan berbaris di sepanjang *pseudobulb*-nya. Spesies-spesiesnya memiliki warna yang berbeda-beda: putih-kuning, putih dengan ujung ungu, kuning kecokelatan, kuning-*peach* dengan setrip merah di labelumnya.

Cul de sac: jalan yang tertutup di salah satu ujungnya, biasanya untuk di kawasan permukiman

Mannequin Piss: nama sebuah patung yg sangat terkenal, merupakan *landmark* berusia ratusan tahun yang terletak di sebuah persimpangan kecil di pusat Kota Brussel, Belgia. Legendanya, zaman dahulu ketika terjadi sebuah kebakaran hebat warga diselamatkan oleh seorang malaikat yang berkemih. Patung-patung kecil menyerupai Mannequin Piss

Andrea Hirata

banyak diproduksi dan digunakan sebagai hiasan di air mancur.

Nymphaea caerulea (seroja biru; tunjung biru; *the blue waterlily; blue lotus; egyptian lotus; Sacred Narcotic Lily of the Nile*): jenis lotus air berwarna biru nan cantik. Dipercaya telah digunakan oleh bangsa Mesir kuno sebagai obat dan pelengkap ritual. Bunga yang dikeringkan terkadang diisap seperti rokok untuk menimbulkan efek sedatif ringan.

Plum: buah kecil bulat berwarna ungu gelap kemerahan dengan kulit licin. Berasal dari pohon plum, yang satu genus (Prunus) dengan buah persik (*peach*), ceri, aprikot, dan lain-lain. Buah plum mengandung antioksidan, vitamin C dengan kadar sangat tinggi, rasanya asam, berair, dan bisa dimakan segar atau dibuat selai dan *prunes* (*dried plums*).

Pumpkin dan **Gorgonzola soup**: sup labu yang dicampur dengan Gorgonzola (keju biru Italia yang lembap dengan rasa yang kuat).

Saga (*Adenanthera microsperma*): Ada dua macam saga, yaitu saga pohon dan saga rambat. Saga pohon biasa disebut saga saja, pohonnya bisa tumbuh sangat besar seperti beringin dan berbuah keras, kecil, dan berwarna merah berkilap. Tumbuhan ini termasuk suku polong-polongan (*Papiliocaceae*), berdaun majemuk menyirip ganjil, bunganya berwarna merah.

Snooker bar: tempat bermain *snooker*, yaitu sebuah variasi dari permainan biliar, yang dimainkan di atas meja berlapis kain laken yang memiliki 6 kantung berbukaan bundar (4 di tiap sudut dan 2 di tengah sisi panjangnya). Permainan ini menggunakan sebuah tongkat panjang (*cue*), satu bola putih (*cue ball*), 15 bola merah, serta 6 bola warna lainnya (merah muda, hijau, cokelat, biru, kuning, dan hitam). Permainan ini sangat populer di Inggris dan negara-negara yang pernah menjadi bagian dari Kekaisaran Inggris.

Tainia shimadai (*azalea orchid*): anggrek ini memiliki sepal berwarna kuning, cokelat kehijauan, atau cokelat. Labelumnya berwarna kuning dengan bercak-bercak merah cokelat kecil di kedua sisinya, dengan ujung depan terbelah tiga. Tainia banyak hidup di pegunungan yang dingin dan lembap. Namanya berasal dari kata Yunani, "tainia" yang berarti *fillet*, karena daunnya yang panjang dan sempit dengan tangkai daun yang panjang.

Teh Earl Grey: teh khas Inggris yang menggunakan *bergamot* sebagai campuran, sehingga menghasilkan warna seduhan yang lebih muda dengan rasa yang *musky*. Konon nama tersebut diambil dari Charles Grey, yaitu Earl Grey kedua (1764–1845), seorang negarawan dan mantan perdana menteri Inggris.

Vitello alla Provenzale: masakan Italia, terbuat dari daging sapi muda (umumnya berusia 18-20 bulan) yang dimasak (di-*stew*) dengan tomat dan bumbu-bumbu lain.

Yuka: sebutan untuk pekerjaan terendah, jika di PN Timah pekerjaan itu adalah menjahit karung timah yang bersifat musiman dan borongan.

Bab 7

Entok: itik yang dipelihara sebagai pengeram yang baik, terutama untuk mengerami telur bebek yang tidak dapat dierami induknya sendiri, suaranya berdesis; itik manila; itik surati.

Gangan: nama semacam sayuran dengan bumbu kunir, bisa dimasak bersama daging (gangan daging) atau ikan (gangan ikan).

Ikan gabus (*Ophiocephalus striatus*): ikan air tawar, bentuknya seperti ikan lele, tetapi tidak berpatil; ikan aruan.

Jadam: getah dari semacam pohon yang hanya tumbuh di Arab, dibentuk seperti kapur, dan berwarna hitam. Bila ada yang menderita sakit, misalnya memar di tulang rusuk, maka jadam tersebut dikikis, dicampur air, dan diminum.

Bab 9

Bondol peking (*Lonchura punctulata; scaly-breasted Munia; Nutmeg Mannikin; Spice Finch*): jenis bondol (*Munia maja*: burung kecil pemakan biji yang berkepala putih, pipit uban; emprit kaji) yang setelah dewasa akan memiliki ciri: berparuh pendek, tebal, dan gelap, berpunggung cokelat, berkepala cokelat gelap, dengan dada berbercak putih dan hitam atau cokelat. Panjang tubuhnya sekitar 11-12 cm. Burung muda memiliki punggung yang lebih pucat, kepala lebih terang, dan dada yang berwarna krem kekuningan.

Bubu: alat untuk menangkap ikan yang dibuat dari saga atau bambu yang dapat dianyam, dipasang dalam air sehingga ikan dapat masuk tapi tidak bisa keluar lagi.

Burung matahari: burung kecil, berdada kuning, dengan sayap berwarna hitam, bentuk tubuhnya seperti kolibri, dan ia pemakan sari bunga.

Cinenen kelabu (*Orthotomus sepium; Ashy Tailorbird; Olive-backed Tailorbird*): burung kicau kecil (sekitar 13 cm) berwarna kelabu, dengan campuran warna hitam pada sayapnya, merah pada bagian kepala, dan kuning pada dada. Burung ini memiliki sayap yang pendek dan membulat, ekor pendek yang tegak, kaki yang kuat, serta paruh yang panjang dan melengkung. Nama *tailorbird* diambil dari cara mereka membangun sarang—menjahit tepian beberapa daun besar menjadi satu dengan serat tanaman atau sarang laba-laba sehingga menjadi semacam kantung tempat sarang rumput yang sesungguhnya dibangun.

Gayam (*Inocarpus edulis*): pohon yang daunnya lebat dan dapat dipakai sebagai pembungkus, biasanya tumbuh di daerah yang banyak air. Buah pohon ini enak dimakan— biasanya orang Melayu merebusnya dan menyajikannya bersama kelapa parut, asal jangan digoreng, karena buah tersebut akan mengeras seperti batu.

Gelatik (*Munia oryzivora*): burung pipit, bulunya berwarna abu-abu, berparuh merah, berbadan agak kecil.

Jalak (*Sturnupostor jala*): burung beo kecil, bulunya hitam, kaki dan paruhnya berwarna kuning.

Jalak biasa: jalak yang berparuh hitam.

Jamur telur: jamur kecil yang tumbuh di sembarang tempat, beracun.

Kertas kajang: kertas minyak berwarna merah, biru, kuning, biasa dibuat layangan.

Madu sepah: burung kecil dengan punggung berwarna merah dan paruh lancip.

Markacite: berbentuk batangan-batangan kecil kisut berwarna abu-abu. Juga mengandung plumbum dan sulfur, namun kadarnya berbeda dengan *phyrite*.

Ornitologi: ilmu pengetahuan tentang burung, termasuk deskripsi dan klasifikasi, penyebaran, dan kehidupannya.

Parkit (*Psitacula passerina; parakeet*): burung bayan kecil, berbulu cerah (biasanya bertubuh hijau, berkepala kuning, dan bermuka oranye), berekor panjang dan lancip, berukuran sekitar 30 cm. Burung jenis ini sekarang sudah semakin langka, dulunya mereka ditembaki karena dianggap sebagai hama di perkebunan buah.

Peneng sepeda: pajak sepeda berupa semacam perangko yang ditempelkan di sepeda.

Phyrite: Mineral yang berbentuk seperti kristal, mengandung unsur sulfur (S) dan plumbum (Pb). Dapat memengaruhi keasaman air.

Trapeze: artinya tongkat horizontal yang terikat pada dua lajur tali yang tergantung secara paralel, digunakan untuk sebuah nomor dalam senam indah atau dalam permainan akrobat di sirkus.

Ungkut-ungkut (*Coppersmith barbet; Megalaema haema*): burung yg agak kehijau-hijauan pada punggungnya, dada berwarna putih.

Vessel board: adalah alat sambung komunikasi model lama yang ditunggui seorang operator. Jika ada panggilan telepon maka operator ini akan menyambungkan kawat-kawat pada sebuah papan yang penuh lubang saluran telekomunikasi.

Wasserij: (baca: wasray), bhs. belanda, tempat pencucian. Timah *wasserij* adalah timah yang telah dicuci.

Bab 10

Andromeda: nama untuk konstelasi terbesar di belahan bumi utara yang terletak persis di selatan dari konstelasi Cassiopeia dan di utara konstelasi Perseus. Tidak ada bintang di Andromeda melainkan tempat beradanya Galaksi Andromeda, yaitu salah satu anggota dari kelompok yang sama dengan Galaksi Bimasakti (*Milky Way*) kita.

Jawi (*Ficus rhododendrifolia*): pohon sejenis beringin tapi kecil yang banyak sekali akar tunjangnya dan biasanya tumbuh di tepi telaga atau sungai.

Kumpai (*Panicum stagninum*): rumput (gelagah), tumbuh di paya-paya, hijau, mengambang di atas air.

Musim selatan: sebutan orang Melayu untuk sekitar bulan April-Mei, di saat tiupan angin lebih tenang. Berlawanan dengan musim barat yang dingin dan berangin (di saat nama bulan berakhiran dengan suku kata "-ber").

Triangulum: konstelasi kecil di belahan bumi selatan yang berada di dekat Aries dan Perseus.

Zaman Cretaceous: istilah geologi untuk menyebutkan masa setelah zaman Mesozoikum berakhir, yaitu sekitar 65 sampai 144 juta tahun yang lalu. Bumi mulai menghangat pada masa ini, beberapa genus reptilia besar mulai punah pada akhir zaman ini, sementara jenis flora yang masih ada sampai sekarang mulai tumbuh (seperti pohon eik dan maple).

Bab 11

Auriga: konstelasi berbentuk layangan di langit sebelah utara. Bintang yang terbesar dalam konstelasi ini adalah Capella. Bintang-bintang di dalam Auriga kebanyakan merupakan bintang biner, yaitu sepasang bintang yang berputar mengelilingi pusat massa. Auriga mencapai titik tertingginya pada bulan Juni dan dapat terlihat dari belahan bumi utara dan sebelah utara belahan bumi selatan.

Gurindam: sajak dua baris yang mengandung petuah atau nasihat (misalnya: baik-baik memilih kawan, salah-salah bisa jadi lawan).

Bab 12

Andante: tempo musik yang agak lambat, lebih pelan daripada *moderato* tapi lebih cepat daripada *adagio*. Berasal dari bahasa Italia yang berarti "berjalan". Jika ditambah dengan "maestoso" maka berarti tempo tersebut harus dimainkan dengan berwibawa.

Linaria (*toadflax; butter-and-eggs*): nama genus untuk tanaman liar yang memiliki bunga bergerombol (ada yang tegak, ada yang merayap di atas tanah) yang umumnya berwarna menyala kuning pucat-oranye (spesies lain ada yang berwarna ungu, biru, merah, putih) dan daun-daun yang kecil. Bunganya berbentuk tabung sempit yang terbelah di ujungnya sehingga membentuk bibir atas (disebut *hood* atau kerudung/topi) dan bibir bawah yang kecil dan berwarna lain. Tanaman ini disebut *toadflax* karena jika bunganya ditekan sisinya, ia akan berbentuk seperti katak (*toad*) yang sedang membuka mulut.

Perenjak sayap garis (*Prinia familiaris; Bar-winged Prinia*): burung kecil pemakan serangga, berwarna kelabu, memiliki sayap pendek bergaris-garis dan ekor yang panjang lentik seperti murai batu. Paruhnya tipis dan agak melengkung. Habitat burung ini adalah di tempat terbuka seperti padang ilalang.

Thistle crescent (*Vanessa cardui; painted lady; thistle butterfly; cosmopolite*): jenis kupu-kupu yang mungkin paling luas persebarannya dan paling banyak dijumpai di seluruh dunia. Kupu-kupu ini hidup di daerah yang terbuka dan terkena cahaya matahari—terutama taman, lapangan, dan tanah kosong. Sayapnya berwarna oranye atau merah kecokelatan dengan bercak dan tepian hitam, sementara permukaan bawahnya biasanya berwarna merah muda dengan corak putih dan hitam. Sayap belakangnya biasanya memiliki corak seperti mata yang berwarna biru. Kupu-kupu ini hidup dari nektar bunga *thistle* (tanaman dengan batang dan daun berduri, dengan braktea bunga yang lancip-lancip seperti duri, biasanya berwarna ungu), aster, dan *red clover* (sejenis semanggi).

Bab 13

Cymbal: alat musik berupa dua piring kuningan yang diadu.

Eureka: istilah yang digunakan untuk mengekspresikan keberhasilan dalam menemukan sesuatu atau memecahkan suatu masalah. Dari kata Yunani "heurçka" yang secara harfiah berarti "aku telah menemukan-(nya)", konon diucapkan oleh Archimedes saat ia berhasil menemukan hukum berat jenis air.

Paleontologi: ilmu tentang fosil (binatang dan tumbuhan).

Sekstan: alat untuk mengukur sudut astronomis yang meliputi seperenam lingkaran (60°) untuk menentukan posisi kapal di laut).

Bab 14

Colias crocea (*Pure clouded yellow*): kupu-kupu dengan warna dasar kuning-jingga, dengan tepian luar sayap berwarna gelap bersetrip kuning di atas pembuluh darahnya. Habitat kupu-kupu ini adalah di stepa, lembah, dan lereng yang kering.

Colias myrmidone (*Danube clouded yellow*): mirip dengan C. Crocea, juga memiliki tepian berwarna gelap, namun tanpa pembuluh-pembuluh kuning. Habitatnya di daerah stepa dan hutan-stepa dengan pepohonan yang renggang, biasanya pinus.

Papilio blumei: kupu-kupu dari jenis *swallowtail* (dicirikan dengan "ekor" di ujung bawah sayapnya) yang berukuran cukup besar (sekitar 12 cm lebar dan 10 cm panjang). Sayapnya yang berwarna hitam begitu kontras dengan setrip biru-hijau sehingga memberinya tampilan yang sangat eksotis. Konon ditemukan di Taman Nasional Bantimurung di Maros, Sulawesi Selatan, dan diberi nama berdasarkan nama panggilannya, Belu, dan bulan penemuannya, Mei.

Pohon santigi: pohon langka yang biasanya tumbuh di daerah pantai. Pohon ini bisa dibonsai seperti beringin dan harganya mencapai jutaan rupiah. Konon termasuk pohon keramat dan kayunya banyak dicari karena diyakini dapat menolak santet atau bisa menjadi gagang keris atau tombak yang baik.

Shaman: pemimpin spiritual, seseorang yang bertindak sebagai perantara antara wilayah fisik dan wilayah spiritual, dan yang dipercaya memiliki kekuatan tertentu seperti ke-mampuan meramal dan menyembuhkan.

Bab 15

Pinang (*Areca catechu*): tumbuhan berumpun, berbatang lurus seperti lilin, tangkai daun yang melekat pada batang-nya berbentuk seperti lembaran kulit, buah yang tua ber-warna kuning kemerah-merahan untuk kawan makan sirih.

Pohon kepang (*Aquilaria malaccensis*): pohon yang kulit-nya bisa dijadikan tali.

Bab 16

Antip kuku: istilah orang Melayu untuk menyebut alat pemotong kuku.

Burung ayam-ayam (*Gallierex cinerea*): unggas yang serupa ayam, berkaki panjang, tidak kuat terbang, biasa hidup di tambak atau di rawa-rawa.

Petunia: tanaman terna (tumbuhan dengan batang lunak tidak berkayu atau hanya mengandung jaringan kayu sedikit sekali sehingga pada akhir masa tumbuhnya mati sampai ke pangkalnya tanpa ada batang yang tertinggal di atas tanah) dari famili *Solanaceal*, tingginya antara 16-30 cm, batangnya lengket, bunganya berbentuk kerucut seperti corong, ada yang bermahkota tunggal dan ada pula yang bermahkota ganda dengan warna yang bervariasi (merah, putih, kuning pucat, biru, dan ungu tua).

Pohon angsana (*Pterocarpus indica*): pohon yang bunganya berwarna kuning dan berbau jeruk, kulitnya dapat diman-faatkan sebagai obat, kayunya digunakan untuk pembuatan alat-alat rumah tangga, bahan bangunan, kerajinan tangan, dan lain-lain.

Pohon medang (*Cinnamomum porrectum*); pohon gadis; kayu lada; madang loso; medang sahang; kisereh; kipedes; selasihan; marawali; merang; parari; pelarah; peluwari; palio): salah satu jenis suku Lauraceae, yang kulit dan kayu-nya berbau harum. Pohon ini berukuran sedang hingga be-sar dengan ketinggian bisa mencapai 35-45 meter. Batang pohonnya bundar, lurus, dan umumnya tidak berbanir (banir: akar yang menganjur ke luar menyerupai dinding penopang pohon, seperti pada beringin). Permukaan kulit batang berwarna kelabu atau kelabu cokelat sampai krem, serta beralur dangkal merapat dan mengelupas kecil-kecil. Bagian kulit dalam pohon ini cokelat kemerahan, dan makin ke dalam menjadi merah muda atau putih. Pohon ini termasuk beruntung karena banyak dilestarikan oleh penduduk yang memanfaatkan kulitnya sebagai sumber nafkah (meskipun seperti juga banyak jenis pohon lain, kayu pohon medang sebenarnya bisa digunakan untuk bahan bangunan, kayu lapis, mebel, lantai, dinding, kerangka pintu dan jendela, dan sebagainya). Kulit kayu medang merupakan bahan baku racun nyamuk bakar dan gaharu (hio). Sementara getah yang menempel di kulitnya bisa digunakan untuk bahan baku lem. Pohon itu tidak akan mati meskipun berkali-kali diambil kulitnya, melainkan akan semakin besar sehingga semakin banyak kulitnya yang bisa diambil oleh para pemburu.

Pohon meranti: termasuk jenis *Shorea*, kayunya keras, digunakan untuk bahan bangunan, landasan rel kereta api, tiang listrik, dan lain sebagainya.

Tanjung (*Mimusops elengi*): pohon yang bunganya berwarna putih kekuning-kuningan dan berbau harum, biasa dipakai untuk hiasan sanggul.

Bab 17

Abutilon (*Mallow, Indian Mallow, Flowering Maple*): genus besar yang terdiri dari sekitar 150 spesies tanaman berdaun lebar yang tergolong dalam familia *mallow* (*Malvaceae*). Tanaman ini sangat populer di daerah subtropis. Daun-daun abutilon ada yang tidak berkelompok, ada yang tanpa kelopak, ada juga yang menjari dengan 3-7 kelopak. Bunga-

bunganya sangat mencolok dengan lima petal, kebanyakan berwarna merah, merah muda, jingga, kuning, atau putih.

Amarilis (*Amaryllis; naked lady*): genus yang terdiri dari hanya satu spesies, yaitu Belladona Lily (*Amaryllis bella-donna*), yang berasal dari Afrika Selatan. Amarilis merupa-kan tanaman berumbi yang memiliki beberapa helai daun dengan panjang 30-50 cm dan lebar 2-3 cm, yang tertata dalam dua baris. Di musim gugur daun-daun amarilis akan tumbuh dan kemudian gugur di akhir musim semi. Di akhir musim panas umbinya memproduksi satu atau dua batang setinggi 30-60 cm, di ujungnya akan muncul 2 sampai 12 buah bunga berbentuk corong. Bunga ini berdiameter sekitar 6-10 cm dan terdiri dari 6 *tepal* (3 sepal luar dan 3 petal dalam yang hampir mirip), dan berwarna putih, merah mu-da, merah, atau ungu. Nama amarilis juga sering digunakan untuk menyebut familia Amaryllidaceae yang terdiri dari beragam genus seperti *Hippeastrum, Narcissus, Galan-thus*, dan *Clivia*.

Ardisia: kelompok besar beberapa jenis pohon dan semak hijau. Tanaman kecil akan tampak cantik di dalam pot jika sedang tertutup oleh buah-buah *berri* kecilnya yang berwar-na merah sampai hitam. Daunnya kecil-kecil, berwarna hijau gelap, dengan bunga putih-merah muda.

Aster (*Aster corvifollus*): nama yang umum digunakan untuk sebuah genus yang memiliki lebih dari 250 spesies tanaman berbunga majemuk yang harum, termasuk familia

Compositae (*Composite Flowers*) atau *Asteraceae*. Bunga aster berwarna merah, putih, kuning, ungu, atau merah muda. Aster memiliki floret tengah (*disk floret*) yang bundar dan berwarna kuning sementara floret pinggir (*ray florets*, terdiri dari banyak petal) yang mengelilinginya memiliki warna bervariasi dari ungu sampai biru, serta dari merah muda sampai putih.

Azalea: nama spesies dari genus *Rhododendron*. Berasal dari kata Yunani "azaleas" yang berarti "kering", meski sebenarnya ini tidak cocok dengan azalea zaman sekarang yang tidak tumbuh di daerah kering seperti varietas aslinya. Tanaman ini merupakan sesemakan dengan kelompok-kelompok besar bunga berwarna merah muda, merah, jingga, ungu, kuning, atau putih.

Banar (*Smilax helferi*): pohon yang merambat seperti rotan, akarnya bisa digunakan sebagai pengikat, juga sebagai obat.

Begonia: nama umum untuk familia tanaman berbunga yang terdiri lebih dari 1.000 spesies, memiliki karakteristik berupa daun-daun yang asimetris serta bunga-bunga jantan dan betina yang terpisah dalam tanaman yang sama. Bunga-bunga ini berwarna kuning, oranye, merah muda, atau putih. Batangnya kebanyakan berair, namun ada yang tegak, merambat, atau tumbuh di bawah tanah. Begonia ada yang sengaja dibudidayakan karena keindahan daunnya (*painted-leaf begonia*) yang berbentuk hati (bisa mencapai panjang 30 cm) dan berpola mencolok dengan kombinasi warna merah, hitam, perak, dan hijau dengan tepian yang berimpel.

Calathea: tanaman tropis yang unik, daunnya hijau gelap (pada *Calathea amabilis* [kadang juga disebut *Stromanthe amabilis* atau *Ctenante*] daunnya disertai pola garis-garis putih-hijau) dan berimpel, berbentuk oval dan melancip di ujung, sementara bagian bawah daunnya berwarna *maroon*. Bentuk braktea (daun gagang; daun pelindung) bunganya bervariasi, dari bentuk kerucut sarang lebah yang berkilau sampai bentuk ekor ular derik dan berwarna biru, merah, putih, dan lain sebagainya (pada *Calathea crocata* bunganya berbentuk seperti nyala api dan berwarna oranye atau kuning). Di Afrika Selatan, orang menggunakan Calathea sebagai makanan, obat, anyaman keranjang, dan atap. Menariknya, tanaman ini akan menutup daunnya di kala malam tiba.

Damar: getah keras yang berasal dari bermacam-macam pohon dan banyak macamnya.

Daun picisan (sisik naga): merupakan tumbuhan epifit, terna, tumbuh di batang dan dahan pohon, memiliki akar rimpang panjang, kecil, merayap, bersisik, panjang 5-22 cm, dengan akar melekat kuat. Daun yang satu dengan yang lainnya tumbuh dengan jarak yang pendek, tebal berdaging, berbentuk jorong (bulat panjang), dengan ujung tumpul atau membundar, pangkal runcing, tepi rata, permukaan daun tua gundul dan berambut jarang pada permukaan bawah, warnanya berkisar dari hijau sampai kecokelatan. Ukuran daun yang berbentuk bulat sampai jorong hampir sama dengan uang logam picisan sehingga tanaman ini dinamakan picisan. Tanaman ini memiliki berbagai khasiat, salah satunya adalah bisa digunakan sebagai penghilang rasa nyeri dan obat batuk.

Delima (*Punica granatum*): tumbuhan perdu dengan cabang yang rendah dan berduri jarang. Daunnya kecil-kecil agak kaku dan berwarna hijau berkilap. Buahnya dapat dimakan, berkulit kekuning-kuningan sampai merah tua, kalau masak merekah. Juga disebut cempaka tanjung.

Dendrobium: merupakan jenis anggrek epifit (menumpang di pohon tapi tidak mengambil makanan darinya seperti anggrek parasit). Namanya diambil dari kata Yunani, "dendron" yang berarti pohon dan "bios" yang berarti hidup. Spesies dari anggrek ini memiliki bunga warna merah muda, putih, kuning, atau kombinasi.

Gaharu: kayu yang harum baunya, biasanya dari pohon tengkaras (*Aquilaria malaccensis*).

Jambu air mawar (*Eugenia jambos*): jambu air yang berbentuk bulat kecil, berwarna kuning pucat atau kehijau-an, berkulit licin dan agak keras.

Jurassic: periode geologi di saat dinosaurus berkembang pesat, burung-burung dan mamalia pertama kali muncul, berlangsung sekitar 210-140 juta tahun yang lalu. Jurassic merupakan periode pertengahan dari zaman Mesozoikum.

Keladi (*Colocasia esculenta*): tumbuhan jenis terna; berdaun lebar dan berumbi dan ada yang dapat dimakan ada yang tidak.

Keranjang pempang: keranjang yang bercabang agar bisa diletakkan di bagian belakang sepeda.

Mammillaria: nama genus yang termasuk familia *Cactaceae* (*cacti*) atau kaktus. Nama Mammillaria datang dari bahasa Latin "mamma" karena tonjolan-tonjolan (*tubercules*) yang menutupi seluruh tubuh tanaman tersebut, dan yang, pada beberapa spesies, mengandung cairan tubuh yang kental seperti susu (lateks). Tubuh kaktus ini bulat dan pendek, tumbuh soliter atau berkelompok. Duri-duri kaktusnya tumbuh di puncak tonjolan tadi dan dibedakan menjadi duri sentral dan duri radial. Bunganya berwarna merah, merah muda, putih, kuning, atau bervariasi, biasanya mekar di siang hari.

Monstera (*Monstera delicioca; Swiss cheese plant*): tumbuhan berdaun besar berwarna hijau, berkilap, dan bundar atau berbentuk hati ketika masih muda. Ciri khasnya adalah tepian yang robek serta berlubang, yang baru tampak ketika tanaman ini dewasa. Dengan perawatan yang tepat tanaman ini bisa tumbuh sampai mencapai lebar 60 cm dan tinggi 2,4 m. Monstera menyukai posisi yang terang tapi teduh. Di alam liar tanaman ini tumbuh di batang pohon dan sepanjang cabang pohon, bergantung dengan akar aerialnya yang menyerupai ekor berwarna cokelat.

Nolina (*Beaucarnea recurvata; ponytail plant; ponytail palm; elephants foot*): sebuah genus dari familia *agave* (*Agavaceae*). Nolina memiliki daun yang panjang, langsing, dan lancip, yang keluar dan menjuntai dari puncak sebuah batang keras yang panjang dengan dasar yang menggelembung—mirip kaki gajah. Beberapa spesiesnya dibudidayakan sebagai tanaman hias. Jenis yang paling sering ditemui adalah *Nolina recurvata*, yang biasa ditanam di dalam rumah.

Peperomia: genus dengan lebih dari 1.500 spesies di seluruh dunia dan sekitar 20 di antaranya sudah populer sebagai tanam-an pot. Semuanya memiliki varietas dengan dedaun-an berwarna unik yang tepiannya tidak rata. Batangnya berdaging, ada yang tumbuh ke atas, ada yang menggantung atau merambat. Warnanya bervariasi antara hijau muda, merah, kuning, dan kombinasi. Kebanyakan adalah tumbuhan epifit. Namanya diambil dari kata Yunani "pepri" (lada) dan "homoios" (mirip), yang berarti "tampak seperti lada".

Stromanthe: genus dari familia yang sama dengan Calathea yang terdiri dari dua spesies tanaman dalam ruang, yaitu *S. amabilis* dan *S. sanguinea*. *S. amabilis* memiliki daun-daun yang berukuran panjang 15-25 cm dan lebar 5 cm, sementara *S. sanguinea* memiliki daun yang lebih besar (mencapai panjang 30-50 cm dan lebar sekitar 10 cm) dan berkilat. Keduanya memiliki daun-daun yang berbentuk seperti kipas.

Bab 18

Tabla: sepasang drum asli India, satu berbentuk silinder, satunya lagi berbentuk seperti mangkuk.

Trombon: alat musik tiup berbentuk trompet panjang dan cara memainkannya ditiup sambil menyorong dan menarik alat pada pipa trompet tersebut.

Bab 19

Klarinet: alat musik tiup dengan lidah-lidah tunggal (*single reeds*) yang dapat bergetar, dibuat dari kayu atau logam yang diberi lubang-lubang dan gamitan, menghasilkan suara kecil melengking.

Saksofon: alat musik tiup yang dibuat dari logam, berbentuk lengkung seperti pipa cangklong, dilengkapi dengan lubang dan tombol jari. Saksofon ada berbagai macamnya: saksofon tenor, saksofon alto, dan saksofon bariton.

Snare drum (*side drum*): sejenis drum yang dilengkapi dengan bentangan kawat di bagian bawahnya agar menghasilkan suara yang bergetar atau berderik.

Bab 20

Bugenvil (bunga kertas; *Bougainvillea*): nama umum genus tanaman bunga merambat yang memiliki sulur berduri.

Genus ini terdiri dari sekitar 13 spesies. Tanaman ini memiliki bunga yang kecil, sederhana, dan terpisah, yang biasanya dikelilingi oleh braktea yang mencolok. Braktea ini bisa berwarna merah, merah muda, ungu, kuning, oranye, atau putih. Namanya diambil dari Louis Antoine de Bougainville, pria Prancis pemimpin ekspedisi saat tanaman ini ditemukan.

Burung sekretaris (*secretary bird*): burung dari kelompok bangau, begitu anggun, tinggi, berkaki panjang, dan berjalan melenggak-lenggok, berasal dari Afrika.

Daffodil (*Narcissus*): dinamai dari tokoh pemuda dalam mitologi Yunani yang terpesona oleh keindahannya sendiri sampai ajal menjemputnya dan ia pun berubah menjadi sekuntum bunga. Genus *Narcissus* merupakan keluarga amarilis. Tanaman ini berumbi, memiliki bunga tunggal atau ganda dengan enam petal, mahkota bunga yang memiliki enam petal yang bersatu, enam benang sari, dan sebuah putik yang soliter. Sebuah mahkota berbentuk seperti piala—disebut korona—mencuat dari permukaan dalam bunganya. *Daffodil* biasanya berwarna putih atau kuning, atau kombinasi dari keduanya. Spesies yang paling umum ditemui adalah *yellow daffodil* (*Narcissus pseudonarcissus*) yang memiliki ciri khas mahkota bunga berwarna kuning yang dalam dan menyerupai trompet. Umbi Narcissus mengandung alkaloid yang beracun jika dimakan karena bisa menyebabkan gangguan pencernaan akut seperti muntah, diare, disertai dengan gemetar dan kejang.

Dracaena: genus besar tanaman tropis yang memiliki daun runcing seperti pedang atau oval dan lancip di ujungnya, sering kali dengan corak warna yang bergradasi, yang berkelompok di ujung batangnya. Tanaman ini jarang sekali memproduksi bunganya yang kecil dan berwarna putih kehijauan. Spesiesnya yang paling umum ditemui adalah *fragrant dracaena* (*Dracaena fragrans; cornplant*), dengan ciri khas berupa daun yang lemas dan melengkung, dengan setrip warna daun yang lebih muda di tengahnya. Ada juga spesies *gold-dust dracaena* (*Dracaena surculosa*) yang memiliki daun berbintik keemasan.

Katebelece: surat pendek untuk memberitakan hal seperlunya saja; surat pengantar dari pejabat untuk urusan tertentu

Pittosporum: nama genus besar untuk semak hijau dengan daun kecil yang kasar. Bunganya berkelompok, berwarna putih, ungu, atau kuning kehijauan dan berbau harum. Biasa digunakan sebagai pagar tanaman.

Bab 22

Bambu tali (*Gigantochloa apus*): bambu yang batangnya (setelah dibelah-belah) dapat dijadikan tali.

Callistemon laevis atau bunga jarum merah (*Bottlebrush*): adalah sebuah genus yang memiliki 34 spesies dari familia Myrtaceae. Disebut *bottlebrush* karena bunganya yang silindris dan seperti sikat botol. Daun-daunnya berbentuk linier dan lancip.

Hipokondria: ketakutan yang berlebihan dan terus-menerus (bersifat jangka panjang) terhadap gangguan kesehatan tubuh. Penderita hipokondria biasanya yakin bahwa ia memiliki penyakit serius tanpa ada bukti yang objektif.

Vitex trifolia: tumbuhan dengan daun-daun yang bagian permukaan atasnya berwarna hijau keabu-abuan dengan corak putih yang menawan, sementara permukaan bawahnya berwarna perak. Daun-daun yang sangat dekoratif ini cocok untuk daerah tropis dan dapat tumbuh dengan mudah, selain itu juga tanaman ini tak membutuhkan banyak air.

Bab 24

Camellia (*Camellia japonica; japonica*): tumbuhan sesemakan dari keluarga teh dengan bunga yang bentuknya menyerupai mawar. Daunnya berwarna hijau dan berkilat. Berasal dari bahasa Latin modern untuk nama Joseph Kamel (1661–1706), seorang misionaris dan ahli botani yang pertama kali mendeskripsikan tanaman ini.

Hipotermia: keadaan suhu tubuh yang turun sampai di bawah 35° C, biasanya karena terpaan dingin dalam waktu lama.

Bab 28

Buntat: semacam batu hitam yang terdapat di perut kela-bang, dipercaya ampuh sebagai jimat pengasih.

Incubus: berasal dari cerita rakyat Eropa, yaitu seorang setan laki-laki yang dipercaya suka mencari wanita untuk disetubuhi saat mereka tidur.

Macan akar: sebutan untuk macan kecil yang selalu berada di dekat akar pohon.

Paleolitikum: zaman batu tua; purba yang berlangsung dari 750.000 sampai 15.000 tahun yang lalu, ditandai dengan pemakaian alat-alat serpih.

Syah bandar: pejabat pemerintah yang bertugas mengatur pelabuhan.

Bab 29

Metafisika: ilmu pengetahuan yang berhubungan dengan hal-hal yang nonfisik atau tidak kelihatan.

Parapsikologi: cabang ilmu jiwa tentang hal-hal yang gaib atau di luar jangkauan pancaindra.

Trade-off: sebuah situasi saat seseorang harus berkompromi dengan menyerahkan seluruh atau sebagian dari suatu hal untuk menukarnya dengan hal lainnya.

Bab 30

Cassiopeia: konstelasi bintang berbentuk seperti huruf "W" di belahan bumi utara, berada di dekat Polaris.

Bab 32

Agnostik: orang yang berpandangan bahwa kebenaran tertinggi (Tuhan) tidak dapat diketahui dan mungkin tidak akan dapat diketahui. Orang seperti ini percaya bahwa Tuhan ada tapi tak mau memeluk agama apa pun. Agnotisisme tumbuh subur di Belanda.

Pungguk (*Ninox sentulata malaccensis*): burung elang malam (burung hantu) yang suka memandang bulan.

Bab 33

Anakronistis(a): tidak cocok dengan zaman tertentu. **Anakronisme(n)**: hal ketidakcocokan dengan zaman tertentu; bisa juga berarti penempatan tokoh, peristiwa, percakapan, dan unsur latar yang tidak sesuai menurut waktu dalam karya sastra.

Open pit mining: pertambangan sumur terbuka, istilah untuk bagian dari lubang sumur yang digunakan untuk menahan guguran yang bisa menutupi sumur jika ada ledakan dari dalam.

Bab 34

Gotik: dalam fesyen berarti gaya busana dan rias wajah yang serbagelap, biasanya dengan lipstik dan rias mata hitam dengan wajah yang dipucatkan, dilengkapi dengan perhiasan perak yang berat. Gaya ini populer di tahun 80-an.

Pisau antip: sebutan untuk semacam alat pemotong dengan sistem per seperti pemotong kuku.

Tentang Tetralogi Laskar Pelangi

Andrea Hirata: *Out of the Blue*

Di negeri ini, tidak mudah menulis novel-novel yang kese-muanya *best seller*, apalagi merupakan karya-karya pertama, ditulis seseorang yang tak berasal dari lingkungan sastra, dan lebih gawat lagi, novel-novel itu sama sekali tak sejalan dengan *trend* pasar. Tapi, hal itu dapat dilakukan Andrea Hirata. Melalui *Laskar Pelangi*, Andrea Hirata langsung menempatkan dirinya sebagai salah satu penulis muda Indonesia yang amat menjanjikan. *Laskar Pelangi* telah beredar di luar negeri, bahkan mampu mencapai *best seller* di Malaysia.

Andrea Hirata, *out of the blue*, tak dikenal sebelumnya, tak pernah menulis sepotong pun cerpen, tiba-tiba mun-cul, langsung menulis tetralogi—sesuatu yang juga cukup ajaib bagi penulis pemula—dengan gaya *realis* bertabur metafora yang disebut Prof. Sapardi Djoko Damono, guru besar sastra Universitas Indonesia, sebagai metafora yang berani, tak biasa, tak terduga, kadang kala *ngawur*, namun amat memikat.

Bagaimana karya-karya Andrea dapat menjadi *best seller* tanpa harus *mengorbankan mutu*? Tentu tak terlepas dari muatan intelektualitas dan spiritualitas buku-buku itu. Sastrawan Ahmad Tohari mengatakan, "Andrea adalah jaminan bagi sebuah karya sastra bergaya saintifik dengan penyampaian yang cerdas dan menyentuh." Prof. Dr. Syafii Maarif, mantan ketua umum Muhammadiyah berkomentar,, "Andrea langsung membidik pusat kesadaran."

Meski masih terlalu hipotetik, karya Andrea diterima secara luas mungkin juga karena pembaca kita jenuh akan sajian metropop bertema urban super-ringan, pornografi, hedonistik, dan mulai mendamba tulisan yang lebih *berkapasitas*. "Andrea mengobati kehausan para pencinta buku akan buku-buku Indonesia bermutu" (*Kompas*, 11 November 2006).

Daya tarik yang menonjol dari karya-karya Andrea juga terletak pada *kemungkinan yang amat luas* dari eksplorasinya terhadap karakter dan peristiwa, sehingga paragrafnya selalu mengandung *kekayaan*. Setiap paragraf seakan dapat berkembang menjadi sebuah cerpen, dan setiap bab mengandung letupan intelejensia, kisah, dan *romantika* untuk dapat tumbuh menjadi buku tersendiri. Andrea tak pernah kekeringan ide dan tak pernah kehilangan tempat untuk melihat suatu fenomena dari satu sudut yang tak pernah dilihat orang lain. Setiap kalimatnya potensial. Ironi diolahnya menjadi jenaka, cinta pertama yang *absurd* menjadi demikian memesona, tragedi diparodikan, ia menyastrakan fisika, kimia, biologi, dan astronomi. "Andrea adalah seorang seniman kata-kata," ujar Nicola Horner. Majalah *Tempo* menyebutnya, "Andrea berhasil menyajikan kenangannya menjadi cerita yang menarik, deskripsinya kuat, filmis." Santi Indra Astuti, M.Si., seorang dosen komunikasi, di *Koran Tempo* berpendapat, "*Laskar Pelangi ageless, timeless, borderless.*" Garin Nugroho, "Inspiratif." Dan, Riri Riza, "*A must read.*"

Novel pertama Andrea Hirata, *Laskar Pelangi*, telah berkembang bukan hanya sebagai bacaan sastra, namun sebagai referensi ilmiah. Novel ini banyak dirujuk untuk penulisan skripsi, tesis, dan telah diseminarkan oleh birokrat untuk menyusun rekomendasi kebijakan pendidikan.

Adapun dalam novel keduanya, *Sang Pemimpi*, Andrea menarikan imajinasi dan melantunkan stambul mimpi-mimpi dua anak Melayu kampung: Ikal dan Arai.

Novel *Edensor* adalah novel ketiga dari tetralogi Laskar Pelangi. Novel ini bercerita tentang keberanian bermimpi, kekuatan cinta, pencarian diri sendiri, dan penaklukan-penaklukan yang gagah berani.

Novel keempat, atau terakhir dalam rangkaian empat karya tetralogi Laskar Pelangi, adalah *Maryamah Karpov*. Dalam *Maryamah Karpov*, dengan satirenya yang khas, ironi yang menggelitik, dan intelegensia yang meluap-luap na-

Andrea Hirata

mun membumi, Andrea berkisah tentang perempuan dari satu sudut yang amat jarang diekspos penulis Indonesia dewasa ini.

Membaca keempat novel tetralogi Laskar Pelangi, kita tak hanya menikmati epik yang bermutu. Kita juga akan menyaksikan bagaimana seorang penulis berbakat berevolusi dari satu karya ke karya lainnya untuk menuju *master piece*-nya.